何建明文集

卷十九

男人的美丽男人的梦

何建明 著

新世界出版社
NEW WORLD PRESS

图书在版编目（CIP）数据

男人的美丽男人的梦 / 何建明著 . -- 北京 : 新世界出版社 , 2018.3

（何建明文集 ; 19 ）

ISBN 978-7-5104-6403-4

Ⅰ . ①男… Ⅱ . ①何… Ⅲ . ①报告文学 — 中国 — 当代 Ⅳ . ① I25

中国版本图书馆 CIP 数据核字 (2017) 第 223638 号

男人的美丽男人的梦

作　　者 : 何建明
特邀丛书编辑 : 韩小群
责任编辑 : 贾瑞娜
责任校对 : 宣　慧
责任印制 : 王宝根　苏爱玲
出版发行 : 新世界出版社
社　　址 : 北京西城区百万庄大街 24 号(100037)
发 行 部 :(010) 6899 5968 （ 010 ）6899 8705（ 传真 ）
总 编 室 :(010) 6899 5424 （ 010 ）6832 6679（ 传真 ）
http://www.nwp.cn
http://www.nwp.com.cn
版 权 部 : +8610 6899 6306
版权部电子信箱 : nwpcd@sina.com
印　　刷 : 北京京华虎彩印刷有限公司
经　　销 : 新华书店
开　　本 : 710mm × 1000mm 1/16
字　　数 : 320 千字　　印　　张 : 21
版　　次 : 2018 年 3 月第 1 版　2018 年 3 月第 1 次印刷
书　　号 : ISBN 978-7-5104-6403-4
定　　价 : 56.00 元

1978 年——中国改革开放启幕

1978 年——我的文学生涯开始

庆幸，我的命运与时代、与祖国同行。还有一份安慰：当我离开这个世界时，有人可以从我的文字里触摸到中国今天的脉搏是如何跳动的……

何建明

重要创作历程及个人成就

1978 年	创作第一篇中篇散文《湘西探险记》
1980 年	发表第一篇报告文学《腾飞吧，苍龙》
1982 年	创作第一部军事题材小说《第二道战壕》
1986 年	出版第一部报告文学作品集《缉私大王》
1988 年	出版第一部长篇小说《东方毒蛇》
1989 年	由同名作品改编的电影剧本《西行囚车》被搬上银幕，此片获珠江电影制片厂优秀故事片奖
1990 年	第一次获中华宝石文学奖
1993 年	任文学杂志《新生界》主编
1993 年	发表第一部长篇报告文学《野性的黑潮》
1994 年	第一次成为《青年文学》封面人物
1995 年	《共和国告急》出版，此后获第一届鲁迅文学奖
1995 年	《科学大师的名利场》发表
1998 年	《落泪是金》发表，此后获第二届鲁迅文学奖、第一届徐迟报告文学奖、中国改革开放优秀报告文学奖
2000 年	《中国高考报告》出版，此后获第一届正泰杯全国报告文学奖
2001 年	《中国高考报告》被日本、澳大利亚翻译出版
2002 年	《根本利益》发表，此后获第二届徐迟报告文学奖、人民文学奖特等奖、第六届国家图书奖提名奖、第二届正泰杯全国报告文学奖，入选中宣部推荐的党的十五大献礼书目
2002 年	《国家行动：三峡大移民》出版，此后获中宣部第九届“五个一工程”奖，入选中宣部推荐的党的十六大献礼书目

2003 年	《北京保卫战》发表，获《文汇报》优秀作品奖
2003 年	完成电影剧本《廊桥悠悠》创作（此为与谢晋导演合作项目）
2004 年	由《根本利益》改编的电影《信天游》上映
2004 年	《永远的红树林》发表，此后获第四届正泰杯全国报告文学奖
2005 年	《李琬若：从中国留学生到美国市长》出版，并被美国翻译出版
2005 年	获国务院授予的“全国劳动模范”称号
2005 年	任《中国作家》杂志主编
2006 年	《男人的美丽男人的梦》出版
2007 年	散文《父亲的体温》入选中学课本及教辅资料
2007 年	《部长与国家》获第四届鲁迅文学奖、第三届徐迟报告文学奖荣誉奖
2008 年	《生命第一——5·12 大地震现场纪实》出版，此后获第二届“中华优秀出版物”奖、第四届徐迟报告文学奖
2008 年	任作家出版社社长
2008 年	荣获“全国新闻出版行业领军人才”称号
2008 年	根据《国家行动》改编的同名电视连续剧在央视播出
2009 年	任中国作家协会党组成员、书记处书记，中国作家出版集团党委书记、管委会主任
2009 年	《国家行动》电视连续剧获中宣部第十一届“五个一工程”奖
2009 年	《我的天堂》出版，获中宣部第十一届“五个一工程”奖
2009 年	《永远的红树林》获新中国六十年优秀中短篇报告文学奖

2009 年	获中华全国总工会“时代领跑者——新中国成立以来最具影响的劳动模范”评选活动提名奖
2010 年	根据《部长与国家》改编的电视连续剧《奠基者》在央视黄金时段播出，此后获中宣部第十二届“五个一工程”奖
2010 年	《忠诚与背叛：告诉你一个真实的红岩》出版，此后获中宣部第十二届“五个一工程”奖、第三届中国出版政府奖，入选“2013 年全国青少年推荐阅读的优秀书目”
2010 年	任中国作家协会副主席至今
2011 年	《国家——2011·中国外交史上的空前行动》出版，后获人民文学奖特等奖，入选“2012 年中国报告文学优秀作品排行榜”、中宣部推荐的党的十八大献礼书目
2012 年	《三牛风波》出版，荣登北京图书大厦畅销书排行榜
2012 年	任中华文学基金会理事长至今
2012 年	当选中国报告文学学会理事长至今
2014 年	《南京大屠杀全纪实》出版，此后获第四届中国出版政府奖、人民文学奖特等奖
2015 年	获亚洲品牌协会“中国文化品牌新领军人物”荣誉
2015 年	《真假之间》发表
2016 年	《爆炸现场》出版，获中国出版集团优秀销售奖，入选“2016 年中国报告文学优秀作品排行榜”
2017 年	《死亡征战》出版，被英国、法国翻译出版
2017 年	《那山，那水》发表

（截至 2017 年 9 月）

目　录

第一章　三顾求书

在现代社会，有很多人质问，究竟什么样的男人才是好男人？这若放在古代，我想“田”底下用“力”干活的那部分人，就应该叫作好男人吧。然而时光飞逝到今天，好男人，不光要能在“田”底下干活，更应该能在“天”底下干活，并且要干出漂亮的活儿，干出恢宏美丽的事业。

我认识的这个男人就是这样的一个男人，他用智慧与拼劲、血汗与心力，谱写了一个男人曲曲折折、熠熠生辉的美丽诗章。他就是——欧阳祥山。

我与欧阳祥山的相识，源于2004年的一次偶然相遇。

第一次见到他，一米七八的个头，一身英气，满脸笑容，极富亲和力，举止大方，彬彬有礼，是个十分得体的人。

“你当过兵？”

“当过。开始在野战部队，后来在武警。”

我们就这样认识了，第一次握手便格外近乎。我发现他身上似乎有一种磁场，温和、稳重，又微带不可磨灭的光泽。

再次握手时，我们已经亲密无间了。因为我们的经历十分相似：当过兵，并且都是先在野战部队，再转到武警部队的。

“经历虽然相似，可你老弟是否有不凡的背景，所以能一路平顺，要风得风，要雨得雨，叱咤商海？”我问。

欧阳笑着挥挥手：“你错了老哥。别看我现在风风光光的，可我是个地地道道的农家苦孩子出身，自幼无钱读书，当过乞丐，饱尝苦难，甚至多次想过死，那时我只有七八岁，牵着盲眼姐姐和姐夫，到处流浪……”

欧阳的话，使我心如针刺。

这个商界的大亨，时刻铭记自己的苦寒出身并毫不掩饰。我知道，这个社会有太多人，使尽浑身解数掩盖自己黯淡的过往，把自己打扮成像是含着金钥匙出来的人。而眼前这个亿万富翁，却在三言两语间提及自己的悲苦，朴素而意味深长的言谈，让人动情、动容。

第三次握手时，我竟然从他的眼眶里看到了闪动的泪花。我知道，他的泪花是感怀于被瞬间勾起的悲情岁月。

然而，我似乎仍然不太相信这位气质儒雅、英俊潇洒的亿万富翁，竟然会是一个出身异常贫苦、幼年当过乞丐的苦命人。他没有上过几天学，却聪明过人，才华出众。在17年军旅生涯中，在仕途极好时，他却毅然脱掉军装下海从商，从小卖部做起，涉足30余个行业，弹指一挥间竟又成为拥有数亿资产的大亨。现今他的美丽集团，下辖十几个公司，是以商业地产开发和优质自留物业租赁经营为主，以股权投资和相关配套产业为辅，以高科技产业为突破点的多元化经营的大型民营企业集团。在深圳，认识和听说欧阳祥山的人不少，都说他是个充满传奇色彩的人物！

所有这些，像磁铁般吸引着我。

“你的经历就是故事，我想写下来。”第二次见面时，我直奔主题对欧阳说。

欧阳迟疑了一下说：“不太好吧，像我们这代所谓的企业家、生意人，都有类似的经历和辛酸。况且，我也怕出名。”

“出名有什么好怕的？找我写书的人多了，就你怕？”我说的是真话。

“我怕你把我当个生意人。”

欧阳的话让我感到意外。

“生意人有什么不好？中国这二三十年突飞猛进，靠的就是你们这些财富创造者。”

欧阳仰天长叹一声道：“你可能不知道，人没钱时什么都不怕。可有了钱后，反倒怕这怕那。”

“为什么？”

欧阳摇摇头，没有接话，内心似乎有不少苦涩。

片刻，他缓缓诉说：“其实不为什么，人就是应该低调和谦卑。虽然现在我也算是个有钱人，但我始终认为一个人有再多的财产，它最终也是属于社会的，所以并不值得炫耀。但我确实也有些自己的奋斗经历和人生感悟想告诉世人。你看，光国家现在每年几百万大学毕业生的就业问题，就成为一大难题。许多青年学生走出校园后面对激烈的竞争难以适应，找不到定位，开始怨天怨地。比如像深圳，2004年在体育馆举行的一次招聘会上，1000多个应届毕业生职位，全国各地却来了几万名大学生！你想想看，这是多么大的反差！许多找不到工作的学生身无分文，有的躺在马路边，有的躺在公园里，甚至个别的公开乞讨路费……看到这一幕幕，我觉得心酸。因此之后我到大学演讲，就一再强调大学生要走向社会，提倡学校实质性地去搞素质教育，与学生们一起研讨自食其力的能力和方法。”

“又有一次，在我自己的公司创建十周年时，我把过去的领导和战友们请来了，吃饭时我应邀向战友们简单讲述了一下自己走出军营的10年奋斗历程，没想到他们听了都感动得直落泪，说欧阳你太不简单了，说你转业后的经历就是对全军几百万转业军人最好的人生教科书。对他们这种说法我感到很意外。”

“还有一件事，是前年春节我回湖北老家，当看到许多农村青年走出家门数年后，又毫无收获地回到家乡，无所适从，对前途和理想完全失去了信心，整天不是去搓麻将，就是跟父母争吵，连地也懒得去种。我看着，心头有种痛。那时我想了许多，想到了自己比他们更不幸的过去，也想到了比他们不知要好多少倍的现在，但想得最多的，还是想把我自己如何面对人生不幸的经历和艰辛奋斗的经验告诉他们，想让他们明白我们既生而为人，就要成为一个有用的人，不做一个多余的人。做一个经营者，不要做一个永远的消费者。因为永远的消费者是谁也做不起的，那肯定是人生的失败者……”

言语间，我再次看到他闪动的泪花。

我知道，他这一次的泪花，是为那些还在苦苦求索谋生就业之路的人而闪动。没想到，欧阳竟是个感情丰沛和富有哲理的人。我的内心平添了几分敬意和激动。

“欧阳兄弟，你的这本书我写定了！”我的语气斩钉截铁。

“真值得吗？”这回轮到欧阳问我了。

“当然！”我发现自己更加斩钉截铁。

“为什么？”

“因为苦难是人生最好的教科书，你的经历就是一部诠释成功的励志传奇！”

“你这是在替我吹牛了！我哪能是传奇？”欧阳似乎有些孩子般的羞涩。

“不，要我说，你欧阳的传奇经历，既是属于你自己的，更是属于中国这个时代的。因为一个民族的崛起，需要整个民族的那些能够创造历史传奇的人共同努力。中国有13亿人口，很多人不知道如何去改变自己的命运，更谈不上为国家和民族创造些什么。从这个意义讲，你欧阳的人生经历对千千万万正在寻求就业的中国人，是一部有益的人生启示录。”我说得极其认真。

欧阳听后微微一笑：“那你是在向千千万万的人帮我做广告呢。”

“难道，你不想让更多的人从你身上学到一些成功的经验吗？至少是一点谋生的技能也好啊！”

欧阳陷入思考，没有再说话。

我想，他是陷入了矛盾：既不希望借书标榜自己，又渴望借书帮助他人。我也不好再说什么。不过，幸好他拒绝我为他著书的态度已不再像刚开始时那样坚决了。

之后的一段日子我们没有再联系，各忙各的。

突然有一天他从首都机场给我打电话，气喘吁吁地告诉我：“我马上要上国际航班了，到南极去……”

他的声音听上去像一个纯真兴奋的孩子。

这人！一个中年人，居然也能有孩子般的率真性情、乖张脾气。

“到南极干什么去呀？关于你的书还写不写了……”

我的话还未问完，电话断了，留下的只有我立在原地的猜想和对他身份的好奇。这家伙真有精力，跑南极“挨冻”去，真是令人匪夷所思。

不料，今年春节前的一天深夜，我突然又接到他的电话。他在电话那头，激动地向我讲述了南极之旅。

“收获太大了！我第一次亲身感受到人在大自然面前显得是那么渺小。就比如智慧吧，许多人说我聪明，成就了事业，其实我发现，我连一只小小的企鹅都比不上。南极海滩边，几千几万只一模一样的小企鹅在一起玩耍，而它们的妈妈却能从小企鹅的啼叫声中迅速辨认出自己的孩子。仅这一点，在我们人类看来就无法想象……”

“还要告诉你一件事，我把我们美丽集团的旗帜插到了南极！这是我们所有‘美丽’员工共同的骄傲……”

“许多人认为我是去寻求刺激的，是去玩一趟的，其实我是想去那里真正净化一下自己的心灵……”

“南极的广阔天地告诉我，一个人做的事无论有多大，能够进入某种境界才是最重要、最可贵的。也只有这个时候，我们对财富的理解、对人生的追求，才会更深刻和豁达……”

“我们在认识到自我强悍与壮大的同时，更应该认识到自我的平凡与微小，同时应具有点点滴滴细小而又珍贵的感恩之心……”

他讲得滔滔不绝，又一次像个孩子一样抒发自己最真实的感触。从一个看上去只会赚钱的大亨那里听到这样的肺腑之言，让我既感动又兴奋。

我终于憋不住问他：“有这么多感触，那关于你的书，到底还写不写了？”

他突然又沉默下来，仍旧没给我答复。

直到我再次去见他，当面追问，他才终于松口。

“那就——写吧。”

我不禁紧握住他的手，我知道，在这方面他真有点像个孩子，需要鼓励。

“不过，”他又说，“写是可以，但是要真实地反映我这样一个从平凡、曲折中走过来的人。我只想告诉大家一些面对苦难、困境、挫败的态度和办法。希望它是有益的，能有一点用也好。”

“你放心。”

“那就好。中国人都说‘人不能忘本’，如果这次写成书，也算是这么多年来，以文字的形式，留给我自己的一点不忘本的记忆吧。”

说实话，欧阳最后对我说这一席话的时候，我被感动了。我非常清楚他目前的层次和地位，也查访听闻了他的过去，其经历足可写成一部精彩的当代中国男人的奋斗传奇。那些风雨历程，如果用可歌可泣来形容，我想也不为过。

从认识他到我想写关于他的书，其中居然几经周折。人家请我给写书的，我偏没兴趣；他欧阳推三阻四的，我却非要写不可。这几个回合下来，可真算得上是“三顾求书”了。

不过，想来也不奇怪。这样一个从贫困农村出来的孩子，怀着家庭责任、社会使命、人生抱负，举步维艰，荡气回肠，着实抒写了一个中国男人的美丽和梦想诗章。如此，对于任何一个作家，怎能不激发起强烈的写作冲动？！

第二章 他的钞票忽隐忽现

欧阳昨天从深圳坐夜班飞机到了武汉的分公司，我从北京坐第一班飞机飞往武汉，直接到了武汉他的工地办公室，脚还没迈进门就听到了欧阳的大嗓门。

“喂，今天你必须划拨4200万过来。我明天要回趟老家，后天你另外从投资公司划账，再拨2800万才行，你要快一点，必须亲自盯着这个事……好了，拜拜。”

这么大的数目怎么跟变戏法似的，还这么潇洒。

“你最近……”我正想问个究竟，被欧阳一挥手打住了。

“老兄，你来了，走，我们上工地一趟，然后马上去云梦吧。”

过去的武汉三镇和现在的大武汉相比，真是天壤之别了。一座座大厦鳞次栉比，市容市貌焕然一新，几乎连一点过去的影子也找不到了，从人们的衣着打扮可以想象这里的生活水平和消费水平已接近于沿海城市了。欧阳的工地正处于武汉长江大桥的北端，也就是汉阳区人民政府所在地的隔壁，人潮涌动。这么大的一块黄金宝地，不知道要花多少钱才能购置到手？又得花多少钱才能盖起来？

我正琢磨着，武汉公司姓王的总经理把我们带到了靠工地的路边，这里杂乱无章，一股油烟味，净是摆早点摊的小商小贩。

“来，吃点东西吧。我看你一早的飞机，肯定饿了。”欧阳招呼我坐下。

然后大家就囫囵吞枣地吃了一顿“美餐”，欧阳吃得酣畅淋漓，边吃边不停地两眼盯着工地，我看他跟破衣烂衫要饭的穷光蛋没什么两样。

欧阳笑着拿起筷子指指那刚刚拔地而起的“新房”说：“现在才盖到第五层，还差得远呢。刚刚叫他们划过来的钱，就是对付这工地的。”

“啊，这工地可真是个钱窟窿！”我说。

“唉，干了就得顶住。别说了，咱们出发吧。”

上午，欧阳与中铁大桥局合作的公司开会，让武汉公司汪副总带我参观工地，并说定两个小时后一起启程前往他的老家云梦县。

我们的车子到了云梦县城边，欧阳突然叫道——

“停车！停车！”

车子在街边的一家花店门前戛然而止。

欧阳下车，他说要给母亲和岳母各送一束鲜花。欧阳从店主手中接过花的一瞬，拍拍裤袋，窘迫地对我说：“哟，没带钱！能借给我 200 块钱吗？”

“啊？！”亿万富翁身无分文，这很荒诞，但这是事实。我当即掏出钱塞给店主，又转身对欧阳说：“好！这花算我和你一起献给你母亲和岳母的！”

欧阳连声道谢。

这欧阳，早晨起来，只带我在马路边的小摊上吃了一碗一元钱的豆腐脑，加一根半油条，算下来每人用了不到三块钱！这就是一个拥有亿万资产的大亨请的客，现在还得借钱买花，真让人哭笑不得。

记得早上他的几个下属还在车里得意扬扬地说笑着：“欧总一个小时，又赚了 2000 万！”不知是真是假。不过，美丽集团在武汉的战场十分宏大是众所周知的。

可这一下车，一个小时赚 2000 万的人，还拿不出 200 块！真令人不可思议。

云梦是湖北著名的农业县，近几年发展很快。此次回家，欧阳事先没有给家乡人打招呼，可当他踏上云梦的土地时，当地的领导干部不知从哪儿获得的消息，电话一个接一个地打来。欧阳反复说：“我实在有急事要处理，请不要因为我而影响大家的工作。”即便如此，县上还是赶来两位领导——县政府万助理和办公室刘主任，他们热情地将我们带到县城边一块正在平整施工的宽阔工地——这是将来云梦公园的所在地。

云梦历史上没有过公园，欧阳捐建公园和博物馆的举动在当地已被传为佳话。

云梦是中国四大文物县之一，早在战国时期，楚王就在这里建了当时最大的行宫。云梦的竹简、东汉陶楼都是国家一级文物，几万件珍贵的文物无法一一展示和保管，所以建一个具有一定规模的博物馆一直是欧阳的心愿。

“花 3000 多万元建一个 2 万平方米的博物馆，也是中国首例！这对普通人来说绝对是个天文数字。对我们云梦县来说也是个天文数字！”刘主任告诉我，“前几年，欧阳先生还为家乡修路建桥，群众还立了个碑叫‘祥山路’，当时我正好在那儿当书记呢。”

“我们云梦出过两个了不起的人物，一个是孝子黄香，另一个就是欧阳先生。我们云梦人都为欧阳感到自豪。”万助理说。

听到这里，我特意看了看欧阳——欧阳似乎根本没有听到身边的人在说什么。他的脸色泛起几分凝重，步履匆匆地穿越大街上的人群，走向另一条马路，回头一看，欧阳身边的汪副总也不知道跑哪里去了。

大家都不知道欧阳要做什么。有人喊他，他也好像没听到，只管朝前走，其他人只得尾随。

欧阳终于停下，停在一长串衣衫褴褛、坐在小板凳上的人面前。

这是一群盲人，足有二三十人。他们在路边一字排开，坐在自带的小木凳或塑料凳上，男多女少，每人怀里都抱着一根深褐色竹竿，双腿并着，肩上背着不知道原来是什么颜色的包，一只手哗哗地摇着签筒，另一只手拿着纸签牌。有的人面带笑容，有的人脸色木然。他们的面前都放着一张凳子，那是为客人安排的。大多数人都显得苍老。不难看出，这些盲友也能自得其乐，还有哼着歌、唱着顺口溜“工作”的人哩。

他们都有一个雅称——算命先生。这条街，就叫“算命街”。

算命街！

我惊叹云梦竟然会有如此一条街，有这么多的盲友聚集。或许这里有他们自己的欢乐和收获。

而在外人看来，这是云梦城区最让人同情的一条街！

欧阳轻轻地坐到一个还算年轻的算命先生面前，请他为自己算命。那算命者面带微笑，略低着头，小声地问过他的生辰八字，然后一字一句算解起来。

我轻轻捅捅他的胳膊：“你还信这？”

欧阳像根本没有听到我的话一样，依旧一脸虔诚地听着那算命者天南海北地神侃。

约10多分钟后，欧阳站起身，对算命者道了声谢。只见欧阳转身拿过厚厚一沓钱，抽出两张百元票子，双手塞给了那位算命者。

此刻的欧阳成了绝对的“大牌施主”！

我有些吃惊地看着欧阳像变戏法似的一下竟然有了那么多现钱！他的助手也不知什么时候冒出来的！

“谢谢贵人的大恩大德！谢谢贵人的大恩大德！”那算命者捏着欧阳塞在他手里的两张百元钞票，感激之语说个不停，甚至直起身子一个劲儿地要给欧阳鞠躬。

“别别，你、你们都不容易……”欧阳急忙伸手将那位算命者扶起。这时我看见他的眼里闪着泪花。

欧阳小心地扶那算命者坐好后，将那一沓50元、100元面值的钞票拿在手上，微弓着身子一一分发给所有的盲人……

顿时，他在算命街上引起一阵不小的骚动，只听得一片感激的声音。在这沸腾的场景中，人人兴奋得脸上放光。

“还有谁没拿到？”欧阳手中握着剩余的一些钞票对着大街喊。立即有人聚过来，分走了所剩的钱，他们中多数不是算命的盲人，而是几个乞丐样的流浪汉。此刻，欧阳凝重的脸上才重新露出笑容，却也夹杂着几丝酸楚。

“兄弟，你也是个老党员了，又一直在生意场上滚打，还相信那些盲人算命？”离开算命街后，我实在忍不住问欧阳。

欧阳像被针扎了一下，想掩饰什么似的将头扭到一边，目光移向车窗外……

我感到他的情绪瞬间发生了变化。他先是沉默，然后两行泪水不自觉地从他脸颊流下。

我似乎能猜到一些，但又不知究竟。见他如此，我只能欲言又止。

欧阳，这么一个亿万富翁与一群盲人有什么联系呢？不容我揭开这个谜，当夜深圳来电告急，欧阳便要赶回深圳。

即便时间紧，欧阳临走前还是带我去见了他的母亲。欧阳的母亲虽已是 83 岁高龄，但精神矍铄、红光满面。看到儿子回来，老人家高兴得忙前忙后。她总是盼着儿子能抽空回来看看她。

村里人挤满了欧阳家的屋子。欧阳忙个不停地给大人敬烟，给小孩递糖，问大家的生活和困难。他亲自给村里的老人搬凳子、端茶水。看着这些健在的老人，欧阳不禁想起了自己的父亲，在和众乡亲谈起一些往事的时候，他潸然泪下。

欧阳的父亲在 1999 年正月就去世了，一辈子都在辛苦和忙碌中度过。欧阳对父亲的感情很深，经常念叨：“我父亲天生矮小，再加上有所谓的历史问题，活着的时候总受人欺负。那时我们家穷，谁也无法拯救他，没有人能够为他分担精神和生活上的重压。”

自懂事起，欧阳就尽力减轻父亲的负担，想用自己的孝心冲淡父亲一生的苦水。从在部队当连长那天起，欧阳就设法满足父亲的一切愿望，尽量让父亲享受到有一个“当官的儿子”的那份荣耀与实惠。可父亲没享几天清福就去世了，这是欧阳心里永远的痛。

欧阳说他希望父亲在来世重新获得一份做人的尊严，慰藉活着的人。

父亲的去世让欧阳深感遗憾，这时他把更多的孝心尽在母亲身上。2003 年正月初六，欧阳为母亲办了隆重的 80 大寿。为了感谢母亲和家乡父老的养育之恩，欧阳还特意献上一曲《祝妈妈健康长寿》，欧阳的女儿婷婷专程从国外赶回，含着眼泪为奶奶演唱了一首《真的好想你》。这孩子是老人家一手带大的，我相信这是感恩的泪，是天底下最幸福的泪。

村里的老人说：“从来没有见过这么盛大的祝寿场面。祥山娃儿是咱这儿的第一孝子，百年不出一个！”

欧阳说，他之所以大办母亲的寿庆，并不是他想刻意铺张，而是有两层意思：第一层意思是他确实想通过这样的活动，报答一下曾经养育和帮助过他的父老乡亲们。第二层意思最重要，是想通过他孝敬母亲的这种令人印象深刻的形式，提醒和影响天下所有的儿女要孝顺父母。如果不能用一颗感恩的心对待生养自己的故乡，即使事业再成功也不是个完美的人。

说实话，欧阳这家伙身上还真有些让人不得不佩服的东西。这样一个口袋里拿不出 200 块钱的亿万富翁，一个毕恭毕敬把钱分发给一群盲人的男人，一团又一团的疑云在我脑海中随着飞驰的车轮滚滚不断……

第三章　当了亿万富翁也不要“抢先一步”

2005年4月，深圳骄阳似火。欧阳正在张罗他的“美丽AAA”楼盘，我也恰好又赶赴深圳。

“美丽AAA”是地处深圳龙华首个集商业、办公与住宅为一体的综合型项目，也是欧阳祥山和他的美丽集团进行战略调整的关键项目，投资高达数亿。

记得第一次见欧阳是在2004年底，那次他就带我上了“美丽AAA”的施工现场，那时整个工程建筑还在地下。而此刻再见则让我惊叹，仿佛看到建设国家体育场“鸟巢”般的宏伟场面！而更令我惊叹的是，欧阳干这么大的项目却没向银行贷一分钱。也就是说，建这么大的工程用的全是他自己的钱！

“这到底要多少钱？又能赚回多少钱？”我问他。

欧阳没有正面回答我。他目不转睛地看着堆积如山的钢筋、高耸入云的塔吊、有序运转的混凝土输送泵，以及现场2000多名工人挥汗如雨的工作场景。他心里肯定有说不完的感叹，但此刻他只是认真地注视着，这注视伴着深深的思索。

第二次与欧阳见面是在2005年4月中旬，高达80多米的楼群已接近竣工。欧阳特意带我登上最高处的楼顶，在此处可以举目远眺整个深圳龙华全貌。

在房地产业，人们喜欢用“地标”这个词来形容有独特风格的代表性建筑。每个城市几乎都有标志性建筑，没有标志的城市终将被人遗忘。在深圳，几乎所有可以代表这个城市昨天的空间已经被地标淹没，唯有像龙华这样的新区仍有发展空间。

"美丽 AAA"花园正代表着龙华和深圳的明天!

因此,欧阳比往常更忙碌,再加上五一期间计划进行楼盘的预售推广,团队一边准备向有关部门申请售楼的相关手续,一边抓紧包括售楼处、样板房和售楼通道在内的所有现场的装修工作。

通过营销总监罗小姐的介绍,我了解到可以从"建筑风格,小区环境,集商业、办公、居住为一体"这三个方面来解释"美丽 AAA"经典的设计理念和居住导向。

欧阳告诉我:"选址是房地产开发成功与否的首要因素,而它是一个综合考量的结果,要结合当地经济发展水平、人口、商业、工业、治安、交通、市政配套等诸多的指标来定论。在深圳,龙华是未来最具影响力之一的卫星城,而我们的'美丽 AAA'正处在这样一块风水宝地的中心,已经可以预见的人力、物力、财力等都在纷纷向这里聚拢。"

罗小姐在一边向我补充道:"在欧总出巨资置下这块宝地之前,由于地价的原因以及许多地产人士对这一地块的价值存在理解上的偏差,使这样一块黄金宝地沉睡了几年。"

是啊,几年光阴,对一个古老的城市而言可能是万千次时针转动中某一段不留痕迹的记录,但对深圳这样瞬息万变的现代化城市来说,那几乎是一个时代的始与终的过程。在一个我这样的外行人看来,也真为欧阳当时的果断而庆幸。

我发现,"美丽 AAA"最突出的便是"环境"文化!

建筑业行家们所说的"环境",不单单是我们通常了解的房子的四周环境,它特指建筑本身所营造的一种视觉印象和实物感觉,也就是我们平时所说的"身临其境"。不说"美丽 AAA"气魄多么宏伟,也不说欧阳一手敲定的整个楼宇外立面如何气质优雅、落落大方、高贵端庄,单就欧阳邀请英国雅尔菲园林公司陆大师精心雕饰而成的上万平方米的高台架空园林，以及其本身所呈现的生态组合、音乐组合、声光组合、诗画组合、四周道路铺装就足足撒出了上千万元！而这些“环境”，在未来将拥抱业主们的每一个早晨和傍晚。

在“美丽AAA”，与其说欧阳和手下数百名员工的每一滴汗水都是在为未来的客户倾洒，倒不如说他和他们是在为自己事业的成功竭尽全力……

“美丽AAA”原定五一开盘。可五一到了，“美丽AAA”没有动静；五一过了，“美丽AAA”仍没有动静！这是怎么回事？这可不是欧阳的作风。难道“美丽AAA”遇到了什么难以逾越的障碍吗？

“怎么啦？生意不顺？”我在电话中问他。

“不是。净是些复杂多变的事！”欧阳的声音似乎特别难过。

“具体一点，需要我帮忙吗？”

“不用，这忙谁也帮不上。”

看来他真遇到了难处。如果不是特别大的事能难倒他吗？从商10年，还没有过什么难事能真正把欧阳难倒！我火速赶往深圳。

“天要塌下来了？”这是我见到他时的第一句话。

“天塌下来我倒不怕。可像这样拖着，没有期限，单单每天各种费用就需要一百多万，我拖不起呀！”销售展厅的沙发上，欧阳双手插在一头浓浓的乌发（其实是一头白发，尽是焗染的）之中，长吁短叹地冲我诉说着：“上次你来都看到了，当时我们集团上上下下都在加班加点，赶着完成销售前的一切准备工作，计划在五一长假期间推出‘美丽AAA’花园！江苏华建施工单位的上千名工人也在拼命赶时间，只等政府部门的《商品房预售许可证》（以下简称为《预售证》）批下来，我们就可以轰轰烈烈地把‘美丽AAA’推出去了。这个楼盘在龙华甚至在深圳都已经挂了名，有些购房的业主已经等我们的房子一年多了！而五一长假又是一年中地产商们销售楼盘的最佳时机。五一一过，深圳将进入气温最高的时期，谁还有心思跑你这儿来买房？所以我们全力以赴抢工期，要赶五一长假这个销售黄金期。原先预计政府有关部门会在五一前把我们的《预售证》批下来，而我们 3 月中旬开始就天天送材料、等批文，结果一直等到 4 月 25 号，上级部门竟回复说‘美丽 AAA’与新的国土政策要求有出入，暂时不能批《预售证》！”

经仔细询问，我才了解：按照规定，开发商在建设一个大型社区时政府要求他们必须无条件地建设一个独立占地的幼儿园。“美丽 AAA”是个大社区，根据区国土规划局批准的设计，已经建好了幼儿园。可就在 3 月底报预售时，恰逢国土和规划分家，原规划科分离出来成立规划局，两局都分别出台了新的文件和规定，国土局产权部门认为“美丽 AAA”花园的幼儿园必须独立占地，而规划局认为原来已经批过的规划不需要再更改，两局之间就此问题形成了不同的意见。两家意见有冲突，却搞的“美丽 AAA”《预售证》一拖再拖，直到 4 月 28 日也无望拿到，五一根本不可能正式预售。欧阳只有耐着性子按照国土局新的规定重新打报告，但是此报告要按程序逐级上报，从科、分局、市局到市政府，来来回回要从二三十人手中过，最后还不一定能批准，这样预售就更遥遥无期了。但谁又知道工地上每天需要 100 多万来支撑呢？一个月就需要 4000 多万，这么大一笔资金从哪里来？

欧阳焦急的泪水在眼眶里打转……

十年闯荡深圳商界，吃过千辛万苦，历经惊险无数，却不曾想到当自己拥有亿万资产时，忽然一夜间会因为资金链断了而被逼得快走投无路！

欧阳是一个易动感情的人，以往每每谈到他的往事时总会饱含热泪。而他现在已经坚强了不少，艰苦创业积攒下的资本让他说话做事底气足了不少。“钱有时也是一种支撑精神和意志的强大力量，可现在……”

美丽集团有许多投资业务，仅地产这一块目前就有几个在建工程：深圳以“美丽 AAA”为代表，东莞的项目比这个还大，和武汉中铁大桥局合作的项目也有三个。这些项目之间有个资金链的关系，而“美丽 AAA”作为领头项目，资金的先期投入最多，资金回笼也本该在先。整个集团公司的运营就像一盘棋一样，“美丽 AAA”等于公司业务这盘大棋中的“车”，“车”过不了界，现在这“车”被一张批不下来的《预售证》卡死了，资金链就会出现断裂，集团公司的整盘棋就死在那儿。就说“美丽 AAA”这一块，预期的楼盘销售不能进行，几个亿的资金就无法收回来不说，上千名建筑工人只能滞留在工地，他们得吃、得拿工资。不仅如此，楼盘销售是门大学问，销售时机的选择与购房者的消费心理有着极大的关系。五一、十一是一年中地产商们通常最看好的时机。对一个楼盘来说，其产品本身过硬固然重要，但地产界因为销售时机把握得不对头，好房子卖不出手的事也不少。一个楼盘一旦因为某个因素滞后再想推销出去，成功的可能性微乎其微。这次已经投入了几亿元，却不知道何时才能收回……

欧阳来来回回上上下下到规划局、国土局跑了多少趟自己也数不清了，每次都是恭恭敬敬地敲办公室门，声音也不敢大，态度还不能急。

“我们这个文件不能批的关键原因是什么？我们知道后好马上去改善。”在办公室内，欧阳轻声地询问工作人员。

“这个原因……”对方正慢条斯理地准备解释时，欧阳的手机骤然响起。

“对不起，对不起，我先接个电话。”欧阳连连道歉，躬身退出了办公室门。

鬼电话，早不响晚不响，紧要关头响什么嘛，欧阳退到墙角无奈地接起电话，心烦意乱："喂……"

没等他"喂"完，对方在手机里急促地说："欧总你好啊，你们这个电缆款到底什么时候付啊？我们这边也实在是没办法啊。"

"电缆款啊，我们过几天就打款，对不住啊，让你们等了这么久。"其实欧阳现在哪有什么钱付电缆款啊，只能好言应付。这边《预售证》批不下，那边又要催款，真是事急两头堵。

挂了手机，欧阳立马又回到他们的办公室，到了门前，差点冲进去，脑子一清，赶紧缩回脚步，再次礼貌地敲门。

"进来吧，不用敲门。"办公人员倒是很亲切随意。

"是，是。"欧阳赔着笑，"刚才，我们说到这个《预售证》批不下来的原因，您看……"

"上回我们仔细研究过，根据规定，是你们小区的幼儿园不合规定。"

"是，是，是，幼儿园……可这个幼儿园我们原本是……"

"丁零零——"电话鬼叫似的又响了起来。欧阳一看又是来催款的单位，原本答应今天是要付款的，这会儿接也不是，不接也不是，"对，对不起啊，我再接个电话。"

人家一看，只好自顾自看文件了。欧阳赔着笑又退出了办公室。

"喂，欧总，您正忙着吧，打搅您了，我们的款是不是……"对方在手机里又来催款，并且是礼貌地催。欧阳下意识地退避到洗手间，生怕被什么人听到似的。

"哦，是这么回事……"

"我知道，欧总您很忙，您看现在房子也已经建到十层了，是不是先给我们付一些款呢？"还没等欧阳解释，对方又礼貌地诉苦。

“对不起，实在对不起……我回头去看看吧，要不再等3天吧，3天，我一定叫财务打款过去。”欧阳说这个数字的时候其实心里一点底都没有，可是为了稳住对方，有什么办法呢？

“好好好，那谢谢欧总了。”对方又礼貌地挂掉了电话，可这礼貌对欧阳来说，差不多是一把“软刀子”啊。

真是天要下雨娘要嫁人，欧阳此时的神经几乎已经错乱了，应付这头也不是，应付那头也不是。对，还有规划局的事，欧阳梦醒似的从洗手间又奔回了办公室。

“对不起。”

“没关系。”坐在办公椅上的工作人员依然态度随和，“那我们继续说事吧。”

“好，好好。”

“丁零零——”

这一响，欧阳差点要把手机摔碎在地上。怎么这样纠缠不完啊！欧阳此刻已经说不出口了，想赔笑致歉，但是这次连装个笑脸的力气都没了，精神如崩溃一般。

欧阳彻底无语了，显得极其懊丧。这一天，又毫无结果地从规划局撤了回去……

现在，他不得不放弃原订的销售方案，这庞大的工程，几千人滞留在那儿，只能做一件事——等！可他等得起吗？最后欧阳没办法，一方面让施工队伍抓紧毁掉用千万元建好的幼儿园，一方面不得不向银行贷款来支撑上千人施工的工地，集团员工们则在等待遥遥无期的《预售证》的审批……一天上百万就像扔在海水里，眨眼就没了！欧阳把公司的商场、铺位以及自己的住房都抵押了出去，苦苦哀求银行，终于贷了6500万元来应付目前的困境。这么大的摊子，几千万元也仅能对付个把月的时间。前两天他还把家里仅剩的46万元港币现金提了出来顶数……

天！亿万富翁真会惨到这份上？我听到此处，心头重重一颤！一张小小的《商品房预售许可证》，就能轻易地将一个叱咤商界的风云人物掀倒在地。造化真能捉弄人啊！

欧阳时下所置的地产和公司资产不下十个亿，可眼前他却是个开着“大奔”已经赤条条的“穷光蛋”！

“当时的施工规划图不也是他们批准的吗？当时的方案评审会不也是他们评审通过的吗？还有七人专家小组也都看过了呀！你找他们理论去！要不行政起诉他们！”我有些为欧阳愤愤不平。

“当时没有他们的批准我敢开工吗？几个亿的投资就算是傻瓜都不至于那样盲目干啊？”欧阳瞪圆了双眼，情绪很激动，冲我大声说。转眼，似乎感觉对象不对，又压低声音道：“行政起诉的话我可能有理，也可能没理，可打这场官司，即便最后我赢了也是等于输了。”

“怎么讲？”

“这样的官司没有一年半载根本不会有任何结果。一年半载对我美丽集团来说，就是彻彻底底的死期啊！一年半载，我要扔多少钱？几千万，几个亿……再说，这些办事人员他们是要按规定办事的，是不能违反原则的，我不能让人家丢了乌纱帽来为我办事呀！”欧阳一边说，一边像只无头的苍蝇一样在房间里来回走动着。

“明天一早我们什么都别干，上规划局和国土局！不就是几个办事人员嘛！找他们理论理论。要不我们通过关系找领导打个招呼，把事摆平不就得了！”我有些冒火。

谁知欧阳连连摆手：“别别，冷静！千万冷静！那样我可能真的就死定了！”

“这还怎么冷静？”我不明白。

“有人以为送钱有可能办成事，这不假。但给了钱，弄不好最后连自己也会跟着一起栽进去……可此刻我知道，你使钱、不使钱都不一定能办成事！”欧阳一串长叹，“唉，难就难在这儿！”

“那你就送上他几十万、几百万，让他们批给你‘美丽AAA’的《预售证》嘛！”我建议道，“反正比你现在一天白扔一二百万也要合算一点吧？”

欧阳摇摇头苦笑：“我虽然是一个穷当兵出身的，可也受党的教育多年。老实说，每次遇到难事时我也想过这么做，最后还是放弃了。你一定要问为什么？99%的工作人员是不会吃这一套的，他们还是秉公办事的。个别的，你给了人家钱，事情可能一下办成了，但最后说不定既害了对方，也害了自己。你说这样害人害己犯得上吗？”

“可你不这么做，有些事情就是越不过去呀！”我也感到十分无奈。

“这一次能不能也感动‘上帝’，就看天意了。”欧阳朝我苦笑。

搁在欧阳心头的负担太重了，表面上他仍然需要拿着大集团老板和亿万富翁的架势有条不紊地处理全公司零零碎碎的各种事务，不让人看出一点破绽，但我深知此刻他的心理压力有多大。

第二天一早，我们俩一起首先前往规划局。

一个月前，他已经把原先建好的幼儿园“敲掉”了，这一“敲”，光建筑成本就是800多万元打了水漂，并且把新的设计施工图送到了规划局重新审批。

如果这份新图纸获得批准，“那我就有救了！”欧阳把身处“水深火热”的解脱法宝全押在这一招上。

区级规划局，是一个处级行政单位。一栋在深圳根本不起眼的楼房，但此刻它在欧阳的眼里胜似“阎王殿”。规划局早上九点才上班，可欧阳和我八点钟就驾车到达了这里。

“我在这之前的一个多月里都是在这个时间不是到规划局就

是到国土局来来回回耗时间，天天如此。”欧阳说，“我心急如焚。除周六周日他们不上班外，我每天都要上这儿一趟，不来不行，待在公司和家里就想跳楼。可一进这两个局的办公楼，我还必须装得十分自然、平静，像办一件根本不怎么重要的事一样，丝毫不想让办事的官员们看出我内心有多焦急。”

“那——你天天来不也让人看出些名堂嘛？”

欧阳苦笑：“这是我的成功秘诀之一。无论干大事小事，得让人感到你是诚心诚意的。我跟规划局还有国土局的办公人员都很熟，几个业务骨干每天通常比局长和一般工作人员要早一二十分钟到办公室。我总在他们上班前十来分钟进办公室，这个时候没有其他人来找他们办事，我就跟他们把自己的困难一一说清，免得久等，可以争取时间办其他的事。等上班时间到了，楼里的人多，我就退出办公室，看他们什么时候有空了再进去跟他们说一说我自己要办的事。在深圳商界，我欧阳也算是个有头有脸的小人物，这么一来，这些同志觉得我不像个别老板那么盛气凌人、眼里装不进别人，所以三五天下来，这些公务员们就跟我熟得不得了！他们了解我的真实情况后，就会主动帮我想方设法把要办的事督促办成。”

“这回你又采用这个战术？”

欧阳带着几分苦涩的笑意默认了我的猜测。果不其然，我们俩在八点半左右进规划局时，业务大厅里除一个保安外空空荡荡，那保安见欧阳来像见某个熟悉的领导一样，笑眯眯地招呼道：“欧总来了。”欧阳见状也谦和地应一声，再道一声“你辛苦啊！”之后又扔过一包“好日子”一类的香烟。这些细微的关怀让那位保安很感动，接下去欧阳在大楼里就畅通无阻了。

进规划局前，欧阳没有把车停进停车场，而是停到院子外的一块空地上。他说：“停在这儿有几个好处：一是我的车较好，横冲直撞进院子有点让人感觉拿大老板的架子，印象不好；二是停在门口我有急事随时可以走，不会被堵在里面出不去，浪费时间。”

规划局提前上班的一个科长和总工见到欧阳后，非常热心地让座，并主动告诉欧阳：他的幼儿园施工设计图的更改材料已经送到主管局长那儿……

“你这个是又大又急的事，要不待会儿局长来了，我上去跟他说说你的那份申请文件？”那总工在电脑里没有找到局长的电子批复，因此对欧阳这样说。

欧阳立即谢绝道：“千万别催！你一催局长就会特别重视我的问题，他不了解前因后果，这一重视可能麻烦就大了，了解了解调查调查，批肯定会批……还是顺其自然，让局长当作正常的上报文件为好。”

总工想了想，说：“这样确实反而会批得快些。”然后无奈地冲欧阳歉意地笑笑：“那你可就还得准备多等些日子了。”

欧阳一听又着急起来，从沙发上站起身，在屋子里来回走动着、叹息着：“哎哟，我再急也只能如此了，有你们几位好兄弟理解我就很知足了！”

说话间，正式上班的时间到了，大楼里立即人声鼎沸。欧阳和我当即从科长和总工的办公室退出……

“现在上哪儿？”我问。

欧阳也显得不知所措，他左思右想先上了四楼，那里是局长办公的楼层。出电梯口右侧就是局长的办公室，门敞着，门口挤满了来找局长办事的人。

“你认识局长吗？去试试直接找他一下又何妨？”我看欧阳躲在墙角鬼鬼祟祟地向那边偷偷瞅着的样儿，不免感觉有些窝囊，就用胳膊肘捅捅他。

欧阳顿时像被人发现的小偷似的连退几步，然后轻声对我耳语：“我当然认识他，他也认识我！我的一个战友跟他关系还不错呢！可我千万不能主动找他，一找他，他会对我的那个更改申请重视起来，那一重视事情反倒麻烦了！”

“这我就不太明白了。”我有些无法理解。

欧阳递给我一支烟，然后拉我靠在走廊一边的窗口悄悄道出原委：新的更改方案避开了重新报建的程序，如果按重新报建走的程序就更复杂了，那一审批没几十天根本办不下来，“美丽AAA”楼盘预售就更加遥遥无期了。“我非得死几回不可！”欧阳痛苦地说。

“这就是你又期盼他们马上给你批文，又不敢贸然找关系、硬碰硬的原因所在？”

“这还用说？”欧阳双臂搁在窗台上，低头俯视窗外。

我说：“合法经营者得不到政策的支持，反要在夹缝中生存，走黑道寻门道的人反而天马行空，现在有些事确实令人生气。”

欧阳见我跟着生气，反又安慰道：“不好意思大哥，你不知道规划局、国土局的局长、科长是很难当的，我到过他们办公室，每天需要处理的文件有一尺来高，上面的政策又在不断变化，条条框框又多，程序环节也复杂，找的人又多，他们也有难处啊！”

我笑言：“你怎么还帮他们说话，你知道理解他们，他们怎么不理解你呢？你看，现在快十点了，我跟你楼上楼下跑了好几个回合了，还一事无成！”

“大哥你不理解，现在深圳比其他地方规范多了，但他们人手比较少，忙不过来。要不我们走吧，反正我看今天又没啥希望了。”

我们回到一楼的业务大厅。业务大厅里拥挤不堪，看着前来办事的熙熙攘攘的人群，欧阳自嘲：“我是这些人群中最大的老板，可我又是来办事的人中最‘孙子’的一个！”说着，他无奈地出了规划局大楼。可刚跨出大门没两步，欧阳的双脚立住又反悔了："要不我还是上去跟局长直接挑明算了，看他能不能通融通融早点批准我的申请？"

"去吧！"我立即鼓励道，又像秘书似的跟在他屁股后面。从走廊往里看，局长办公室内的人似乎少了些。可欧阳的脚步又退缩了："还是不要惊动局长为好。"他又自言自语起来。

"这家伙！"我再没话说了，拖着两条疲惫的腿，又跟他下三楼。欧阳到一个一个办公室跟那些科长、副科长和科员们打招呼辞别。

"我每次临走时都这样跟他们打个招呼，一方面为了尊重他们，另一方面也加深一下他们对我诚意的认知。"欧阳解释他的所作所为。

对他的话，我只有摇头。

下楼时，一位与欧阳一同进电梯30出头的科长走在我们后面，欧阳见后立即恭恭敬敬地让他先行。

我有些忍无可忍："欧阳你也太窝囊了。"

欧阳则一本正经地说："对我们小小的民营企业家来说，你即便再有钱，是个亿万富翁什么的又怎样？即便遇见一位科长、科员，你也绝对不能在他们面前抢先一步。遇上这种情况，你谦谦和和地给他们让道，走在他们的后面，你的难事可能就迎刃而解了。"

"这是你成功的一大法宝？！"我虽然怀疑欧阳的这种做法是否有效，但却敬佩他能够永远保持这种低调的心态和忍耐力。

从规划局出来，欧阳疲惫而愁苦地拎着包靠在车头保险杠上，一脸无奈地等待着命运的裁决。

不一会儿，我们驾车去十几里外的国土局，一路上他还在指挥公司各个部门的负责人并回答助手们的各种请示。"这边还没有批下来，但你们得把一旦规划变更批下来后的各种预售上报材料全部准备好！记住：如果现在这边批下来，你们就得在一小时内把所有的材料送到国土局有关部门手里，一定要这样做，不得再拖一分钟一秒钟……”欧阳在手机里厉声吩咐。

但他一走进国土局的大楼，又漫无目的地一个门一个门地跟那些科长、科员们打招呼、说好话。同规划局的情况一样，国土局里许多办公室的公务员都认识欧阳，还时不时关切地问“办下来了没有”。欧阳则苦笑着摇头：“材料还在你们局长那儿放着呢！”

是啊，局长桌子上的文件堆得比山还高，到底啥时候轮到批复你的那一份啊！那些看起来很同情欧阳的公务员一边招呼欧阳，一边又在忙手头上的活。欧阳和我在局长的办公室门口又足足等了一小时，欧阳站累了又靠在门边的墙上，闷头不停地抽着烟，仍抱着一线希望从国土局直接获批《预售证》，但依然不见局长回来，“很可能开会去了”，欧阳自己安慰自己。他依然十分耐心地在楼上楼下转悠着、招呼着。

时针已指向中午 12 点了。下午我要回北京，转道上广州看一位朋友。欧阳一看时间不多了，就匆匆领着我来到紧挨国土局旁边的一个咖啡厅。坐定后，他向服务员要了两碗面和一些点心。“这一个多月来，我中午经常在这个地方坐着，一坐就是两三个小时。早晨跑规划局，中午就在国土局。人家中午下班吃饭了，我就坐在这儿等他们上班……”欧阳说着说着，竟然潸然泪下，“大哥，我……”他突然哽咽起来。

“哎哎，怎么啦？”我一下不知所措。

欧阳擦着眼泪，喃喃地：“我不止一次独自坐在这儿流泪……其实丢点钱并不是什么了不起的事，可有时想想怎么也想不通：为啥正正经经做生意就那么难呢？”

是啊，为什么？我找不出答案。欧阳抱歉地对我说：“不能亲自送你上广州了。我叫辆的士，保证安全把你送到广州。真不好意思，我下午还要等等消息……”“没关系，你忙你的，当务之急你要争取尽快把《预售证》弄到手！”我感觉欧阳的事似乎成了我的事一样。

分手时欧阳强颜欢笑，但内心依旧异常沉重。从深圳到广州的高速公路上，我凝思着、想象着欧阳独自一人在咖啡厅孤独地喝着矿泉水、默默流泪的情景……看来当亿万富翁也不是那么容易！我有些感叹又同时为他祈祷，并不时设想那个局长如何不经意地从堆积如山的待批文件中，轻描淡写地扫一眼欧阳的“美丽AAA”变更申请书后，大笔一挥：同意！

欧阳兄弟，你的诚心也感动了朋友，知道吗？我一路上这样想着。

“大哥！大哥你上飞机了没有啊？”大约下午五点左右，我在广州新机场行将登机的那一刻，手机突然猛响——是欧阳的！

“怎么啦？有什么事？”

“告诉你，批文下来啦！下来啦！”欧阳在那边激动而急促地喊着，这可是意外而激动人心的事！“刚刚批下的。局长他、他很理解我，就这么批了……哈哈哈……我现在到国土局报预售申请！”耗尽欧阳几十天心血的幼儿园施工图纸变更申请，几乎拖得亿万富翁走投无路的批文就这样在局长手下那么大笔一挥，又让深圳地产界“大鳄”起死回生，顿现往日风采！算是奇迹出现！

“好，什么时候开盘售房，提前一天告诉我！”“美丽AAA”代表着龙华房地产的当今水平，又是欧阳的倾情之作，我期待看到生意场上的大鳄们是如何日进斗金的！

第四章　一天一夜收回数亿

都说商场就是战场。从欧阳因为一份意外的小小批文而急得差点跳楼，我已经感知到了商场拼杀的血腥味与火药味。但毕竟我不想看到好战友丢盔卸甲的惨况，我更渴望看到他热血沸腾的辉煌时刻。

在深圳的一处繁华街道上，有两幢风格各异的摩天大厦，一幢豪气冲天，一幢金碧辉煌。有一天欧阳领我路过此地时说："左边这幢的那个老板一夜之间赚了近五个亿，而另一幢因为售房的战略战术失误，至今无人问津，老板也因十几个亿血本无归郁郁而终……他是我的一个朋友，我们关系不错，但他在几个环节上失误，结果很惨，房子卖不出手，银行催还贷，一时急火攻心就一命呜呼了，变得家破人亡……"欧阳特意将车停在那幢金碧辉煌的大厦对面的马路边，然后走出车子，久久地凝视着人去楼空的摩天大厦，如此感叹道。

这是行外人所无法感悟的一种痛。

面对高耸入云、外墙一体金闪闪、由我根本说不上是什么新颖材料制成的金碧辉煌的摩天大楼，我的内心油然生出一股震撼的悲怆：这位亿万富翁在建这幢大楼时该是何等的气度！而他竟然不知倾尽心血完成的竟是一座埋葬他自己的豪华坟墓啊！

欧阳，你昨天还穿着军装、前天还是一贫如洗的农家子弟，你也在玩什么心跳呢？

啊，已沉在商海里的欧阳老弟其实也一直在玩心跳！

5 月末至 6 月初在等待他的楼盘预售时，中华文学基金会的张锲会长组织了一批作家赴内蒙古草原的贫困地区，为那里的学校建立“育才图书室”。欧阳是主要捐助人，百忙中他答应前往。听说是深圳的大老板到来，当地政府的官员们异常热情。有关领导特意在宴会后专程到欧阳下榻的房间与他促膝长谈了几小时。欧阳的风度与谦和使他在一路上成为耀眼的“明星”，并成为大家共同的朋友。

草原的风、和善的人，使欧阳暂时忘却了千里之外的商界血战，他的脸上始终荡漾着欢笑并情不自禁地放歌。欧阳对我说，这是他从商十年来第一次有两天实实在在这么放松。“跟你们文人在一起，心里不用设防，倒是每时每刻让我充满欢乐。”欧阳满脸笑意盈盈地对我说。然而一路上我发现欧阳口风很紧，任凭媒体记者如何追问，他也不透露向贫困学校捐款的具体数额，并且显得很窘迫。五天的活动，欧阳只能参加两天，提前离队的他在回到深圳后立即给我打了个电话：“大哥，我差点回不了深圳啊！你可不知道，我出门从来都是买商务舱机票的。这回我口袋里空空如也，从北京转机到深圳时，我一掏口袋，连买张普通飞机票都不够……”

我听后哈哈大笑，说：“你不会跟我说一声啊，咱老战友虽然不像你有几亿身家，可一张商务舱票还是买得起嘛！”

欧阳忙说：“大哥你别笑话我了，过几天你来看看我是怎样在一天当中收回几个亿的！”

“呵，一天能收回几个亿？够刺激！好，到时我一定来！”6月17日，我等来了欧阳的电话，说他“美丽AAA”的“大戏”马上开唱。

OK，我立即出发！

6月18日，我乘第一班飞机抵达深圳时约十点多钟。欧阳让助手将我直接接到“美丽AAA”花园的开盘现场。这是我熟悉的地方，但与前几次不同的是，此刻的“美丽 AAA”已呈现出庆典之前的盛况：升腾于半空的彩色气球上的“美丽 AAA”字样，几里外就可以一目了然；80 余米高的宏伟建筑群体正面挂着喷绘制成的“开盘”两字，巨大无比，我粗略估计了一下，每个字至少有十来米见方；而最醒目的还是簇拥在热带雨林花丛中的那个舞台和与舞台相连一体的遮阳天棚，占据了大半片场地……排列整齐、色彩清晰的 1000 余张塑料椅子俨然像行将出席盛典的业主，静候在舞台前和遮阳天棚下，等待莺歌燕舞、热闹异常的庆典早早开场；而欧阳领我穿过遮阳天棚，步入“销售大厅”时我才发现，真正的“经典”是在这儿：与实体一模一样的“美丽 AAA”全景微缩模型金碧辉煌、华光闪烁，谁见了都会从内心轻轻叹一声：哇，太美了！其实能让业主乖乖掏钱买下这“太美”居室的关键细节还在后头——那条足足有 2.5 米宽、300 多米长的红地毯铺设成的长廊，将所有业主和参观者引向充满期待和梦想的“美丽 AAA”已具实景的六套样板房……

和美轻快的音乐，舒适宽敞的走道，两壁悬挂的巨幅的优雅自然风景画与人物画，一条条贴切温存的宣传推荐语……我边走、边欣赏、边思忖着欧阳与深圳商人们的独到之处。营造气氛的各个环节设计得如此天衣无缝，环境构建得如此和谐舒适，居室装潢得如此恰到好处……哪位购房者能不被这天堂般的仙境所诱惑、所征服？

如前所述，欧阳的“美丽 AAA”从所处的地段到引进的英国皇家设计理念，早已在深圳市民心中扎了根，只等开盘那一刻争相购买的火爆场面了！

6 月 18 日！“6·18——我要发！”为什么不在今天开盘发售呢？我一想当天是个绝好的“我要发”日子，于是便追问欧阳为什么不选这个黄道吉日开盘？

正在忙碌的欧阳停下手中的指挥棒，喜笑颜开地仰望一下天际后神秘地说：“不能！不能今天开盘！要是今天非砸不可！”说完他颇有些幸灾乐祸地自言自语道：今天开盘的单位可就惨啦！

今天惨什么？多好的日子！“5·18”“6·18”，一年里就有两个“我要发”，生意人喜欢挑这吉利日子，怪事，你老兄反倒不信了？我感到不可思议。关键是，我知道欧阳已经错失了五一长假这个最佳售楼时间，如果他再错过“6·18”这样一个极好的机会，也许“美丽AAA”这样一个黄金标王项目将彻底泡汤了啊！

欧阳见我不解，笑呵呵地解释：“照常规，今天‘6·18’对地产商家来说确实是个不可多得的销售时间，但商情就是那么错综复杂、惟妙惟肖，它有虚虚幻幻的美丽表象，也有实实在在的残酷现实，成功与失败之间可能仅是一步之遥。就说眼下的事吧，一般商家容易急功近利去抓住‘6·18’这个吉祥日子。我估计，深圳有新楼盘的地产商十有八九选择了今天作为销售旺日。可今天他们十有八九成功的不多！”

“这么肯定？”

“当然。”

“为什么？”我不解。

“直接原因有三个：其一，今天虽然是‘我要发’的好日子，但今天是周六，是双休日的第一天。深圳人上一个星期班多数很忙很累了，在家还没有喘过气来，周六一早又赶去跟人抢买房子，那会感到更累，加上时间紧、人又多，情绪会大受影响，不少人因此就不愿去了。其二，多数地产商家选择今天上午作为轰轰烈烈的销售时间，尽管来的人是真心想买你的房，可银行开门是九点来钟，你八点半钟开盘，买房者却还没来得及从银行取出钱来！其三，同一天多个楼盘开盘，一个客户只能光顾一家，如果看不中也只能跑两三个楼盘，这样无形中分散了客流，人气达不到预期的效果。到了第二天，客户觉得头一天开盘的楼盘好，房子都卖得差不多了，而我选择在此时独家开盘，打个时间差，就会吸引到更多的客户。”

噢！原来如此！看来“细节决定成败”不无道理。“这就是你为什么选择‘6·19’而有意躲避开‘6·18’这吉利日子的根本原因？”我问。

“不尽然。还有天意……”欧阳指着我脚边的那滩小水洼卖弄起玄机来。

“天意？”

“是，天意。”欧阳这回有些得意道。“今天在你来之前的两个多小时里，深圳大雨倾盆，而这正好是今天所有售房的开发商们热火朝天唱大戏的时间，一场倾盆大雨下来，即使有那么多想去看房买房的人不也见雨落荒而逃吗？哈哈哈……这就是天意！”

“6·18”实在是害死人哟！欧阳带着一些湖北口音调侃，还不无得意地拍着我的肩膀大笑，仿佛是个剑未出鞘已知胜局的常胜将军。“我已经预查了一周的天气情况，知道‘6·18’这一天有大雨！”他说。

“6月天气多变，你能保证明天你销售楼盘时老天就不下大雨？”我有些不太相信。

“那就等着瞧吧！”欧阳似乎并不介意，但脸上的笑意却明显收敛了不少。

明天。等明天验证吧！我心里这么想，因为明天是我想重点看欧阳好戏的日子。好运气是不是眷顾欧阳，那得等即将来临的这一天一夜的博弈吧！我顿时感到采访欧阳有种观摩赌场般的刺激。

为了明天的“大决战”，欧阳早就忙得不亦乐乎了。在外行人看来，搞房地产的商人都那么容易把金山银山搬到自己家里，其实真要搬动金山银山并非易事，弄不好还会把自己砸死在里面。

销售房子学问太多！以为把房子盖起来、盖得金碧辉煌就可以卖个好价钱、吆喝得所有人都能跑你这儿来送钱，那是痴心妄想者才做的白日梦！

欧阳说，如果盖一栋楼房需要砖、瓦、灰、木、布、板等一百种材料和一百道工序的话，那么建一个小区、一个花园，就需要墙、院、花、草、壁、顶、地、库等一千种材料和一千道工序。同样，销售楼盘要卖个好价钱就该需要有一千个环节要准备、一千件事需要去做好。

一份“美丽 AAA 开盘活动组织方案”放在我的面前，我随手翻阅，就像看一部“天书”，诸多细节如“明天领导人来了找不到车位怎么办”“如果来的人太多把马路堵塞如何处理”等几十个环节、几百道问题赫然列在其上。我暗暗惊叹：欧阳把他当部队营长的作战本领全都使上了，这也许是欧阳区别于其他房地产商的重要方面之一。

销售广场上的布置都已陆续到位，演出舞台和巨大的观摩廊厅色彩鲜艳，轻松喜悦的音乐已经吸引了不少街头行人驻足观望。签到处、停车场、迎宾通道，甚至“点心领取处”等各式各样的指示标识牌也一一醒目地设置齐全。更让我叹为观止的是销售大厅内身着紫色礼宾服的售楼小姐和浅红色制服的后勤小姐，足有上百位！她们一个个端庄靓丽、生动活泼，又不乏灵性恬静，好一道美丽风景线！难道这就是欧阳美丽集团的注解和秘密武器？我又一次暗暗吃惊：欧阳这家伙真精明，早已不再是个只会稍息立正的“霓虹灯下的哨兵”了，他懂得时下直击人心的“美丽经济”。

“走吧大哥，别在这儿让美丽的小姐迷住了你的双眼！”刚才还到处找不见影子的欧阳，这时突然从我的身后“蹿”了出来。没想到欧阳还如此幽默，他的一句玩笑，竟让几十位姑娘“咯咯”

地笑起来，羞得我这位远来之客有些落荒而逃之感。

“为什么售楼小姐穿的是紫色？负责销控、收款、签约的着装是浅红色呀？”欧阳拉我上马路对面的金鹏酒店给我安排住宿时，我问他。

“因为在场所有的环节中销售是最核心、最重要的，其他的环节都要围绕销售提供服务和保障。要让客户进来后一眼就能从上百名工作人员中看出谁是销售人员，所以销售人员着装一定要醒目，要和别的工作人员有明显区别。”欧阳一边掏笔帮我登记，一边脱口而出。

这家伙！一套套的“买卖经”啊！“是地产销售教科书上写的，还是你的独创？”

欧阳先是一愣，继而抬头笑言：“世上恐怕还没有这样的教科书。”

之后的两个小时在我下榻的房间，我们又开始神侃。这当儿，欧阳向我透露了此次销售“美丽AAA”的“惊险一跳”——五六个亿的楼盘，一般花费在销售上的投入为八九百万。“而我因为前面所说的《预售证》没有在五一前拿下来，耽误了两个月，增加的成本和损失的利润加起来约为8000万。‘美丽AAA’的卡壳，差点造成我整个公司的资金链断裂，所以这回销售投入还不到我平常投入的四分之一！你说我险不险啊？”

“菜市场上卖黄鱼的都要吆喝，我们卖房子的是所有商业行为中消费者一次性投入资金最多的买卖，不吆喝能买进卖出吗？‘美丽AAA’这么多的楼盘，又耗去我这么多的资金，可我这回没有本钱投到吆喝上去，但我吆喝的声音还必须比以前销售楼盘时的嗓门要更高……”

“能做得到吗？”

“你刚才不是看到了吗？哪一点你觉得准备不足？”欧阳见我

很是怀疑，反问道。

“我——我是外行嘛！当然看不出。”

欧阳笑了，然后自信道：“你就是请深圳房地产界最内行的人来，我也可以保证他挑不出什么大毛病来！”

我开心地笑并告诉他：“我也不傻，就想套出你的真经。”

欧阳只好如实“泄密”：比如别人在特区报上做四个整版巨幅广告得花四五十万元请人设计，还要付广告费等，而美丽集团所有在报纸电视及街头二线关口上出现的广告画面、文体文案，全是他亲自指挥把关，由设计师杨进春精心设计校正，成本因此下降一半以上……

“你这样不累死了？”

“不累死人能赚得了大钱？诚诚实实赚大钱的人没有一个是不累的！”欧阳说到这儿，手机铃声大作。

“什么？已经来了那么多客户了？好好，我马上过去……”欧阳起身就往外跑，突然又反身对我无奈地说了句：“对不起大哥，我这跟你聊一小时，那边差点丢失几百万！”

“怎么回事？”

欧阳又笑了，“没事。销售部刚才告诉我，个别关系户今天就开始软磨硬泡逼我们卖房给他们，开始以为就几户，没想到来了几十户。可销售部那边未及时按照我们的销售战术调整房价，结果转眼就差点损失了几百万利润……”

原来如此！这也让我第一次领教了房地产业大赚大亏、惊心动魄的无烟战争。几百万哪！我有些为自己突然来访使得欧阳没能在现场指挥而差点损失这么多钱而感到内疚。

“不关你的事，假设今天我丢了几百万，明天再多挣回上千万嘛！”欧阳却并不怪我，似乎根本不在乎。但我仍感到很心痛——几百万哪，换成我不知什么时候才能挣得上这么个数啊！这也让我真切地认识到现在的欧阳确实是个有亿万资产的大亨了！

按照欧阳的销售方案，“美丽 AAA”花园住宅楼的近千套房子是先进行预售登记排号，再在排号的基础上由买主决定购置权。其中的操作层面颇为复杂，比如来登记购买的号太少了，这销售方案还执行不执行？如果登记的号太多了，抢房子抢出问题来怎么向那些排在前面的买主交代？据营销总监、欧阳的得力助手罗芳介绍，销售楼盘现场通常十分混乱，真心来买房的、三心二意来观房的，还有那些专门来炒房子的和看热闹的，甚至地产界对手派来的“间谍”，什么人都有，只要出一点乱子，就会把整个好端端的局面给搅浑搅乱——这一搅对买主来说，无非就是没买到这一处房子而已，可对开发商来说就惨了，几百万、几千万甚至上亿的钱就在瞬间丢得无影无踪。现在，“美丽 AAA”花园面临的客户不是太少而是太多，到开盘之前的 6 月 18 日止，排号登记的购房者已达 2400 余人。欧阳预测，这 2400 多排号者中真正想买房或者能够在开盘这一天来的人数可能是三分之二左右，也就是 1600 人左右。这些人可以说是“美丽 AAA”楼盘的铁杆购房者了。

有这么多人来买房还不好？但欧阳担心的事对我们外行人来说是无法想象和体会到的：现在预备销售的房子不到一千套，可有 1600 余人要买（这中间有的人还一买就是好几套），人多房少现场一乱或者在销售时排序上不公平的话，本来给你送钱来的尊贵的“上帝”，会一下子翻脸成为你的掘墓人。

令欧阳担心的事还是发生了：到傍晚 6 点多，销售部报告说又有 60 多位“关系户”找上门来要提前选房！

这不是好事嘛！做买卖人气特别重要，证明人家都看中你“美丽 AAA”嘛！欧阳却并不同意我的观点，脸上神情显得有些严峻，等身边的人都走后，他拉我到销售大厅中央一间用玻璃圈成的圆形“吵架室”——工作人员告诉我说是欧总专门为那些在现场可能要跟你大吵大闹的客户准备的，瞧欧阳想得多细致！现在欧阳悄悄告诉我他担心的另一件事：预售排号时是根据123456……这么个顺序排下去的。明天购房者拿了号，一进来如果发现已经在自己前面有几十套被人买走了，而先买走的总归来说都是房子朝向什么的好一点的，这些排号在前的人最大的心愿也是能买到好房，矛盾就会凸现出来，现场有一两个人跟你大吵大闹都会影响很大，如果十几个人、几十个人一起跟你闹，那场面肯定非砸不可。"'美丽AAA'是倾尽了我和公司全部精力与财力的项目，能砸得起吗？"欧阳说这话时语气特别慎重。

"这我明白了。但现在这么多人来要房子，怎么处理呢？"

销售总监罗小姐这时进来，再一次请示说十几个人听说明天房价要涨，非要现在买。请示欧总到底卖不卖给人家，不卖的话这些人有意想搅局似的。

"现在一套都不能卖，要保证对所有客户的公平和诚信。"欧阳表面不动声色，只是以和缓且严厉的口吻说道，"我一再强调过，市场就是战场，要学会在眨眼的工夫里及时调整战略战术！销售部必须根据市场情况制订三套价格表，明天随机应变。"罗总尽管是下属，但还是大胆说出了自己不同的意见："这每平方米5400元的均价是公司前几天定下的，再说这个均价在龙华片区已经是最高的了，比我们自己原先预想的已经高出很多。那我们按照欧总的指示办吧。"

欧阳看看手表，时间已经到了傍晚6点30分。

"通知各部门负责人，马上到这儿开会！"欧阳以军人指挥官的口吻命令办公室副主任郑志伟。

5分钟后，"吵架室"的圆形沙发上坐满了美丽集团各部门的负责人。欧阳召开会议之前悄悄对我说：每一次公司售房"大决战"时，他总会把公司的全部精英集中在一起。我已经注意到，在武汉项目工作的王波、汪兵等几位干将此刻也被欧阳召了回来，连美丽投资公司的丁俊平老总、“美丽365”幼儿园的水一涵园长也来参战了。“这叫‘百团大战’，求的就是必胜！”瞧，他骨子里还是个军人。十几年的带兵生涯给欧阳在商战中厮杀提供了不可多得的经验。

“现在开会，各个部门汇报一下各自的准备情况。主要讲问题和解决问题的措施及预案……”在徐副总经理的开场白后，欧阳听取各分管负责人的情况汇报。明天销售活动现场分为交通管理区、客户签到及领取资料区、开盘仪式及舞台表演区、等候区、预备选房区、销控区、正式选房区、收款区、签约区、领取礼品区、工程安全区、后勤保障区等。

看得出，这是一支虽然年龄都在三十岁左右，却十分精干成熟、训练有素的队伍。而在将近两个小时的会议中，我这个外行人也偷师学到了过去从未听说过的一些房产销售知识与奥妙无穷的秘诀——欧阳说过，对任何一个外人都不可能讲的东西，对你何大哥全可以倒出来，甚至一些对手下包括自己老婆也不能讲的事，也能对你讲。我感谢他的诚意，也理解他的用意：想写一个真实的欧阳，就必须对欧阳的全部——包括所有的优点与缺点都尽可能地了如指掌。

这是“大决战”前的最后一次总动员。欧阳提高嗓门有针对性地着重提了四点要求：“一、一切工作围绕销售开展，力求达到百分之百完美的硬件条件和软件环境，不然的话，所有努力都等于零；二、……”欧阳这家伙大战来临之前，条理还挺清楚的。

部门负责人会议在8点20分结束后，欧阳留下销售、财务和合同部的经理又开了个小会，重点研究如何保障整个销售流程的顺畅，再就是均价的重新确定——欧阳念念不忘今天差点丢掉的几百万利润。

关于这两个问题的处理，对买房子的业主来说可谓“天机”——天机自然不能泄露。而我在经历欧阳的核心层激烈讨论过程后受益匪浅——我明白了这中间开发商是如何最大化地争取获利和经商过程中的狡诈一面，同样也明白了他们在分析和平衡百姓购房时所企盼达到的那份基本权利而付出的良苦用心。欧阳坦诚地告诉我：一个开发商，只有在上面两点之间寻求到尽可能的平衡并判断准确，才可能成功。

在6月18日夜幕降临之前，“美丽AAA”呈现出热销先兆，欧阳和公司的其他几位负责人一直在不停检查各个区域工作的落实情况，以保障第二天开盘活动的顺利进行。

“大家想想看，整个流程中还有什么欠妥的地方吗？”欧阳希望从几位得力的部下那里找到一些可能忽略的地方，以确保开盘前的准备工作万无一失。

合同部部长彭敏接过话茬：“客户在等候选房区要不要算价格，如果算价格的话，客户停留时间太长，而这个区域都是实习生，经验不足。如果不算价格，他们在没有完全清楚价格的情况下会导致在正式选房区效率太低，第二批、第三批客户进来后一百多人积聚在一起很容易起哄，这可怎么办啊？”

欧阳听后竟然一言不发。

“2400多名诚意客户，每家来两个人，就有5000多人，每家来三个人，就有7000多人，还有朋友、围观的人员，可能现场会达到近万人，这么多人的安全工作咋办，如果下雨咋办？”保安队长袁天京忧心忡忡。

是啊，欧阳听完助手们的汇报后皱眉说：“好事弄不好要变坏事呀！”

助手们仍在争论，时针已经指向午夜11点了。欧阳突然站起身，左手叉腰，右手用力一挥：“一、针对提出的问题要根据现场客户的选房、签约、交款等几个环节速度，控制等候区的人员。二、价格根据客户的接受程度随时调整。三、安全问题等一下我再重新安排……还有，明天让管理现场交通的人要注意车辆堵塞的问题。当然了，出现堵塞对我们公司来说，也并不是什么坏事，这样龙华所有的目光都会集中到我们‘美丽AAA’现场，那时候就等于给我们做了免费广告嘛！好了，现在大家抓紧时间回去休息！”欧阳果然不愧为军人出身，处事果断、心思缜密。

我两眼快睁不开了，时间已到深夜两三点钟，欧阳还在那里带着几个保安左检查右检查。各部门办公室灯火通明，想必大多数人都还在忙手头上的活。这时，现场又增加了各种防暴栅栏、警戒标识、疏散通道及人流、车流线路，一一布置得天衣无缝。

所有的人都走了，可我忍不住说出了堵在嗓子眼的问题：“哎大老板，我想问，明天假如在你楼盘前的大街上真的出现了严重堵车和交通不畅，市民和警察都抱怨你，这对你有什么好处呀？”

欧阳狡黠地哈哈大笑起来：“好处大大的。如果真那样，我们‘美丽AAA’就成功了！你不想一想，这一堵车，百姓和警察一怒，事情不就闹大了吗？这电视台和报社的记者还不立马赶过来？第二天深圳百姓会立即获得一条醒目的消息：‘美丽AAA’花园开盘售楼引发龙华严重交通堵塞，市民意见纷纷……这不等于我一分钱不花，整个深圳都在为我做广告吗？那时我的‘美丽AAA’不卖好价钱才怪呢！声明在先，这可是开玩笑的话。”

“哈哈哈……你这招够损、够损！彻彻底底的‘损人利己’。”

欧阳有些得意又佯装委屈：“我卖房、卖大价钱也是为国家经济发展做贡献。”

我又忍俊不禁，骂他：“少发假慈悲！”

离好戏开场仅剩几个小时了！淅淅沥沥的雨仍在下着，我为明天的天气忧心忡忡，倘若明天还同今天一样下雨，售楼的秩序及效果将会受到影响，我为欧阳捏一把汗。

今天——6月19日，我将见证欧阳和他的“美丽AAA”的辉煌时刻！我心存企盼。

早上8点，我赶紧从饭店出来直奔“美丽AAA”销售现场，因为欧阳预先告诉我第二天8点半开盘仪式的主席台上有我的位置……

嘀，老天又是一场雨啊！不过又让欧阳得意了——雨在我起床前已停了。我从饭店出来直奔“美丽AAA”销售现场，感觉早上的天气格外清新、凉爽，为欧阳紧揪着的心终于舒展了！

欧阳开战前先得一分。

离盛大的开盘现场还有一百多米远，我就已经听到喧天的锣鼓声和乐曲声……走近一看，那响彻天地的锣鼓声和舞台上那乐喧人舞的场面，气势真够隆重，真够气派！着礼宾服的乐手们在卖力地吹打着，整装待命的售楼小姐个个英姿飒爽、娇美动人，几十个别着“保安”臂章的青年人笔挺地把守在各自的岗位，三位着防暴警服的“防暴警察”，装模作样地在现场提着警棍走来走去。这欧阳，真能唬人！我偷偷地乐。

心头一阵小乐后，我朝舞台前那放着千张座位的遮阳天棚下看去，不由一惊：糟糕！上千张座位只稀稀拉拉坐着几个人，这可如何是好啊？

再看时钟，已近仪式开始的8点半了！我的心揪紧了。

欧阳！欧阳在哪儿？我迅速而又急促地寻找这场大戏的“总司令”——看到了：西装革履的欧阳就在舞台前的一个花池旁，只见欧阳重重地一口一口地抽着烟，而他的眼睛不时向签到处的路口那儿张望着，脸色焦虑而又铁青……

我揪着心忍不住快步走过来，想问他没人来买房这可怎么办？可临靠近他时我又将欲脱口而出的话咽了回去：此时此刻绝不能给欧阳兄弟那颗我真的无法形容的心再撒盐了！

我有点惧怕眼前的一切，甚至想责备欧阳老弟：你这家伙把场面弄得那么大、那么热闹干什么嘛！现在倒好，没有人来买房，你吹吹打打越高亢越喜庆，越不等于在为自己和“美丽 AAA”举行“送葬仪式”吗？我真想叫那些鼓手和乐队的人赶紧别再吹了。可我知道我无权这样做，一切只有老板才能决定——由用山一般的金钱堆成“美丽 AAA”的老板欧阳来决定。

“完了，你们是怎么通知客户时间的？”我听到一个声音，一个就距我咫尺可我又觉很远的地方传来的声音。我无法接受但必须接受，它非常清晰地告诉我这就是曾经从不认输的欧阳的声音。

完了？就这么简单？一栋花几个亿投资盖起来的、在深圳龙华号称“地标”的庞大建筑群就这样完了？一个“左眼流的泪与长江一样长、右眼流的泪跟黄河一样宽、汗水淌得与南海一样多”的财富创业者就这样功亏一篑？当然，还有我认准可以为他重重书一笔的我可爱的战友就这样垮了？

商战啊商战，你真的残酷得让人窒息啊！

欧阳啊欧阳，你赚上几百万、几千万后干吗不罢手算了？你非要赚几个亿、十几个亿干什么嘛？你和你的家人再把七大姑八大姨连同我们这些战友朋友全算上，你还怕摆不平吗？可、可现在倒好，“美丽 AAA”失败了，你的事业也完了，你辛辛苦苦、呕心沥血又有哪点值得呢？

听欧阳老弟连声“完了、完了”的那一瞬，我的脑子里飞旋出无数个为自己行将失败的战友惋惜和痛心的联想。我不知如何去安慰欧阳……

欧阳与负责接待的余雅萍老大姐交换着无奈的目光。

焦虑的欧阳又开始猛烈地抽着烟，然后更加用力地将烟蒂甩在脚下，他开始在签到处的路口和舞台之间漫无目的地来回走动着……而这个时候，各方领导已应邀而至。

“快请他们进去坐！”欧阳用急促不安的语气吩咐手下。于是我和那几个头面人物一起被请到了销售大厅内那间外人看不到里面、里面也看不到外面的“吵架室”等候……服务人员把果盘和点心端到我们面前——我实在太明白欧阳此刻的苦水到底有多苦！

这时，我看到欧阳一个人紧张地又跑到外面去了，我们还在等待，不一会儿欧阳又笑呵呵地进来，我原以为他是来叫我们去就座的，没想到他一屁股就坐下来，还跟我们几个人神侃。我心想，亏他还笑得出来，人家在火里，他在水里，不知道他葫芦里装的什么药。

我看着表，9 点到了。欧阳还没有派人来叫我们上开盘仪式的主席台就座。9 点 10 分，还是没有人来叫。9 点 20 分，又一盘点心送到我和那几个头面人物面前，却仍没有让我们上主席台就座的意思。我猜——来购房的人太少了。欧阳啊，今天看你怎么收场！ 9 点 25 分，欧阳突然出现在“吵架室”。我从他表情里看出：来的人并不多，但仪式再不能拖了……

“请吧，请领导们入主席台。”欧阳的脸上堆满了笑容，我心想你还笑得出来，我都替你急死了。

坐上主席台，整个开盘场面一览无余：不知道什么时候在可容纳千余人的台下，已经座无虚席，外围还站满了人，所有的保安人员全部出动来维持现场的秩序……主席台上的贵宾们或许感到场面“不错”，然而我一眼看去心里就明白了：台下千把人中至少有近三分之一的人是欧阳自己公司的“托”——欧阳嫌人少，为了再壮声势，增加影响，他又当即下令，把保安和售楼小姐全部暂时调到会场。而就在此刻，我听欧阳向几位领导人笑呵呵地解释道：“我们按照预先的计划将购买者分为上午一批、下午一批前来现场选购……”

我望着欧阳强撑局面的样儿，欲哭无泪。可看欧阳，他竟然仍在笑，笑得那么自然，那么自信："……'美丽 AAA'是我的，是我们美丽集团的，可也是龙华的，是深圳的，更是你们大家的！"欧阳站在麦克风前高亢而激情地演讲。他的话也不知是通过高频率的喇叭在起放大作用，还是这激情本身感染了深圳人，我的面前转眼间只见人头攒动起来，如潮水一般奔腾而来……

天哪！怎么一下会来这么多人哪！我无论如何也不敢相信竟然在半个多小时的时间内，"美丽 AAA"的销售场面完全变了样！

什么叫人山人海，这才叫人山人海！

什么叫疯狂无比，这才叫疯狂无比！

什么叫现场人气，这才叫现场人气！

这一刻，我看到现场的那些原本充当"托"的售楼小姐和保安人员迅速离开会场，他们撤出后的空位转眼被一批批拥进来的购房者迅速填满，而更多的后来者又将会场与销售大厅内外的全部空间挤得水泄不通……哈哈哈……这是欧阳的笑声，笑荡漾在他的眉睫间。我看到这位深圳地产界最耀眼的明星，此时一脸金光，满眼灿烂——欧阳活了！连同他的"美丽 AAA"一起死而复生！

欧阳已经无暇顾及我和主席台上的那些贵宾了，他和他的所有工作人员无一例外地、百分之百地投入到紧张而又纷乱的接待与销售"大战"之中……

这一天，我真的见识了什么叫生意火爆！我又想告诫那些正在买房的人千万别在此刻疯狂和失去理智，可似乎谁也劝不住谁……一批又一批购房者拥进售楼大厅，好像他们要用可能是一辈子积攒下来的钱所买下的房子，是天上掉下的馅饼一般——不管香不香、也不管圆不圆，反正抢着一套房子就是一种莫大的幸运与欢天喜地的事情……"欧总，我等您建的'美丽 AAA'花园都几年时间了！我，我从潮州过来，给我两个儿子都买上了您这儿的房子，我谢谢您！谢谢您——”一位60多岁的老人，捧着一大沓现钱，一边作揖一边热泪盈眶地向欧阳道谢着。

这一幕让我感到不可思议！它一下让我联想起曾经多次经历过的希望工程的捐款场面——那捐献者和被捐献者之间彼此交流时催人泪下的情景……但，现在在一个买房者和一个地产商之间竟然也出现了这样的场景。若不是亲眼所见，即使欧阳再会表演、再会导演，我也不会相信世上有这等事——有句话现在很流行，叫作“买天买地不怕亏，就怕买房作了赔”。对百姓来说，什么都可以上一次当重新再来，可唯独买房上一回当只能去上吊。可见，房子买家与卖家之间其实是你死我活，你掏空口袋、我填满金山的最不平等交易，但欧阳竟然会令那些向他送钱的业主反倒给他道谢感恩，这不是颠覆是什么？

我太想看欧阳一手打造的“美丽AAA”是如何让深圳市民着魔般地落入他的“圈套”，当然也特别想看他如何在一天之内将几个亿的收入装进自己的口袋……但我实在看不下去了——那些买房者真的都疯了，他们一进销售大厅便完全失去了应有的理智，任凭口齿伶俐的售楼小姐甜言蜜语，时而说这套房如何如何实惠，时而说那套房怎么怎么漂亮，买房者们就像幼儿园里听话的孩子学舌一样，也说着：“哎哎，是这房好！”

记得有个哲人说过这样的话：环境和气氛能使一个思维正常的人产生幻觉，从而失去理智。我想，“美丽AAA”的购房者，大概从踏进有强刺激音乐与无数穿梭不停的售楼小姐们来回晃动的销售大厅的那一刻起，他们的视觉与感觉器官便出现了某种幻觉——这无疑是欧阳技高一筹之处。事实上，欧阳不仅是售楼技高一筹，更主要的、也是最根本的，是经他设计打造出来的每一栋楼房，皆超凡脱俗、卓尔不群。购房者们亲眼看到的，除了货真价实的“美丽”，还有值得信赖的诚信以及真情服务的思想。于是再理智的人只要看一眼“美丽AAA”的模型和样板房，就会被它的美丽和堂皇所征服，就会主动掏腰包……

我没有走进欧阳他们的收款处，也没有看到先前他们曾经十分担心有人买不到房而引发的冲突，我只是发现在一两个小时内无法再找到欧阳，便独自悄悄离开了现场，离开了美丽集团，离开了深圳。

带着大开眼界的兴奋心情，当日傍晚，我回到了北京。晚10时许，我的手机突然响起，是欧阳打来的。“大哥，实在对不起，没能为你送行。我今天快忙死了，也快乐死了……”欧阳在遥远的深圳跟我说话，而声音之洪亮如同他就在我跟前一般。“向大哥报告一下：今天的销售情况超乎意料地好，最后均价比预期高了1000多元！哈哈哈，还是抢……”

毫无疑问，欧阳今天是大智大勇的大赢家，仅加均价一项，按几百套房子计算，每平方米涨1000元，他就多赚上亿，加上原本应该赚进和收回的投资成本4亿多元，他在这一天也许是世界上赚钱最多的一个人。我在家人面前端起一碗清水面条直发呆，然后自嘲地叹了一句：看人家多会赚钱！

第五章　辉煌背后的“原罪”

我再次飞往深圳找到欧阳时，心中存疑似乎更多了：现在学术界在议论中国大亨时，常常抛出一种“原罪”之说。就是说，中国的有钱人不像西方的贵族是出于家族的承传，也不像美国的比尔·盖茨等靠自己独立的知识产权和营销本领获得巨额财富，中国的大亨通常是“暴发户”。而这样的“暴发户”在原始积累时通常是有“原罪”的，即他们在资本积累的初级阶段，一般情况下是有一些违法乱纪的“灰色”行为。中国的不少国民仍然对一夜间突然暴富的人有种心理上的蔑视，通常认为钱赚得越多的人其“罪恶”也越大。

不管欧阳如何谦虚，有一点毋庸置疑：现今的他也算是中国房地产界的一位重量级人物。在深圳、东莞、湖北、河北、湖南……都有他规模越来越大的项目在崛起和拓展，其事业用“如日中天”来形容并不为过。有钱人容易引起人们的关注，有太多钱的人更容易受到社会的特别关注。

欧阳的“原罪”是什么？

那天欧阳被我逼得无处躲藏，最后有些不安地与我商量：“你真想知道？那能再上一次我老家去吗？”

我骤然间想起那次去云梦的情形——那条算命街，那次恭敬而慷慨的施舍。

“行！”我一口答应。

“走，今夜出发！”

我一听更加来劲。欧阳甩下深圳日理万机的事，潇潇洒洒与我一同飞抵武汉，再达孝感，可临到老家云梦时，他却让前来迎接我们的车子在一个岔道口来了个九十度的大转弯——“上汉川去！”

欧阳第二次带我上他的故乡时并没有回他自己出生的那个村子，而是到了距云梦县隔蒲镇一百多里外的汉川市新河镇的文李台村……

落日西斜，一缕血色晚霞披洒在炊烟四起的乡野。我远远望着那片黑压压的村庄，像这样保持中国传统样式的村落现在已很少了。地处中原的文李台村依旧完整地保留了这种原生态，绵延几里长的村子很像一个集镇。沿着那条可以行驶汽车的村落大道缓缓前行，沿途有不少村民们自己开的各式各样的小卖部和露天摆放的日用品小摊铺，孩子们成群结队地追随在我们的车子后面，像三十多年前在中国农村拖拉机第一次进村的情景重现……

文李台村确实有种神秘之感，大道两侧依旧保留着许多百年老房，仿佛在向我们诉说这个村落曾经的辉煌。如今的文李台村虽然没有一条可以全程行驶大型汽车的通道，但井井有条、交叉纵横的一条条巷道可以延伸到村庄的每一个角落，这使得文李台村更具“城镇”特色。欧阳告诉我，文李台村最热闹的时候有过上万人口。“原来这个村庄叫前进大队，现在叫新河镇，一个村庄有几个大队，你说大不大？”难怪，这也许是我见过的中国最大的一个村庄。

我想到了大仲马写的《基督山伯爵》，今日的“深圳基督山伯爵”是不是也有一个深藏在遥远海岸的“基督山小岛”，那里是否同样存在一个让欧阳暴富的神秘“宝窟”？而就在这个村庄里，我们的“深圳基督山伯爵”欧阳却有一段影响他一生命运的传奇经历。

欧阳有些激动，他的思绪一下子被拉回到了30多年前——欧阳7岁那年，不知道外面的世界有多大，也不知道发生了什么大事，但生来懂事的他，却被告知一件至今仍让他记忆犹新的事。

那一天母亲长长地叹了一口气，拍拍残留在双膝上的炉灰，站起身把二儿子祥山拉到自己身边，说："花子（欧阳的小名），你把哥哥的那件衣服换上，一会儿娘送你上姐姐家去。"

小欧阳以为自己听错了，瞪圆了一双小眼睛，疑惑地看着母亲愣了半晌。

"这孩子，傻了啊？"母亲有些生气地过来帮儿子三下两下地扒了身上那件破烂不堪的外衣，又将一件洗干净的肥大的蓝布衫给他穿上，"我还要干活，你一个人去姐家好不？"

这回轮到儿子说话了。小欧阳猛地点点头："我跟哥去过几次了，我认识路。"

母亲想了想，然后掏出一元钱塞在儿子手里，吩咐道："那你路上小心点，别把这车票钱再给我丢了。"

谁知儿子把一元钱推还给母亲："妈，我不用买车票的。"

"不买票你咋上得了火车？"母亲瞪圆了眼。

儿子狡黠地笑开了，很骄傲地说："每次我跟哥一起上姐家去，都是扒车去的，一分钱也不花的！"

"啥！你们每次去都是扒火车去的呀？"母亲一听脸色煞白，既心疼又严厉地训斥道："你这小兔崽子，那火车飞快，扒不上去就把你们压在轮子底下，你还要不要命了……"

儿子却并没有意识到母亲的担忧，仍在得意地讲述自己的英雄行为："没事，我和哥每次先上站台，等火车车门关上后慢慢开动时，就看准当口迅速抓住车门两边的把手，再跳到上下车的踏梯板上就行了……"

儿子说得轻松，母亲听后双手捂着胸口直嚷："你们像贼一样大胆，那火车飞一样快，踏梯板才那么窄一块屁股大的地方，不摔死你们才怪！"

"没事。"儿子则愈加炫耀道，"坐在那儿不要动就没事。哥哥有时还教我把裤带解下来系在那把手上，那样更没事了。”

“警察看到了还不抓你们？”

“他们看不到的。”

儿子哪知母亲内心的那份担忧，更加起劲地讲他的本事：“每次到前面一站停下时，我们就先跳下来，等乘客上上下下后车子再开时，我们再跳上去……”

“不抓去让你们坐牢才怪！”母亲不再追问了，转身给灶膛添柴，只有嘴里仍在嘀咕。

小欧阳颇为得意，因为他没有说那次警察发现他扒车后，揪着他耳朵让他站在候车室的大厅内向全体乘客低头认错的耻辱一幕。他也没有告诉母亲，每每冰天雪地的寒冬时节，每一次上姐姐家的扒车之苦，那才叫苦！刺骨的寒风，比袭人的毒蛇噬咬还疼痛，直往人领口、袖口猛灌，整个人身上没一点点热乎气。有好几回，小欧阳差点因为冻僵的小手拉不住结冰的铁把手而命丧荒野……

从欧阳老家云梦到汉川文李台村的火车要开约两个小时的慢车车程，当时的车票虽然只有 6 毛钱，可对童年和少年时代的欧阳祥山来说，6 毛钱比如今他手中的一亿元还要稀罕。

穷人和富翁之间的差异就是这般天壤之别，而这却发生在同一个人身上，它的意义便更不平凡，更具有发人深省的意义和离奇的色彩。发生在欧阳身上的这一天一地的故事，仅隔着 30 余年的短暂光阴，可它却反映出中国社会在这 30 余年里所发生的一场翻天覆地的历史巨变。

欧阳生于 1959 年，那时新中国成立十周年了，但中国农村的百姓除了在政治地位上“翻身当家做主”外，物质生活依然贫苦。湖北云梦，地处江汉平原的北部，一条绵延数百里的府河，挟着大洪山奔泻而下的滔滔河水，经广水，过安陆，蜿蜒进入云梦境内，肥沃着这块古老的土地。被云梦人称为“母亲河”的府河，在途经云梦西端又向南流经 8 公里左右突然一个急转弯，呈“L”形折向东流，弯弯的河水环绕着一片冲积平原。在这个几十平方公里的小平原上，散落着几个村庄，这便是欧阳的出生地云梦隔蒲镇。

史书记载，隔蒲镇一带历来以种棉花为主，在风调雨顺的好年景，银棉如雪，五谷丰登，但这种好年景 10 年中能有一两年就算是老天对这儿的百姓的恩赐了。府河并不像母亲那样温存，当洪水暴发时，它像一头发了疯的野兽，冲走了地里的庄稼，卷走了村庄的舍棚与家禽，留下的那些幸免于难的人群只能去逃荒讨饭……

欧阳每次听父亲讲府河的故事都十分感动，后来居然还自编了一首“民谣”：

隔蒲潭，府河边，
十年就有九年淹；
大雨下，洪水滥，
颗粒无收好凄凉；
老百姓，人天怨，
卖儿卖女去讨饭。

也许正是这种很难改变的自然条件所致，今天的云梦经济虽然有了很大发展，但与沿海地区还是相差甚远。我第一次随欧阳踏上那片土地时，看到云梦隔蒲镇上和欧阳老家的小阳小郑村及周边几个村庄那些像样一点的柏油道路，基本上都是欧阳这些年资助修建的。故而欧阳在当地官员和百姓心目中就是一个非常了不起的人物。提起欧阳祥山的名字，云梦 50 多万父老乡亲有种发自内心的自豪感。

如果不是欧阳自己揭短，今天他站在别人面前，那气质、那谈吐、那潇洒的风度，无论谁也难以想象他的童年和少年，竟然能同“花子”两个字连在一起。

“花子”是欧阳19岁前的小名。我亲眼看到今天的欧阳在回到自己的家乡时，有不少年长的乡亲们仍这样称呼他，听起来还特别亲切。而当时的“花子”不是一种尊称，而是当地人辱骂、耻笑讨饭的流浪儿的一种叫法，与我们通常所说的“叫花子”是同一个意思。

我后来坚信，也正是因为“花子”这样的“尊称”，让欧阳一步一步坚强地站立起来！

欧阳的父母都是农民，他的父亲欧阳万林，1.55米的个头，在男人堆里绝对是个矮子。而他的母亲则身材高挑，1.68米的个头，加上貌美体健，即便在82岁高寿的今天，老人家依然颇有风度。这样一对差异巨大的夫妻，通常他们之间的结合都是有些特殊原因的。

欧阳父亲的瘦弱矮小不是天生的，完全是从小家境赤贫所致。他虽然眉清目秀，儒雅温顺，长着一副读书人的相貌，但生来命苦，两岁父亲病死，11岁时母亲上吊而亡，两个姐姐做了童养媳，比他大不了几岁的哥哥欧阳万金在富人家放牛。一个11岁的穷家男娃儿，只能去富人家做长工混口饭吃，哪有可能谈得上健康发育？这也注定了这个男人的不幸命运。托尔斯泰有句名言：幸福的家庭总是相似的，不幸的家庭各有各的不幸。

沈桂香是欧阳祥山的母亲，在走进欧阳家之前她是个富有家庭里的“千金”。父亲是黄陂人（现今的孝感祝家湾），是当地田地较多的富人家，同时在武汉汉阳开茶馆。沈桂香是家里的长女，因为在自家的茶馆对面有家榨油坊，一来二去，年轻貌美的沈家大闺女渐渐与榨油坊家的一位詹姓青年有了感情。有一年芒种季节，两位相爱的年轻人回到老家成婚，后来有了一个儿子叫发发。可沈氏命不好，儿子4岁时，丈夫得病而逝。在旧社会，再出众的女人，死了丈夫就矮人三分，再加上膝下又拖着一个娃儿，富人家出身的沈桂香，无奈改嫁给了当时在亡夫家当长工的一个下人，他就是欧阳万林。

1948年，欧阳万林和沈桂香外加一个现成胖儿子组成的家庭，算是小阳小郑村的一件新鲜事儿。转眼间新中国成立，贫苦出身的欧阳万林家又添了一个闺女，真是喜上加喜！然而新中国的成立，使原本穷人与富人之间的政治地位发生了颠覆。沈桂香因为家庭出身是地主而受人歧视，而欧阳万林则可以在乡亲们面前挺着脖子说“我家在解放前是最苦的贫农”。

欧阳的父亲虽然个子矮小，却聪明过人，很有农民式的智慧。他不仅性格开朗，自尊心极强，同时还有前卫的经商意识。他是村里第一个敢做生意的人，虽说做的都是些小本买卖，但从来是赚得多、亏得少，尤其他做“老鼠药”买卖一直稳中有赚。也许正是父亲的这种基因遗传，才有现在成了亿万富翁的欧阳祥山。欧阳的父亲喜欢钻研各种农活技艺，是村里顶呱呱的干活好手。他还喜欢看戏，自己也喜欢唱戏，每当劳作之余，坐在古朴的竹床上，对着自家门前的鱼塘哼上几段，算是他人生的一大乐趣，欧阳祥山至今仍记忆犹新。

然而老天并不可怜这位庄稼人，第一个闺女出生的那年，眼看辛辛苦苦换来的稻谷飘香即将成熟，一场洪水将整个隔蒲镇淹没成汪洋泽国……地没了，房子也没了，欧阳万林只得带着妻儿幼女举家投奔武汉的姑妈家，靠卖菜维系一家四口生计。

迫于生活的压力，欧阳万林每天都要起早摸黑张罗贩菜，妻子则靠帮人缝衣做鞋贴补家用，留下不足一岁的女儿独自在家整天啼哭。一日，欧阳万林的姑老表张彦顺带着一根棒糖来看孩子，可当他用棒糖逗啼哭的娃儿时，却发现孩子的眼睛没有任何反应。“怎么啦这娃儿？”刚刚收工回家的欧阳夫妇急忙抱起孩子，又用棒糖在娃儿眼前晃动了几下：“娃儿，你看这是啥？啊，你快看看……”孩子依然没有意识，伸出的手却胡乱地抓起母亲的头发。

“怎么啦！怎么啦这孩子？”母亲大哭起来，夫妻两人抱起孩子就往医院奔……

经过一番检查，医生看着孩子惋惜地摇头：“最好的治疗时间错过了，现在晚了……”

“苦命的孩子呀！”母亲一声哀号，昏死过去。

女儿就这样幼年失明，一直没有起名字。按照当时的习俗，女孩通常都叫“丫头”。这个“丫头”至今也没改过名字，再加上失明，所以在欧阳的父母心灵上留下了一生的愧疚。像所有五六十年代的中国农民一样，欧阳万林这对带着各自不幸命运而走到一起的夫妇，后来又添了几个儿女。欧阳万林的辈分在这个家族里属于“万”字辈，到了欧阳祥山这一代，为“世”字辈，但所有的男人名字中都要带个“山”字。在欧阳祥山之上，有个取名为“水山”的哥哥。那是1954年发水的灾荒之年得子后父亲给儿子起的名。等五年后第二个儿子再出生时，乡亲们都说：“这娃儿哭声亮堂，有吉祥之兆。”父亲听后好不欣喜，便说：“那就叫祥山吧！”

欧阳祥山便这样来到了人间。孕育他的是无边的苦水和父母挥不尽的泪水……父亲告诉过儿子，说他眼看儿子要出生时的前一天就想弄点粮食犒劳犒劳妻子，但当时农村全都吃人民公社的大食堂了，家里找不到一粒粮食。急坏了的欧阳父亲只好去求食堂师傅。烧饭的郑师傅好心调了碗麦粉南瓜羹给了欧阳父亲。父亲欣喜万分，端着羹碗就往家跑，因为着急，因为欣喜，结果半路一个趔趄，“扑通”一声连人带碗掉进了路边沟里……几十年后，父亲仍念念不忘那碗麦粉南瓜羹，感叹道："祥山儿小时候瘦小得很，就因为他妈连碗南瓜羹都没有吃上……"

20世纪的五六十年代，一半以上的中国人吃不饱饭是那个时期中国人的基本生存状态。这在今天的年轻人看来，是无法想象的。

欧阳出生之后，他的母亲还生了四个女儿，可只有一个叫欧阳运兰的妹妹活了下来，其余的不是被病魔就是被饥饿夺走了生命，而病魔和饥饿皆源于贫穷。母亲在结婚的十余年间，不停地生育过七八个孩子，每一次怀孕分娩到哺乳，都是一年半载。这期间，在生产队永远只能拿"半劳力"工分的父亲，以其羸弱却倔强的身躯支撑着整个家，欧阳幼年时家庭的清苦不言而喻。"整天哭，瘦得皮包骨"，母亲回忆起童年时的儿子时，嘴里永远是这八个字。

欧阳能在地上跑的时候，母亲和父亲都上地里挣工分去了，就连五六岁的哥哥也背着小筐干起了农活。家里只剩下一个失明的姐姐，她的任务是看守满地打滚的弟弟小欧阳。

欧阳去呼和浩特搞捐资助学，有个女明星见了已经成为亿万富翁的欧阳祥山时，曾当着我的面对欧阳说："你的眼睛很有神，也很炽热……"欧阳听后当下流出两行热泪，他说："谢谢你夸奖，其实你并没有真正看清我的眼睛，因为我的眼里更多的是忧伤和自卑。"

那女明星很是惊诧，说她什么也看不出。欧阳则淡然一笑，说因为你根本不了解我。

"明白了，我们第一次一起回云梦时，你在算命街上给盲人们大把施舍是不是因为联想到了自己的姐姐？"我突然想起几个月前的一个不解之谜。

欧阳听后情绪似乎一下坠入谷底："是联想起我苦命的姐姐，但也联想起了我自己的童年……"

“你又不是盲人！”

“可我从小伴着盲人的命运成长……”欧阳说这话时，脸颊上流下两行泪水……

下面的事，是后来我从欧阳的那个盲人姐姐嘴里知道的：

幼年时的欧阳一直由盲人姐姐带着。父母出去干活了，留下咿呀学语和蹒跚学步的小欧阳在家时，姐姐便担当起了看管他的全部任务。姐姐看不到世界是个什么样，但却能听到弟弟的每一丝细微的声音、知道他每一个细小的动作。姐姐比欧阳大10岁，弟弟抓屎抓尿的幼年时，她抱哄背搂，甚至用手指当母亲的乳房，给弟弟含着；弟弟大一些时学走路和登高，她手拉着到处乱跌乱撞的弟弟——常常一天下来自己比弟弟摔得更加鼻青脸肿。

“我最怕弟弟饿肚子，一饿他就死命地哭，哭得我一点办法也没有。那时家里什么也没有，我喂他水喝，他把水打翻一地；我哄他，他死命抓我头发皮肉……最后没得办法，我只能跟他对着哭啊！可我一哭，他又不哭了！”欧阳的姐姐回忆说，那双枯陷的眼眶向天仰着，似乎沉浸在往日那不可拨动的艰辛岁月中。

那是个特别寒冷的冬天，池塘里结了厚厚的冰，四五岁的欧阳挣脱姐姐的双手走出家门时，他被一阵飕飕的北风刮倒在地。这时他听到村东头一群比他大的孩子在哄笑，他好奇地走过去，见同村的大孩子们围着一个五十多岁、穿着破烂的乞丐在吵吵嚷嚷。小欧阳那时不懂啥叫乞丐，只觉得那个乞丐穿的衣服跟自己的差不多破旧，于是便跟在人家后面挨家挨户走着……

“哈哈，今儿个怎么回事？湾里来了一大一小两个花子啊！”村东郑大叔突然嘻嘻哈哈地嚷道。

“哪来的小花子呀？”有人奇怪不已。

郑大叔指指跟在那个乞丐后面、上身穿着麻布袋缝成的衣服、老棉裤补丁连着补丁、腰上系着一根粗草绳、满头蓬发中夹着烂稻草的小欧阳，大声道："这不是小花子吗？"

"啊哈，祥山是花子哟！"从此，在村上欧阳祥山的名字被"花子"替代了。那时欧阳虽不懂事，但却不习惯别人这样叫他，甚至用小手抓起一把泥巴扔人家，结果村上的大人小孩更欢实地叫他"花子"，后来再有人这样叫时，他便满脸天真稚气地莞尔一笑，算是默认了。

"花子"是欧阳童年和少年的名字，也是这位家境贫寒的农家子弟真实的命运写照。欧阳对童年和少年时关于钱的记忆特别深，他讲过跟哥哥水山为省6毛钱的火车票，几次差点丢了小命的惊心动魄的往事。而那次母亲让他买两斤盐，他却把一元钱丢了的事则更让他刻骨铭心。

有一天，母亲忙得脱不开身，从房里取出小布包，解了几层才拿出一元钱，对欧阳再三叮嘱："盐买回来后，别忘了把找回的零钱放好拿回来给我！"

欧阳眼睛都瞪圆了，这是小欧阳第一次经手一元钱，"而且是新票子"。40年后的欧阳清楚地记得，"那天我拿着妈给的钱，像接受了大元宝似的，一路又蹦又跳的，走到村口看不到后面的妈妈了，我便忍不住从衣袋里掏出那张一元钱的新票子看了又看……"

"那时正值秋天，田埂两边净是棉花田，爆开的棉花已经挂满了枝头，秋风一阵阵迎面扑来，我顶着风一路跑步越过几道沟和一座石拱桥，又过了几个村子，到了公社的一个供销店。当我气喘吁吁地站到买盐的柜台前，伸手掏口袋摸钞票的那一刻，我吓呆了：钱没了！再上下口袋翻个遍，还是没有找到！我一下子哭了起来，因为我太知道母亲的厉害，这一元钱对当时的我家来说，好像比我们娃儿的一条命还重要。我记得每年队里年终分红时，有劳力的庄稼户，他们能分到二三十块钱，我们家人多拖累重，七算八算，到头来还得欠生产队一屁股账。父亲和母亲为了让我们全家人也能过上年，便到会计那儿想借三块钱，那会计说这得找生产队长批准。父亲母亲又找队长，队长说啥就是不批，说欠支户最多也就能让生产队照顾分些萝卜而已。最后父母还是厚着脸皮从亲戚那儿借了几块钱过了个年。我毫不夸张地说，那时的一元钱对我家来说，比我现在的一亿元还贵重……”欧阳回忆起往事，双眼泪光盈盈。

“从供销店折回原路后，我一边哭，一边一路寻找，寻了几个来回，可就是找不到……天黑了，田埂都看不清了，我知道肯定找不到了，给家里闯了大祸，所以不敢回家。我悄悄溜进村，看到家家都上了灯，有的已经拿着饭碗在吃了，可我只能躲在村头鱼塘边的一丛灌木里，战战兢兢地听见妈妈提着灯在挨家挨户地找我，问他们看到花子没有，人家都回答她说没有看见。不知过了多久，我恍恍惚惚看见妈提着一根棍子从鱼塘的另一端朝我躲藏的灌木丛走来，她三步并作两步地上来一把将我从草丛里揪出来，大声问我：‘买的盐呢？’看着母亲恼怒的表情，又见她提着一根木棍，加上我知道自己闯了祸，所以一听她的问话，我早已魂飞魄散，哇哇大哭并如实说出了原委。妈妈一听，火冒三丈，抡起木棍就朝我身上打来。我自知理亏，只得忍痛挨打。也不知过了多长时间，隔壁家的万银伯父路过撞见我们娘儿俩，才劝住了我妈。可这一夜，我哆哆嗦嗦地躺在床上一夜没睡，又不敢出声，听爸和妈一直为我丢了那一元钱在吵架，我的眼泪湿透了被子……”

到了上学的年龄，欧阳看着村里同龄的伙伴都高高兴兴地背着书包上学去了，可他没有那福分，因为此时的父亲重病卧床不起，养活全家六口人的担子全部落在母亲一个人身上。小欧阳多么渴望能同伙伴们一起系着红领巾，捧着书本——他不敢再往下想。

母亲告诉他：“人家骂你是狗崽子，你读了书也没有用。再说，你上学，爸爸躺在床上谁端水端尿？瞎眼姐姐和小妹妹谁照顾？"

那时欧阳还不知道地主出身的母亲和当过几天日伪军的父亲为什么总受人欺负，但他清楚"牛鬼蛇神"是"坏人"。既然是与"牛鬼蛇神"有关的人，肯定会在生产队和村上遭人瞧不起：但我又不是"牛鬼神蛇"，为啥我不能上学？

为不能跟本村的同龄伙伴一起上学的事，欧阳那颗幼小的心灵曾经刻烙过很深的伤痕。但想到母亲后面的几句话时，他懂事地点点头，再也不向母亲提上学的事了。高瘦的欧阳过早地帮助母亲和哥哥挑起了家庭的重任。

有句话叫"少年不知愁滋味"。少年欧阳对啥是苦他真的不知道，只知道每天除了帮助母亲家里家外忙活外，还经常抽空跳进村前村后的河塘沟里抓小麻鱼。"有鱼吃喽！有鱼吃喽——"每每小欧阳给病榻上的父亲和姐姐妹妹端上自己抓来的鱼时，他感到了一种成长的满足。

"花子，今天你姑老表詹志兰结婚，你替妈吃喜酒去！"一日，母亲满脸喜色地对小欧阳说。

"让我去——吃喜酒？"欧阳不敢相信，一双大眼睛盯着母亲半晌仍然怀疑有这好事。

"让你去就去呗，又不远。到那儿你往桌上一坐，只管夹好吃的菜吃就得了！"胃病复发的父亲倚在病榻头说道。

"哎！"欧阳这一天太喜气了，不知母亲从什么地方弄来了一套新衣服让他穿在身上，不过就这一天，后来欧阳就再没见过那衣服，但最重要的是他今天可是代表欧阳万林家的人去"坐席"的。

在农村，婚丧嫁娶办大事时，亲戚乡邻到场，论资排辈有讲究着呢！十人一桌，八人一席，能坐上前桌头席的通常都是一户之主，有名有姓，有辈有分。今儿个欧阳入席的是十人一席之桌，除他之外，是九个女人。俗话说，三个女人一台戏，这九个女人围在一桌上，那热闹劲就别提了。欧阳的耳朵当时几乎是聋的，只有一双眼睛贪婪地一眨不眨地盯着一盆盆他连见都没见过的香喷喷的菜肴……

“大肉来啦——”在鞭炮的“噼里啪啦”声中，端菜的师傅将一碗让欧阳见了就流口水的扣肉放在桌子的中央。这是婚庆上十分有说头的第五道菜，每碗大肉盛装十块，一人一块。当地有句俗话，叫作“吃喜酒吃喜酒，吃了大肉才会走”。这意思是，凡出份子来吃喜酒的人，一定要吃上大肉才算数。欧阳哪懂这些？从小不曾沾过多少油腥味的他，见大肉香喷喷地扑鼻而来，起身夹上一块就往嘴里塞，三下五除二就消灭了。再次抬头时，他见碗中竟还留有一块快冷了的肉块。趁桌上的女人们只顾闲谈，小欧阳毫不迟疑地举筷就夹。

“哎哎，我的那块肉呢？谁贪得无厌偷吃了一块？快说！是谁？”突然，同桌的一个女人扯开大嗓门叫唤起来，一双眼珠子瞪得贼圆。同桌的和邻近几桌的人很快把目光聚到了一起，聚到了嘴里仍在嚼着肉块的欧阳身上……

“那时我虽然才八九岁，可第一次觉得自己是天底下最可耻的人！我不敢抬头，也不敢再嚼肉，仿佛浑身被一把把利剑插刺着，无地自容。我不知道自己犯了什么错，只知道万分羞愧，丢尽脸面。我后来不知道自己是怎么离开那桌子的，反正我记得再没吃一口东西就一路哭着跑回了家。妈见我后赶紧问怎么回事，我便哭得更厉害了。妈知道事情原委后，忍不住一把抱住我也呜呜地痛哭起来，我发觉她像比我还要委屈似的，直哭得双肩哆嗦，嘴里还不停地说着‘孩子多吃块肉错在哪儿嘛！你们这样欺负他啊——’”

第六章　叩问苍天

傍晚，我跟欧阳进入了文李台村。

由于我们一行看上去都是外乡的陌生人，所以走在村子的那条宽敞的土路上格外引人注目，几乎没有人能认出欧阳，欧阳却仍能时不时地叫出一些人家里的人名。尤其是欧阳忽而指着这一家道出一两个熟悉的什么强强、彪彪的人名，忽而又跑到另一家的客堂里拉着一些上了年纪的人到跟前，问长问短，故而到后来我们基本上走不动了……

走了大约两三里地，认识欧阳的人多起来了。

"你就是花子？当年住在瞎眼姐姐家的那个花子？"

欧阳的泪珠在眼眶里打转："是，我就是花子。"

"哎哟，花子你现在长这么高了啊！"

"听说你在部队当了大官啦？"后村的幺婶问。

"听说你在深圳发了大财，是真的吗？"前宅的李伯拉着欧阳的手说。

"小财，发了点小财。你们还好吗？我看老伯、婶娘你们没啥变化，身子骨还硬朗吧？"欧阳笑着一一回答。

"凑合活着。我们这些人，跟这个文李台村一样，门面还撑着，可也塌得差不多了……"

看着欧阳与村民们打得火热，我想，当年欧阳肯定在这儿有过不同寻常的经历，而且住的时间也不会短。

文李台村确实是个罕见的大村庄，我们的车子停停走走，花去了近半个小时，最后在村落后街的一条窄道那儿不得不下了车，步行来到一间破败不堪的旧房子前。

“这就是我姐和姐夫当年住的房子。”欧阳一下车子显得格外激动，像是见了一位久别的亲人。

这是一间旧瓦房，从砖墙上残留的几条“文革”标语看，应该是20世纪六七十年代翻盖的农舍。

这当儿，欧阳已经找人来把那扇破门上的铁锁打开……

“怎么成牛圈了？”欧阳缩着脖子进屋后，便指着右边的那间竖着栅栏的房间问开锁的人。

“我、我们看你姐他们搬走后一直没人来住，就、就当牛圈用了。”那位老农很胆怯很歉意地站在一旁低声喃喃着。

欧阳听后连忙改口说：“没事没事，闲着也是闲着嘛！”随后他指着右边那间已经成牛圈的房子对我说：“过去这是房间，我就住里面。正间是客堂，左边是厨房……”

在那个所谓的厨房门口，有一口大缸，旁边放置着一对水桶。欧阳突然拿起搁在水桶中的一只木勺，然后十分夸张地在我眼前摇晃了几下，说：“当年我恨透了这对水桶，因为姐姐和姐夫都是盲人，八九岁时我牵着姐夫挑水，等我稍大些后，每天担水的事便落在我身上。从这儿到河边要走一两里路，那时我年岁小，只能挑半桶水，村上的孩子就奚落我，弄得我每天为这担水的事气恼。尤其是下雨天，要穿过十几条小巷，泥多路滑，那才难呢！”

不用多说，我已经明白了：在欧阳的历史里找不到“基督山伯爵”的影子，更不可能有那个使海员的儿子在绝望的边缘一下拥有了征服世界、实现复仇愿望的那个“宝窟”了。一切信息告诉我：欧阳这位富翁的“原罪”历史是与苦难相连的。但令我感到意外的是，我的这位战友和同龄人竟然会有那么大的苦难史，如果不是亲自跟他上老家走一趟，我无论如何也不太可能相信真实的生活里竟然会有比我们的艺术创作更生动的存在，我觉得

“传奇的财富故事”无论怎么套在欧阳身上都是合适的。

如果不是后来天太黑的缘故，我想欧阳也许会在这栋破旧的老屋内无节制地待下去。

“走，上我姐家吃饭去吧！”欧阳说，显然他是为了照顾我这个远道而来的客人。

欧阳的姐姐家现在在汉川市新河镇上，这是离汉川城关只有十多公里的一个小镇，房子是那种连体的两跨三层楼，这是欧阳出钱给姐姐买的，为的是方便生活。

亲兄弟的到来，让欧阳的姐姐和姐夫格外高兴。这是我一生中第一次在一对盲人家吃饭，让我感到特别惊讶的是欧阳的姐姐竟然能做出几个像模像样的菜来，尽管我觉得一个远道而来的访客端起一碗盲人做的饭菜是那样地于心不忍。

“姐姐嫁过来后，母亲怕他们两人没法生活，所以就把我弄来伺候他们，而我知道母亲心里还有一个实际的想法，就是把我送出来可以减少我家里一个吃饭的人！”欧阳放下饭碗后苦笑着跟我说。

欧阳姐姐和姐夫的儿子叫李维进，女儿叫李芙蓉，现在都已长大成家，儿媳带着孙子在家。儿子、女儿、儿媳都还算是讲良心的人，这是欧阳最大的安慰。这样，一对老年盲人便有了生活的基本保障。姐姐夫妇现在生活得不错，当然是由欧阳出资把这个不平常的家给安顿好的。

“大姐，听说你进李家门时，你弟弟欧阳‘随嫁’了好几年，有没有这事啊？”我这一句话，把欧阳的姐姐与姐夫都给逗乐了。

“可以这么说吧！都怪我这个瞎眼姐姐，拖累了他……”欧阳姐姐性情温柔，说完这句话后，便再也听不到她的下文，但她的表情分明是在说：在弟弟面前，姐姐心头深存内疚。

倒是欧阳姐夫特别健谈：“祥山在我们家住了有五年零七个月，再加上前后来看望我们零零碎碎住的时间，总共不少于六年……”他叫李红修，比妻子大 10 岁，虽然眼盲，却看得出是个手脚灵活、脑子很精明的人。

临离开姐姐家时，欧阳环顾了一下姐姐家的房子，然后将眼睛盯在墙上的一把已经很陈旧的京胡上，凝视了很久。随后，他上前摘下京胡，弹了弹弦，京胡立即发出清脆的声音。

“是你以前用的吧？”我突然想起在深圳时，有一次美丽集团举行晚会，欧总一曲二胡独奏《真的好想你》震撼了在场的所有人。

“哪——啊！”欧阳的嗓音有些沙哑，指指姐夫说：“这是他的，我连摸一摸的资格都没有！”

我感到不可思议，便问欧阳姐夫：“是不是这回事呀？”

欧阳姐夫“嘿嘿”笑道：“祥山那时太小，弄断了弦哪有钱买呀？”

“姐夫，今晚我把它带到县城，给何作家拉几曲可以吗？”欧阳带着恳求的口吻问姐夫。

“带去吧！他几年不拉了！”这次是欧阳姐姐说话。欧阳姐夫面色凝重，看得出他心情复杂。

欧阳把京胡带到了汉川市城关的一家宾馆。

看着这把古旧的京胡，欧阳“随嫁”瞎眼姐姐的情景如胶片般在我眼前倒转回来，历历在目——

欧阳父母获知女儿是个双目失明的盲人后，女儿成了他们最担心的孩子。俗话说，男大当婚，女大当嫁。可瞎眼女孩大了怎么办呀？

有心琢磨总成事。18 岁那年，经人牵线，欧阳姐姐总算有了着落。介绍人说，男的叫李红修，家住汉川县文李台村。

照说欧阳家可以放心了，但这桩婚姻并没有给欧阳家带来解脱的喜悦，母亲从女儿嫁出去的那天起，更增了一分担忧：女儿嫁的是一个比自己大 10 岁同样是盲人的男人，而且出身是地主成分，上有 80 多岁的老母亲，下有已经成人还未找到媳妇的弟弟李洪应。虽说盲人嫁盲人也算“门当户对”，但毕竟是过日子，为此欧阳母亲一想到苦命的女儿就忍不住落泪……要命的是女儿出嫁不到一年，有了一个孩子。小宝宝不残不傻，十分可爱。然而俩盲人本来自己管自己就够呛，有了孩子日子就更无法应付。女儿虽然从小自理能力很强，可那也仅仅是对付一些最基本的吃喝拉撒一类的事，现在让她瞎着双眼带个小孩，怎么做得了？母亲又急又无奈，女儿坐月子时，她把女儿带回了家，但这不是长久之计。最后母亲跟父亲商量，决定忍痛让祥山随姐姐到李家。

“那一天我印象特深，外面是冰天雪地，姐姐抱着刚满月的孩子，我一手提着一个装满大人和孩子换洗衣服的大包袱，一手牵着姐姐，在风雪泥泞的路上走着。从我们家到火车站有十几里远，我们俩人到火车站时，裤子被泥水溅得又脏又湿，狼狈不堪。车站上有很多人，他们一见是个盲人抱着一个婴儿，就像见了耍猴的将我姐团团围住。我当时感到十分屈辱。但最感到难堪的是姐姐要上厕所，这可把我急得差点哭出来：一是我得拉着她往女厕所里走，可我又进也不是，退也不是；二是在她解手时我还得抱着又哭又闹的小外甥——那时我才 9 岁，既要顾大人，又要顾小孩，那几分钟的时间里，我像无头苍蝇，不知所措。最受不了的是，好像所有人都在一旁嘲笑我们……”欧阳喃喃地说着。

“上火车后，小外甥不知咋的哭个不停，吵得一车厢的人不得安宁，一会儿小家伙又屙了姐姐一身屎，可怜的姐姐什么都看不到，车厢内有人大声嚷臭，急得姐姐直哭。没办法，笨手笨脚的我只好又给姐姐擦屎又给孩子换尿布。大冬天里，我忙得满头大汗。当费尽力气忙完事后，我抬起头，看到满车厢的人以各种各样的目光看着我的时候，我的心像被一千根针扎着一般……”

9 岁的欧阳从此开始了他人生最屈辱，也是最受磨砺的一段岁月——

一对盲人，加上一个婴儿，欧阳来到姐姐家的任务是帮助他们将这个在风雨中飘摇的家庭支撑起来、生存下去。

姐姐没有独立带过婴儿，欧阳初到这个家时，主要是帮助姐姐照顾孩子、担水烧水和洗晒尿布，同时帮姐姐熟悉并适应周围环境。

每天清晨，报晓的雄鸡啼鸣时，欧阳早已把姐姐家的庭院宅前打扫得干干净净，又将邻居的门前宅后收拾得清清爽爽……为了不让姐姐受村里那些淘气孩子的欺负，欧阳主动讨好村上的孩子王，时不时还悄悄从姐夫的口袋里偷出几毛钱，买些糖块塞给那些孩子吃。姐夫虽然眼睛看不见，可心里有数，有一次他终于发现口袋里少了钱，愤怒的双拳追不到欧阳，却重重地落在他姐姐的身上，这让做弟弟的欧阳倍加心痛和忏悔。

其实欧阳知道，失明的姐夫并不坏，只是他知道挣钱太不容易了，所以格外珍惜。

但小欧阳以自己的聪慧和勤劳，很快在姐姐的新家赢得了周围邻居和村上孩子们的好感与友善。从这以后，“花子”这个名字成了文李台村的乡亲们对欧阳的一个爱称。

然而，欧阳的姐姐家毕竟是个夫妇双双失明的农村家庭，更何况那是个十分困难的年代，江汉平原水灾频频，在一些地方，百姓甚至出现举家远迁和逃荒的困境。欧阳姐姐一家加上欧阳共五口人，老的老、小的小、瞎的瞎，没有一个人可以参加生产队的集体劳动，因而也就挣不到一个工分。在人民公社的年代，不挣工分就等于断了基本口粮和生计。

怎么办？！

在婴儿的啼哭声中，欧阳左瞅着姐姐，右瞅着姐夫，那颗过早成熟的心灵在流泪又流血。不知多少个夏天的黑夜，小欧阳躺在门外的凉床上看着天上的月亮和星星，思念着百多里外的父母和家乡一起长大的小朋友，华山、文涛、运发、运强，还有金生……当看到眼前可怜的姐姐和姐夫时，又幻想着长大后能让家人全都过上好日子……

日子依然无法过下去，任凭欧阳每天卖力地为姐姐家担水洗衣、帮助邻居干活，但他见姐姐家能吃的食物几乎不剩什么，尤其欧阳见小外甥在母亲怀里吮吸着干瘪的乳头不停啼哭的情景时，他甚至感到了绝望——坐在床头与门槛上的姐姐与姐夫长吁短叹着证明了他们根本无计可施。

“姐，要不我回去让妈弄点啥吃的来？”欧阳悄悄地抹着眼泪问姐姐。

“妈都让你来这边了，她那儿能有啥剩的嘛！”姐姐长长地叹了一声，连连摇头。

倒是瞎眼姐夫乐观，他从墙上取下那把蒙上厚厚尘土的京胡，然后调了一下弦丝，轻盈跳跃地拉唱起来：“东方红，太阳升，中国出了个毛泽东……”还有当时最流行的《卖花姑娘》。

姐夫了不得呀！欧阳的脸上露出了笑容，这是他第一次敬佩自己的瞎眼姐夫。而让他激动的是《卖花姑娘》那曲子的旋律在他幼小的心灵里产生了巨大的共鸣，这种共鸣在以后的日子里越发强烈。

“卖花来呀卖花来……”京胡响起，立即被很少说话的欧阳姐姐打断了：“拉啥呀拉？孩子都断奶了，你能拉出奶来嘛？”欧阳骇然一震：他从没见姐姐发过这么大的脾气。

让欧阳更为惊诧的是瞎眼的姐夫这回不仅眼睛看不见了，耳朵也跟着一起“聋”了——那把凄凄切切的京胡越拉越来劲，“卖花来呀卖花来”的曲子宛如盘旋在李家屋顶一团不散的乌云……

“这日子没法过了！呜呜……”欧阳的姐姐突然将怀中的婴儿往床头一放，双手捂着脸，踉踉跄跄地朝门外跌撞，消失在伸手不见五指的黑夜里。

“哇哇！哇哇哇！——”婴儿的啼哭声立即划破静寂的村庄。

“姐，姐！——”小欧阳似乎意识到了什么，一边往啼哭的小外甥嘴里塞进一个空奶嘴，一边拔腿追赶消失在夜幕中的姐姐……

姐姐总算被欧阳找了回来，而这一夜欧阳和姐姐、姐夫三人谁也没有合眼。第二天清晨，天色刚刚透亮，姐夫李红修用京胡敲了敲欧阳的小肩膀，用命令的口气说：“跟我走吧！”

“做啥去？”欧阳不明白。

“赚钱去！”姐夫义无反顾地转身，跌跌撞撞地出门，欧阳见状赶紧追上去搀扶……

“要算命吗？”

“抽签算命的一次 5 分钱，卜卦算命两毛钱——”

从此，在汉川县一带无论是大路田埂还是村头巷尾，人们时常见到一大一小两位“算命先生”一前一后地出现在大伙面前。他们正是盲人李红修和少年欧阳祥山。

中国不知是从什么时候开始的，越是在那些落后愚昧的地方，相信算命和迷信的人就越多，而且给人算命的往往都是些连自己走路也要依靠明眼人帮助的盲人，这是个极其荒诞无奈的社会现象。走投无路的李红修倚仗自己拉得一手好京胡和一双别人无法探测到真假的失明眼睛，开始了养家糊口的算命赚钱之路——小欧阳则是他成功“事业”的工具和拐杖。

算别人的命，养活自己一家人的命。欧阳开始渐渐理解姐夫，也为自己引道让姐夫每天多走几个村庄而感到肩负一份深深的责任。

欧阳缓缓地讲述道：“初到汉川一带，我人地两生。这里种稻为主，四面都是稻田和湖坑，田埂又窄又坎坷。为了让姐夫不至于经常摔跤，在田埂上走时，我只能赤脚走在水田里，让出路面给姐夫走。这样一天下来，我的双脚不知要划破多少道口子。稍不留意，还会踩空在深沟里，摔得活像个泥猴子。有时连姐夫也一起栽倒在泥沟里。姐夫脾气大心情不好，这个时候他会抡起手中的竹竿朝我头上砸来。我想哭又不敢哭，我知道姐夫自己也很苦恼，我很能理解他的心情，而且一哭也会把那些来找他算命的人烦走……”

“那为什么不走大路？”我问道。

“那会儿，我最忌讳走大路，因为在大路上经常会碰到上学和放学回家的同龄孩子，他们见我牵着盲人，不是嘲笑我就是用泥块追打我和姐夫。我受不得他们的欺负，所以尽量避开大路走小路。但乡间的小路不仅难走，而且稍不留神就会踩在牛羊粪堆上，有几次姐夫摔倒在粪堆上，他特别生气，因为这样他就无法给别人算命了。可姐夫哪儿看得到我摔在粪堆上的难堪？那时我已经10岁多了，懂些事，本来看着自己赤着脚、上下穿的净是补丁的破衣服已够没面子了，现在又外加满身都是臭粪味儿。到一个陌生的村子后，姐夫忙着给人算命时，我就远远躲着，怕被人瞅着难堪。可我人生地不熟的往哪儿躲？多少次，我一躲反倒成了那些专门喜欢欺生的小孩的袭击对象。他们不是骂我叫花子，就冤枉我是小偷；不是用棍棒追打我，就是用砖块或者脏东西扔我，再就是朝我身上脸上吐唾沫、揪头发……我不敢哭，怕影响姐夫的生意。可我不哭又觉得心头太难受和委屈，几次想甩手不干了，但每当这个时候，我立马会想到等在家里的姐姐、想到饥饿待哺的小外甥，还有独立行走在陌生路途上一不小心会掉进河塘与田沟的姐夫……于是我还得干下去，继续牵着姐夫走向一个又一个陌生的村庄和镇子。”

是的，苦难的生活还要继续。

“姐姐和小外甥还在家里等待我们将换回的食物带回家。我必须一如既往地牵着姐夫向更远更远的地方去，为那些期待运气和安慰的人算命测字。现在看起来，当年我引着姐夫走过的路好像也就几个县市的范围，可那时我感觉像走遍了整个世界似的，路那么远，道那么难……”

“姐夫是个很会算账的人，生意好时一天他能赚上一两块钱，有时又一天没一个人找他算命。我们俩出门不管多少天，他从不花挣来的钱，哪怕是一毛钱他也舍不得。我们吃的都是我姐在我们出门前做的没有油的煮熟了的咸菜萝卜和烧熟的面食，一吃就是好几天。带的东西吃完了，就沿途讨饭。有时找我姐夫算命的人不给钱，端上一碗半勺的饭菜也就成了我们填肚的食物。”

“江汉平原河道很多，那时农村许多地方造不起桥，就设了渡口。过渡口是要收钱的，姐夫为了省钱，一般不让我引他上渡船。怎么办？我们就只能脱光衣服，游水过河。夏天还好说，秋天和冬天就不行了，河水冰凉刺骨，但为了省一毛、几分的摆渡费，我和姐夫经常光着身子在冰凉的河水中游过去……没法子，盲人算命，其实跟乞丐没什么两样。走路是这样，夜宿更没个准。碰上好运气，才能睡个牛棚猪圈或者生产队的稻谷堆什么的。”

“记得在我们经常落脚的云梦县下辛店泗洲寺，有一天我突然想到了死。心想自己小小年纪受这么大的罪，遭受这么多的羞辱，不如干脆一死了之。那次我走着走着，看到一条很深的沟，心想这儿是个适合寻死的地方，就加快了步子往那儿走。我一快步，瞎眼姐夫好像明白了啥似的，在后面不顾一切地边喊边追：‘花子！花子你想干什么？你姐还在家里等我们回去呢！你快回来——’看着姐夫跌跌撞撞的可怜样儿，又听着他在说我姐姐，我的心就软了下来，一下收住了脚步……”

是啊，我想多少次欧阳在陌生而崎岖的荒野道上因饥饿而想了却此生，又有多少次因为忍受不了同龄人和那些粗野的大人们的欺辱与棍棒的毒打，他想丢下姐夫独自回到父母身边，可最后每一次都是因为想到了可怜的瞎眼姐姐及姐夫与刚刚出生的小外甥，他又不得不重新光着脚板，披着寒露或冷月，走向前面那些陌生的村庄与镇子。

在那5年多时间里，他牵着姐夫几乎走遍了汉川、应城、云梦和四周几个县市的所有地方。

“姐夫因此很感激我，因为有了我，他可以用自己的一手好京胡，招揽那些找他算命的人，也为家里维持生计赚得了钱。时间长了，我也很想学他的京胡手艺，可每逢这个时候，姐夫的脾气就特别大。只要听我在弄胡琴，就会立即抢走胡琴。我说我想学学拉京胡，他便更加生气地大声嚷嚷：‘你也想当瞎子吗，你也希望长大了像我一样生活吗？’听姐夫那么骂我，我嘴上不敢言语。”

“别看姐夫他能娴熟地拉上几首歌曲，而且让人听着还非常动听似的，其实他根本不懂乐理知识，更不知啥叫五线谱，连1234567这七个音符也弄不清。但姐夫属于那种比较聪明的人，就像为了给人算命多多少少得糊弄得过去一样，他凭着自己对听来的歌曲的理解，慢慢在京胡上琢磨出个道道，于是一首用现在的话说蛮流行的曲子就在他的京胡上拉出来了，他的算命生意也因此有人信了。姐夫的京胡本领是这样摸索到的。跟他几年后，我就偷偷琢磨起他拉京胡的本领，日子一长，我也能摆弄起几首姐夫常拉的曲子了，而且别人听了也觉得像那么回事。这是我跟姐夫五年多算命旅途中唯一学到的‘技艺’。”

“现在还能拉几曲吗？”听到此处，我忍不住给欧阳拿过京胡。

“我试试吧！”欧阳欣然按动琴弦，非常投入地拉起弓。第一曲是快节奏的《真的好想你》。

“呵，你这不是专业水平嘛！”料想不到欧阳的演奏水平如此之高！欧阳经我一夸，笑道：“当年从姐夫那儿学到了一点本领，我后来在生产大队当上了文艺宣传队队员和大队棉花技术员。到部队后学了文化，也开始懂了乐理知识，所以才有现在这样的演奏水平。”

欧阳拉的第二曲是我同样非常熟悉的《卖花姑娘》。那凄婉愁怅的旋律又使我俩重新回到了“盲人算命”的苦难岁月……

“每一次拉这曲《卖花姑娘》，我的心就像在跟着流血……”欧阳的声音有些哽咽。

在《卖花姑娘》中，卖花姑娘是个盲人，正是因为她是个盲人，所以她的命运令人同情和揪心。欧阳在童年和少年，与瞎眼姐姐、姐夫生活在一起，经历了与“卖花姑娘”相同的命运。他这么倾心这首歌曲，正是联想到了自己儿时苦不可当的岁月。

“要说我姐夫这个人，还是很有经营意识的。当时农村每年冬季的时候都要搞农田水利建设，一搞就规模很大，有时是几个村的人聚集到一条河道上挑泥挖渠，有时甚至几个镇聚集在一起，几千人、几万人的场面，很热闹、很壮观。这些参加农田水利建设的人通常几天甚至几十天都在工地上，男男女女都有，这样他们总需要一些日常生活用品。姐夫就是瞅准这个机会做起了小百货买卖——其实就是货郎担。卖的东西也就是些针线呀、扣子呀、肥皂呀，还有小孩、大人都喜欢吃的棒糖、姜糖什么的。别看这些东西，那时乡下也不容易有。但有一次出了差错：那一阵市场上刚流通一种新面值 1 元的人民币，因为我不认得，姐夫也头一回接触，两个大人用新票子 1 元钱买我们的东西，结果我把它当成了 10 元钱反找给了人家 9 元钱，两个大人奸笑着扬长而去——这新票 1 元钱跟旧票 10 元钱大小一模一样。姐夫发现后，说：‘我是瞎眼，你怎么连瞎眼都不如？’他的话深深地刺痛了我幼小的心灵。可不是，童年和少年时代的我，苦难的命运与一个双目失明的盲人有什么区别？甚至更不如。”

“后来姐夫就带我到武汉去进货，听说要进城，我高兴得一夜没睡。第二天我们登上了火车，虽然我和姐夫只能站在过道上，可我觉得自己这一辈子太幸福了，比村上的那些上学的同龄伙伴还要幸福。尽管他们能上学读书，可他们很多人没坐过火车，更不用说现在我要上大武汉去了，这是我的同村小伙伴们不可能做到的事。那一刻我有了幸福感和自豪感。”

“到了武汉下车后，我看着那么多的高楼大厦，简直是又惊又喜！但也有一件事令我尴尬不堪：像平时一样，我的脚一直是光着的。哪知道城里的水泥马路与乡下的泥土路不一样。那水泥路在烈日炎炎的阳光下烫得炙人，虽说我的脚板不怕坑坑洼洼的泥块和石子，但经不住那么烫的水泥马路，没走多少路，我就苦不堪言。何况我们从汉西下了火车要步行到航空路才能进得到货，来回路程实在是太远。可因为我第一次进城太兴奋了，脚板烫得再痛，也不愿意告诉姐夫，因为担心姐夫因此要提前回家。在武汉城里，我还是牵着姐夫走路，而且我的脚板因为烫疼后走路也是一拐一跛的，现在想起来真好笑：那么繁华的武汉大街上，一个年少的跛子牵着一个瞎子，我竟然没有一丝的自卑和受辱之感，相反每时每刻都兴高采烈。走着走着，突然我听到一声‘呜——’的鸣笛，问姐夫这是什么声音？姐夫说是轮船。我一听立即兴奋起来，问他是不是长江里的轮船？姐夫说，是啊，前面就是长江大桥。我一听长江大桥就在不远的地方，就不顾一切地往轮船鸣笛的方向奔去。在乡下时，我听同村的小伙伴说过他们在书本上读到武汉长江大桥多么雄伟壮观，那时我想如果这辈子能见到这座举世瞩目的长江大桥，那我就是世界上最牛的人了！”

“大桥就在我面前，我跑啊跑，飞一样地跑！姐夫在后面喊也没有用，我像断了线的风筝，离了弦的箭……大约跑了几百米，我终于跑到了长江大桥的桥头，我双手扶住齐头高的栏杆，昂首朝大江看去，那一刻我小小的心灵第一次感到震撼：长江原来这么宽啊！大桥简直跟天上的彩虹一样长、一样美啊！还有那轮船，跟几层高楼似的，两岸的大厦、黄鹤楼、晴川阁……我陶醉了，我第一次体会到什么是满足！过去没有吃、没有穿，跟着姐夫到处流浪、算命讨饭、受人欺凌挨打都算不了什么！能站在长江大桥上，能看一眼长江，看一眼在长江里鸣笛航行的轮船，我就全满足了！以往的一切眼泪，所有苦水，就在这一眼之中全部烟消云散……”

欧阳其实是个非常浪漫的人，激动起来并不比一位诗人逊色。

“但那一次有点遗憾的是，我仅仅在大桥上待了 10 多分钟。一是怕姐夫着急，二是怕自己迷路，所以瞅了一眼，赶紧往回走。虽然被姐夫一顿臭骂，可我心里那个开心劲持续了足有几个月……”欧阳推开窗户，看着夜幕中万家灯火的云梦城，感叹道：“快 40 年了，我多么想再上一次武汉长江大桥，去弥补一下当年的遗憾。”

“这还不容易！你现在不是在武汉有好几个开发项目吗？抽空走一趟不就得了！”我对欧阳说。

“此一时彼一时啊！现在我几乎一个月内从深圳到武汉要来回飞几次，十几年当兵期间也无数次经过武汉，可就是没时间专门到大桥上去看一眼。唉，忙忙忙，人到中年，有些事反而不如童年那样憧憬美好了！”

“这个愿望让我来推动你实现！”我说。

“什么意思？”

“你不是说下个月让我跟你一起上武汉看看你那几个开发项目吗？到时我们一起上武汉长江大桥去！我也没有去过呢！”

一听我这话，欧阳顿时笑得像小孩儿一般灿烂：“好，一言为定！”

大约一个多月后，我们两人真的特意从武汉长江大桥的北边一直走到大桥的南边。那一天天气格外晴朗，武汉长江大桥虽然已历经50个春秋，但仍不失其雄伟壮观的气势。桥面上车水马龙，桥底下汽笛声声，再眺望大桥南北的江岸，重镇武汉一片欣欣向荣之景，蓝天白云下几只风筝飘在我们的头顶……欧阳和我像两个顽童般忽而指点着江中拖的长长的船队，嘻嘻哈哈说像一条“饥饿的蜈蚣”，忽而比画着大桥围栏试探着能不能飞身入江……总之，欧阳把他当年留下的遗憾在这一日全部补偿了回来。

“喂，喂喂——你知道我现在在哪儿吗？我在长江大桥上！在长江大桥最中间的这块桥板上……”欧阳完全陶醉在对童年的回忆之中，他站在大桥上，给远在温哥华的妻子拨通了电话。

这一天，欧阳嘴里哼的歌是：“小时候，我吃尽人间苦头；长大后，我要创造美丽幸福所有，我要把美丽的世界看个够……”这是他自编的词，没法在哪首正经的歌曲里找到，不过这样的歌词，早已在欧阳祥山的人生乐章里明明白白、清清晰晰地烙刻下来了。

欧阳这辈子注定要为钱奔波。小时候因为穷，为了省6毛钱的火车票，乘车逃票几次差点丢了小命；后来跟姐夫外出算命流浪，为挣一毛、两毛钱，受过皮开肉绽之辱；稍大些，又跟姐夫跑货郎担。

“叹家里无钱供自己读书，命运太苦，这就是我欧阳祥山曾经有过的‘原罪’。”

欧阳用这句话结束了我对他关于原罪的“拷问”。老实说，我接触过许多富翁和有钱的人，但有欧阳这样经历的人还从没有接触过。这也让我想起了他一个亿万富翁，竟平淡无奇地跟我们一起吃三块钱的早餐；让我想起第一次与他一起回云梦时，他在算命街上向那些盲人分发钞票的情景。让我想起太多太多……

欧阳无“原罪”！

欧阳不是原罪的“原罪”，本是苦难、饥饿和耻辱煮蒸出来的滴滴辛酸泪……

第七章 当兵成英雄还是成狗熊?

“欧阳要当兵了？欧阳要当兵了？”整个公社几十个村庄的人都在相互疑问，都不敢相信，他怎么能够当兵呢?

人的命运就这么奇妙，“花子”当了兵。在农村，在20世纪七八十年代的农村，谁家的孩子要是能去当兵，那可就是件万分光荣、光宗耀祖的事。若是再能当官，那就更了不得了！这就意味着，这个人从此改变身份，连同他的家庭一起由最底层的农民，跃至“吃皇粮”的阶层。这种命运的跨越，对祖祖辈辈“背朝青天，面朝黄土”的农家人来说，绝对可以叫做“一个地下，一个天上”。

当兵保家卫国，当义务兵光荣。这话在当年参军入伍前谁都要背上、喊上几十遍。生活在农村的人都明白，当兵干什么去?最起码的，去吃几年国家粮食，基本目标入个党，即使退伍回老家也还可以进入大队党支部，混个村干部，或者上城里找个“吃皇粮”的工作。这是99.9%的农村兵心目中最真实的“活思想”，这就是“跳板”，这就是那个年代的农家娃儿的唯一出路，连同他们的家长、家属都是这么想的。和平时期，我们再说那种空话、大话、假话没意思。有一句话还应该补上：尽管多数当兵的人是为了改变自己的命运而跑到部队去的，但一旦祖国需要上战场流血牺牲时，这些吃“皇粮”的战士们，会毫不犹豫地为国家、为人民捐躯。中国的军队便是这样的一些人在支撑着，他们从军的目的非常清楚，信仰也十分明确。

“来到部队，一定要拼命干，争取入党，像《闪闪的红星》里的潘冬子那样，带着队伍回家乡报仇，让那些欺负过父亲母亲姐姐姐夫的人好好看看！”欧阳从踏进军营的第一天起，就发过这样天真且认真的誓言。

与其他从农村走进军营的所有人走过的路一样，欧阳祥山的当兵过程并无过多的特殊之处：年至18岁时，他渴望去当兵，结果人家没有选中他，原因除了他父亲有些“历史问题”外，名额是个重要原因。欧阳第二年才争取到名额，他的特殊之处是文化水平比一般的战士要更低。20世纪70年代，在恢复高考之前和刚刚开始高考的那些年里，进军营的青年中，高中生非常多，初中生更不用说了。所以像欧阳这样的只读过四年半书而且在童年时要做家务、放牛、出门带路，并处于“文革”时期的人绝对是极少数的，他算是这“极少数”里的特殊一个。欧阳因此要求进步的渴望和紧迫性比一般同时入伍的人要强烈得多。因为他别无选择，他在体检政审结束后穿上军装的那一刻起就在内心发誓，若不能在部队里混出个样来，他宁可去死也不回老家种地。像这种誓言，每个从农村入伍的战士几乎都发过。欧阳从小吃的苦最多，这样的决心和誓言也就比别人都发得狠、发得绝。他因此到部队后格外地谨小慎微，生怕哪个地方出点差错成了落后分子而不被领导看中、看重。可他偏偏有先天的不足——文化水平低是他在与别人共同前进时留下的一条“跛腿”，他力求保持跟别人一样进步的程度，于是费的力气就要比别人多出几倍。

1978年2月28日清晨，梦泽大地上春寒料峭，北风仍然刺骨。几百名新兵集中在公社大院等待部队首长清点人数。一旁送行的亲人们围在自己的孩子面前叮咛着、嘱咐着……离别之情，让许多新兵忍不住流泪。唯独欧阳没有流一滴眼泪，而是把坚毅和刚强留给了亲人。可当汽车发动后，从隔蒲到孝感火车站的30多公里路途中，欧阳泪如泉涌……他惦记着自己这一走，本就缺少劳力的家里该怎么过日子啊！

从老家湖北坐了三天三夜的“闷罐”车，3 月 14 日下午 4 时 30 分欧阳终于到达了新兵营的所在地广东深圳（原宝安县）平湖站。那时他的部队是广东省军区独立师，欧阳被分配到步兵三团新兵营四连一排一班。初到部队，欧阳处处感到不适应。可是一看到军营里一切都是绿的：青绿的山、浅绿的水、深绿的树、嫩绿的草，就连军人也是草绿的——一身“国防绿”是那个年代当兵人最大的荣耀，欧阳又开始满怀欣喜。

“立正——稍息！”欧阳听到陈新丰班长发出第一句命令，“现在大家排队按顺序领取各自的床铺！”

床铺？床铺在哪儿？欧阳和其他战士一样，他们看着只有墙角里堆了一些稻草的空荡荡的屋子面面相觑。

“报告班长，这里没有床铺。”有大胆的战士向班长报告道。

“没有床铺？这地上是什么？”班长不屑地看了那个战士一眼。

“报告班长，是稻草！”

“对啊，是稻草，这就是你们的床铺，每人一捆稻草，扛回去就是自己的床铺！”班长的回答简短有力！

“这一捆捆稻草就是自己的床铺？”欧阳祥山生怕自己听错了，他悄悄问身边的小战友。

“没错，班长就这么说的。”

欧阳瞪大双眼，不知所措。在家时再穷，也不至于睡在稻草上呀！那一夜，欧阳睡在稻草铺上，怎么也睡不着，他有些糊里糊涂，怕出错，更怕落后于别人。所以欧阳在当新兵时就学会了睡觉也不闭眼的本领——憋足劲寻找一切积极上进的机会。

机会来了！

班里每天都要轮流值班打扫卫生，本来大家都很自觉，按照班长安排好的顺序轮流值班，可没过几天大兵们一起床就发现扫地用的扫帚不见了，而且每一个地方早就被清扫得干干净净。这是谁干的？

班长纳闷：是哪个战士这么勤快呢？经过几天的侦察，发现原来是瘦高个欧阳祥山干的。欧阳每天深夜就悄悄起来，把扫帚藏在自己的床头，第二天天不亮他就悄悄起身把每个角落都收拾得干干净净，而且动作轻快利索，所以虽然大家都住在一座营房但谁都没有察觉。

班务会上，陈班长把欧阳"狠狠"地表扬了一番。这还了得？欧阳当时虽然红着脸低下了头，可心儿跳得像要蹦出胸膛一般，他好像看到自己马上就要当官似的。但这仅仅是一瞬间的事儿。第二天清晨，天还没亮，欧阳大吃一惊：扫帚没了！地面也早就扫得干干净净！原来他的那份"进步"被别人抢走了。

欧阳顿时十分沮丧，于是他及时作了"战术调整"：他抢着帮助战友洗衣服，给战友的军用水壶灌水，吃饭时给战友们分饭，星期天上山给炊事班打柴、砍竹子做扫把。总之他要进步，比其他的人都要进一步！他太迫切了，迫切得不敢出现丝毫落后。

可是——欧阳突然哭了——哭得极其伤心和悲痛。

第一次试投手榴弹，他只投了 29 米，距及格还差 1 米。欧阳每一次都要偷偷地跑过去 1 米，才能勉强投及格，但考试的时候就不能投机了。他觉得自己简直无地自容，全班数他个头最高，可投弹成绩却最差，副班长骂他"山大无柴"，是拖全班人后腿的一个！

夜晚，年轻的欧阳眼泪把军被都浸湿了。他越想越惧怕，仿佛 29 米远投出的手榴弹就炸在自己身上，仿佛这一投就彻底毁灭了自己的前程。他发现除了泪水浸透了被子外，他的衣衫也被冷汗浸透了。于是他从床上坐起，悄悄溜出宿舍，跑到操场，拾起训练弹一次又一次地掷向前方……

吃饭时，战友们关切地问欧阳："你怎么右手端碗左手夹菜啊？什么时候变成了左撇子？"

接欧阳到部队的林排长忙为他解围："欧阳是练习投弹多了右臂才肿了起来。瞧他脸都晒黑了，人也瘦了，表现不错！口头嘉奖一次。"

终于，训练的最后日子，欧阳突然又笑了。

61 米！他终于获得全新兵连投弹的最好成绩。这回是连长表扬，欧阳十分开心，受表扬时他昂着头，让新兵战友们看了个够。

嘿嘿，不是"山大无柴"嘛，原来是柴埋在山下呢！

由于欧阳的不断进步，他从新兵连被挑选到了机关特务连，这可以说是对新兵战士进步的一种肯定。

到特务连去干什么？欧阳的工作就是发电报——手按"嗒嗒嗒"的那种，属于通信兵。在那个年代，通信兵算是"文化兵"了。

没什么文化的欧阳第一次接触"密电码"时心情既兴奋又紧张，兴奋的是自己也进入了"文化兵"的行列，紧张的是怕自己的文化底子露馅。于是，在广东韶关英德县河头师部报训队学习时，他拼命用功。尽管如此，但由于基础实在太差，在第一次全队摸底考试中，他仍排名倒数第一。

又是一次"山大无柴"！

这对欧阳来说真是一次不小的"耻辱"！而更耻辱的是因为成绩差，报训队上最脏最累的活、谁都不愿意干的事竟全摊到了他的头上。部队不是圣地一片，也有欺软损弱的时候。

"哈哈，傻大个，瞧瞧，右边还没擦干净呢！"

"快快傻大个，我们都去那边菜地了，这边留给你去挑粪喽！"

几个顽皮的战友这样调侃着欧阳，并且还有人叫他"傻大个"。从小在别人欺凌的冷眼中成长起来的欧阳，在老家被人称为"花子"，到部队后在一些战友们眼里又成了"傻大个"，要强的他，内心着实不能接受这样的“耻辱”。

可军队是个英雄为王的地方，谁让你不是英雄是狗熊！“傻大个”只有招架之势而无还手之力。忍，只有忍！

光忍还不行，得把成绩赶上去才是上策！欧阳暗暗告诫自己。

为这，他把一切可以利用的时间全都用在背密码和抄习题上，并将每月6元钱的津贴费全用来买电池，晚上打着手电筒躲在被子里面看啊写啊，就连上厕所也要背上几句……师部的军人服务社离报训地仅300来米，可欧阳一学期只去过两次，更谈不上平时找战友老乡聊天或闲玩了。在如此努力之下，欧阳很快掌握了7823个常用字，从第一个字默写到最后一个字，差错率仅有千分之二，并且懂认、懂写、懂用，每个字的声调、密码倒背如流，发报需要“点画长短”分明，手腕和中指的支撑力尤为重要，欧阳因练习过度，他的右手中指明显留下变形的痕迹。从发报到收报、从笔译到听译要掌握所有的技巧不容易。9个月的报训队学习就要结束了，最后的考试是最重要的检阅，全队所有的战友都在为此奋力拼搏。

考试前一天，报训队为了缓解一下考试前的紧张气氛，同时也是慰劳一下报务员们连续9个月来的辛苦训练，特意放映了一场电影《屈原》，这是郭沫若先生的大作，很多战友想借此机会既欣赏又轻松一下，可唯独欧阳满脑子还惦记着明天的考试。这是一决高下的考试，有过“倒数第一名”之耻的欧阳怎敢再掉以轻心？此役再输，将断送自己在部队的所有前程，辜负单位领导和战友们的期望，更加对不起家乡的亲人。断送了自己在部队的前程，这一辈子不就彻底完了吗？

部队列队进入电影场后，天还未黑，开始一个连队一个连队地拉歌，声音震天动地，坐在后排的欧阳偷偷把带出来的密码本从口袋里掏出，塞住耳朵低着头默默地背诵……

电影开演，整个操场上鸦雀无声，欧阳渐渐也被剧情所吸引，不知不觉中他手里的密码本滑落到膝下……

电影太感人了！回营房的路上，欧阳和战友们仍然在亢奋地议论着银幕上屈原的身影……

“嘀嘀嘀！——嘀嘀嘀！——”

突然，紧急集合哨响起，全报训队百名官兵火速到操场，此时早已是关灯睡觉的时间了。

怎么回事？出什么事了？列队站着的官兵们窃窃私语着，那紧张气氛显而易见一定是出了什么大事。部队紧急集合本身就说明了问题的严重性。

“明天是毕业考试，现在队上决定立即把每个学员的密码本全部收上来，放到保密室！大家知道，密码本对我们通信兵来说，是战斗武器，比我们自己的生命还重要。现在各班各区队开始上交密码本！ 15 分钟全部集中上交！”报训队的首长威严地发布命令。

原来如此！

于是部队立即行动起来，一个个将密码本上交到首长那儿。

可欧阳的那本……

“嗯，怎么少一本啊！谁的没交？怎么回事？”报训队首长的嗓门本来就很大，这会儿有点惊天动地。

“谁？谁的没交？”

是呀，谁没交？为什么不交？

寂静的操场上开始骚动起来，目光渐渐聚集到一个高个子的战士身上……只见他大汗淋漓，如同遭了雷击，一动不动地站在那儿。

“欧阳祥山！”

“傻大个”是怎么回事？

“傻大个”把密码本给丢了！

天，这回他可真是完蛋啦！

欧阳真的把密码本丢了，而且是全报训队百名官兵中唯一丢失密码本的人。报训队开课的第一天首长就在大会上讲了：通信兵可以牺牲自己的生命，但绝不能丢失密码本！战争年代，一个密码本可以影响整个战役的胜败，和平时期密码本也是重于泰山！

他欧阳祥山这回不完还待何时？

上军事法庭。枪毙！这绝对不是说说就了的儿戏。

欧阳啊欧阳，你到底是怎么回事？班长、区队长，还有报训队的首长一个个围着像木头戳在那儿的欧阳，打也不是恨也不是，气得个个直跺脚。

“回去给我把天翻个个儿、地翻个底儿也要把密码本找出来！”报训队首长咆哮道。

欧阳崩溃了！他知道自己这回闯的祸比往天上捅个洞还了不得。等着吃子弹吧！要不也是等着被遣送回老家的牢房。

天亮了，密码本还是没有找到！

报训队的首长命令两名战士、两名干部全副武装地把欧阳押送到师部保卫科。一路上，欧阳回想起当兵的情景：由于母亲是地主出身、父亲又当过“日伪军”，哥哥水山连续三年体检合格也当不上兵，自己也多次向大队和生产队干部强烈要求当兵，可别人都穿上军装十几天了也没有名额轮到他。正无望之时，碰巧隔壁大队因为争名额打架，结果两败俱伤，一个都去不成，这个名额便万分意外和幸运地落到了他身上。可是这一次他要被“踢”回老家了，甚至是要回老家去“坐牢”。原本不来当兵倒好好的，这一来当兵却把“命”也要当掉了，甚至还落到个“株连九族”的下场，还要连累班排连长和战友们，怎么面对这么多对自己给予厚望的人啊？想到这里欧阳恨不得在路上见机寻死，死了倒一了百了，不用受这样的生死折磨。可是身边魁梧的押解人员把他盯得死死的，没任何机会让他解脱。

“会出这样的事？说！”40多岁的保卫科长一脸严肃，用审犯人的目光直逼欧阳。

欧阳除了语无伦次外，就是浑身发抖。两个小时里，他竟然没能把事情的前后过程讲个明白。

“刁兵一个！想死啦?！找不回来死还不行呢！”科长想耐着火气跟这个可怜兮兮的小兵说话，但怎么也压不住性子。

欧阳祥山的眼前已经一片空白了，他的眼泪也已经没有力量流出来了，只是噙在眼眶里，神情木然一片，绝望一片……

“报告科长，有人送密码本来了！”就在此刻，只听门外一个响亮的声音。随后只见一位首长模样的人和一个年轻清秀的姑娘进了门。

“宋……宋副师长……”欧阳在师里大会上见过这位首长。

“我给你们送密码本来了。这是我女儿的功劳，她捡到的……”宋副师长满脸慈祥地将一个小本本交到科长手里，随后又将目光转向欧阳：“是这位小战士丢的吧？”

欧阳一听，只见首长手中的小本本正是自己丢的那本密码本，上面还写着“8441，4012”，这是“欧阳”二字的密码，顿时眼泪夺眶而出。

“算了算了，不要处理这个小鬼了，他也是为了学习嘛。我看他蛮有上进心，这次给他个改正的机会吧！”欧阳泪眼模糊中听到宋副师长对保卫科长如此说。

“首长，是我错了……”欧阳再也忍不住了，“哇”的一声大哭起来。

“哭什么？还不谢谢首长和你的恩人！”科长命令欧阳。

“谢谢首长！首长您……”欧阳立即向宋副师长和他的女儿连连敬礼。

“好了好了，吸取教训，争取考好！”

“是！”

早等在门外押解欧阳的人笑着进来：“欧阳你受惊了，跟我们回去吧！”欧阳此刻感激万分，见人就谢。

这次考试因密码本丢失事件，全队进行整顿，领导决定推迟三天考试。这三天对于欧阳来说又是个复习巩固的大好时机，他一分钟也不敢忽视和错过。

毕业考试成绩揭晓了，这回他的笔译、视译、听译、发报、收报平均分数98.5分，取得了全报训队第二名的好成绩!

不久，欧阳开始任报务教员，并利用业余时间自学各种基础文化知识，如高中的语文、数学、政治、地理、历史等课程及阅读各类书刊，为以后的提干做准备。在当班长的时候，对知识如饥似渴的欧阳，除日常训练外，连吃饭、上厕所都带着书，军营熄灯号吹响后，他便躲在被窝里打着手电筒通宵达旦地看书……

“欧阳，终生学习是你唯一的选择。你什么都不缺，就是缺文化知识。”这是欧阳从解放军调到武警后，排长黄沃东在送欧阳上军校那天临行时嘱咐的话。欧阳后来很感激那番话，也很自豪，因为毕业时他的文化课成绩均在战友之上。他唯一感到有点脸红的是，当初在考指挥学校时的数学卷子上他只在判断题里要么全部打钩、要么全部打叉，好不容易才拿了8分，其他题一题也不懂。如果不是有优秀班长、立功受奖的补充分数，欧阳根本插不进预提干部队伍里头。

上学其间，欧阳最难忘那一幕：当他准备打退堂鼓时，老营长刘国棋给他写了一封信，教导他：“欧阳，你要努力再努力，千万别动摇啊！我们都是从农村出来的，一定要把握好人生的机遇呀！”

幸运之神最终降到了这位苦孩子出身的战士身上。他开始了真正腾飞的军旅生涯，一步一个台阶，走得比别人都坚实和快速。

毕业后，欧阳从广东韶关的师部到了宝安布吉的团部，又回到了自己的连队，这时正好赶上了部队的冬季野营拉练。

野营拉练是什么呢？许多新兵都觉得新奇好玩，跃跃欲试。可真当他们“试”过之后，个个都叫苦连天。从当时的宝安布吉到汕头市的430公里路程，战士们需要徒步行走，再加上每个人肩上30多公斤的钝重装备，让他们没走两天就上气不接下气。

一天走五六十公里，而且是负重前行，他们的脚底都起了层层血泡。遇上暴雨天气，血泡浸在泥水中，很快就发炎腐烂了，又痛又痒，简直寸步难行。

走，只能走！

除了体力上的不支和路况的艰险，最要命的是还要克服困倦。一天之中绝大多数时间都在走，睡眠严重不足，很多人走着走着眼皮就不自觉地合起来，到后来，走着站着似乎都能睡着。而且越是走不动，指挥所越是出一些敌情连连的情况，越是要急行军，甚至是强行军，必须每小时达10公里，几乎就是跑步。欧阳跟大家一样，咬着牙，身上仿佛是背着一座山似的无奈前进。这是对一个人体力和毅力上最严峻的考验！

1978年，中越关系十分紧张，面临打仗。

有一天，走到海陆丰的战士们突然接到命令：“全体撤回部队！”

这个突如其来的命令让战士们傻了眼，谁也猜不透是怎么回事。可这就是军机和军令，不能随便猜测和探问，只能服从。

“要打仗了，要打仗了。”

“难道又要我们原路走回去吗？”

战士们看着来时的路和伤痕累累的腿脚，倒抽着气。已经是半死不活了，却还要走那么多回去的冤枉路！每个人都想偃旗息鼓，再挪不动半点脚步了。

而正在这时，另外一支队伍正悄悄地赶到了海陆丰。很多卡车似乎一瞬间集合到了同一个地方，气势不小。

“这是广州军团汽车团，快上车！”大家接到命令一股脑儿上了车，被送回了部队的驻地。

一到部队驻地，整个团就全部“调防”。

又一个突如其来的命令。大家谁也没有时间多问，迅速行动起来，整个团部的物资装备在一天一夜时间“搬家”完毕。这时的团部像是突然蒸发一样，被悄然移走。

大家都议论着：“要打仗了，这回要去打仗了！”

但是出乎意料，整个团移到广州的黄埔码头后，坐了一天一夜的船到了汕头市牛田洋生产基地。

“不是打仗，是来种田？”战士们面面相觑，都不敢相信这是真的。而事实千真万确，不但是要来种田，而且是来种“大田”——首长命令每个人要种 40 至 60 亩地！种就种，钢铁战士，打仗都不怕，还怕种田？要知道，很多战士也都是农村出来的，种田不但难不倒他们，反而是他们的拿手好戏。欧阳更是如此，他从小吃过苦，什么活都干过，在区区水田面前，眼睛都不眨一下。

就这样，欧阳和战士们一起纷纷跳入水田……

然而，种田也不是一直种下去的。1979 年 2 月，中越边境自卫还击作战的命令来了，真正的战争要开始了。年轻的战士们信誓旦旦地写下请战书。当时，音信也不通了，家里的人都一一寄钱到部队来。每人都收到几十、几百，而欧阳收到了多少呢？

5 块！

欧阳只收到了 5 块钱。那个贫穷得不能再贫穷的家，能寄来 5 块钱或许已是一个奇迹了。欧阳的母亲后来告诉他，就这 5 块钱还是东求西讨借来的。欧阳手里拿着这 5 块钱，长久地战抖着，目光深远……

欧阳当时也写了请战书，可是部队没抽到他，他们一个班10个人，去了6个。虽说大家都是英勇汉子，血气方刚，可一想到是去战场，心头不由浮上一丝阴影。欧阳想，怎么给这些亲如兄弟的战友送别呢？

对，酒能壮胆。借酒饯行是最好的办法，而且醇酒一樽，多少战友情意都寄托在其中了。那一天，欧阳用那仅有的5块钱，买了一瓶广东米酒，步履沉重地走到即将奔赴战场的连队里，一个人一个人地敬，战友们热泪不止，每人一口，把酒咽下了肚里。

“欧阳，这信件交给你了。”

“欧阳，拜托你了，信件一定帮我寄到家里！”

“欧阳……”有些战士已经说不出话了，此时能代替语言的只有壮行的醇酒和对视的目光。部队的操场上，有人唱着《再见吧，妈妈》，没有一个人听后不泪眼模糊，揪心揪肺。是啊，都说“男儿有泪不轻弹”，只是未到动情时哪！

“后来，我们班去的6个战士，死了两个，伤了一个。我知道后，眼泪一下子就滑到了嘴角，那滋味说不出有多么苦涩，多么心痛。”欧阳对我说。

因为没有被抽去打仗，欧阳继续留在生产基地种水稻。这期间，欧阳心里其实一直有个“伟大的抱负”——入党。入党对当时的欧阳来说就像是一个闪亮于苍穹的信仰，那么高，那么远，多少次他做梦都想着自己加入了中国共产党，成为光荣的先锋人物。可是，要争取入党的同志太多了，人人都在努力，人人都在寻找机会。欧阳面对着茫茫的水稻田，默默告诫自己，一定要比别人努力，比别人争气，甚至连弓着腰种田的时候，欧阳也在随着插秧的节奏给自己打气，插一株秧苗，就在心里说一句“我要入党”，再插一株秧苗，再说一句“一定要入党”，因此大伙儿看到每天的劳动身影中他是最卖力的、干劲最大的，好像怎么干都不会累。是啊，心里有目标的人，干什么都是不知疲倦的。后来通过指导员陈松命的帮助和连长黎春祥的介绍，欧阳终于如愿以偿。在入党宣誓的那一刻，他双眼中的泪水夺眶而出，他可是一起宣誓的4个共产党员中唯一的新兵！他哭着、喊着、跑着、飞着，在一望无际的稻田中忘情地欢腾着……

这以后，他又被抽调到海丰一团去当报务教员，几个月过去了，欧阳也跟新兵似的如饥似渴地学习新知识，想好好地让自己在业务上有新的提高。学期结束，他又回到深圳老部队驻地，开始安心地当兵。

那是1980年12月，部队接到命令——裁军100万。这下几年来朝夕相处共同战斗的战友，说散就要散了。铁打的连队，流水的兵，欧阳眼前黑压压的一片茫然，今后自己该何去何从?

他茫然失措，看战友们一个个地离开了部队，就剩下空荡荡的营房。眼前物是人非的旧景，每一处都让人流连，想多看几眼，又不敢看，怕一看就是最后一眼了。仅剩的几个留守战士，那些天即便碰到一起，也是彼此相望，不说一句话。其实他们内心有许多话想对战友诉说，但就怕这一说就成了最后的辞别。

这时欧阳又被调到了武警部队。这对他来说是一个全新的世界，环境是新的，训练是新的，要学习的知识是新的。新不怕，欧阳早就练成了像海绵一样吸收任何新东西的本领。走进武警部队的第一天起，欧阳就把自己当成了一个什么都不懂的新兵，从齐步正步学起，一招一式规范、严谨、系统地学习步兵姿势。他训练十分艰苦，住在茅棚里（后来一直住了3年），夏热冬寒，有时连入睡都困难，但他凭借超人的毅力克服下来了，训练成果也日渐明显，欧阳也从一名出类拔萃的战士荣升为班长。

当上班长后，他更加严格地要求自己，成为被送去广州教导队学习的“优秀班长”。8 个月的学习结束后，欧阳又到了支队的轮训队代理排长。代理排长他也干得十分出色，完成任务后又回到中队当了排长，这一当就是 9 个月。

当了排长后不久，一件大事把欧阳镇住了。

当时，他们接到任务要到大队挖鱼塘。一个大鱼塘，对半分开，两个连队平均分配，同时开挖，这样一来劳动的进度就摆在了众目睽睽之下。欧阳所在的四中队要和五中队比赛，而第二天部队领导又要到四中队来进行年终评比，这一头要忙，那一头也要顾，这可真难倒了四中队队长姚庭秀，中队其他干部也都一筹莫展。

“中队长，其他人统统留着，我带着我们排去挖塘！”欧阳突然在众人的愁云中挺身而出。

“一个排对一个连，这怎么吃得消？”

“肯定不行，还是别去了。”

“没事，我有信心，我们一定比得过！”欧阳不知天高地厚地表着决心。

无奈之下，也只有赌一赌了。中队长勉强同意了欧阳的请示，随即一个列队在欧阳的带领下气宇轩昂地赶到了鱼塘。不等歇脚，他们就热火朝天地干了起来。

顿时，汗水、泥水混杂在一起……

结果出乎所有人的意料。

大队长刘国棋和教导员刘华和来检查进度的时候，一看到四中队的队伍，沉下脸来质问道：“这是哪个中队的？怎么人这么少？”

“报告，是四中队的。”

“四中队怎么就这么几个人？”

“报告，四中队只来了一个排。”

“一个排？”大队长和教导员有点不敢相信，“一个排能比一个连干得还要快？”

“是的，是一个排。”下面是战士们自豪而响亮的报告。

“排长是哪个？”

“欧阳祥山。”大家都纷纷抢答。

“欧阳祥山？在哪里啊？站出来！”

“报告，我就是欧阳祥山。”这时欧阳才从泥坑里直起身子，满脸泥点地报告。看着这个活泥人，大队长和教导员都哈哈大笑起来。

欧阳居然也傻笑起来。

次日，支队领导到中队进行大检查评比，四中队果然如欧阳判断的一样夺得了前三名。

没料想之后不到三天时间，欧阳就被通知去大队当营部书记。这次调动虽然是平级调动，但也来得实在太快了，欧阳一点思想准备都没有。他想想自己真是幸运，鱼塘是大家一起拼命挖的，功劳都是战友们的，而自己却因此从一个“武官”一跃成了一个“文官”。当时连长也是死活不同意，大家也跟连长一样都舍不得欧阳，舍不得这个胆大有为的猛将、重情重义的兄弟。但是没办法，为了欧阳的前途，连队只能忍痛割爱。

进入大队后，欧阳面临着机遇也面临着挑战，他的学习和工作任务一下子如山一样堆了起来。天天学习、统计、写通知、出通报……事情接踵而至，应接不暇。当时，欧阳的未婚妻就在湖北宾馆工作，欧阳每次送文件骑自行车都要经过她那里，但他从未停下过，不用说碰头说话，就连打个招呼也只是松开车把挥一下手，最多再对她笑一下，就匆匆而过了。

“那时候，其实我们的年龄正是处于谈情说爱的高峰期，但是她也很理解我，让我们把感情稳稳地珍藏在心里。或许就是这样特殊的情况，反而让我们的感情更加牢固了，彼此也在理解中更加懂得了对方。”欧阳说。

6个月的营部书记生涯，让欧阳着实在实践中又成长了一截，文化水平渐渐提高了，工作经验也渐渐丰富了，后来直接从正排提到了正连，直接当了中队长。这一跳，其实是破格“空跳”，像跳山羊那样“嗖”地一下就跃过了副连直接跳到了正连，他成为了当时最年轻的连长，才25岁！

胜不骄，败不馁。欧阳当上连长以后，凭借着自身谦虚上进、持续努力的表现，又成了唯一一个从25个中队挑选出来进入十三中队的“佼佼者”，要知道这十三中队是搞正规化建设的试点，是为全国武警做示范的一个中队。

欧阳在部队宏图大展！

看来，来部队是来对了。用朋友们幽默友善的话说，就是从一个“狗熊”变成了英雄。

第八章 第一个“下海”的军官

欧阳要离开部队了！

这消息比1978年老家众人听到“花子要当兵去了”的消息，不知要令亲朋好友惊讶多少倍！也难以理解多少倍！

更特别的是，入伍17年、已是营职干部的他却自愿不要国家安排工作，成了广东武警第一个自谋职业的转业军官，而且转业费只有区区6500元。

只读过4年半书，母亲地主出身、父亲有历史问题的欧阳祥山为参军入伍费尽周折，如果不是粉碎“四人帮”，他也许永远只能当一辈子一无所有的“花子”。

但人的命运就这么奇妙，“花子”当了兵，而且一到部队就青云直上，官至营级干部。

欧阳祥山是军队里一名优秀的军官，他带出的连队为全军先进单位，那面总政治部授予的锦旗至今仍保存在中国革命军事博物馆。

欧阳经常说，到了军队后，随着能力和意志的提高，他的思想境界发生了质的变化，思想境界的变化，又使他在人的整体素质上发生了脱胎换骨的变化。新中国成立50余年，中国军队的官兵百分之八九十来自农村，他们多数与自己一样，最初的目的是想脱离辛苦、贫穷和难有前途的农村环境。后来到了部队后他们受的锻炼与教育，使得自身的潜力得到充分提高和发挥，追求进步和锤炼意志成了他们军旅生涯中的全部内容和根本收获。这样的人一批批经过优胜劣汰，能够提拔为干部的人则成为军队的精英。这些人又在部队这一特殊的大熔炉里继续锻造，使思想修养、文化修养进一步升华和提高。一旦从军队转业到地方，便成了国家各行各业的精英和栋梁。

如果有心的人做一次全面的调查统计，你会发现，今天在各条社会主义建设战线中最活跃的那些精英里，许多人都具有军人背景，尤其在经济界和文化界这种比例更高。为什么？因为这些人从小吃过苦，即使身居高位他们仍然能吃苦——吃苦的概念其实包含着不断进取的韧劲。他们珍惜自己的每一点提高和进步，所以又格外地期望更大的提高与进步。

而就在战友们十分羡慕地看着欧阳祥山在仕途上飞黄腾达时，突然听说他向部队机关送了一份“转业申请报告”！真是让人始料未及！

从渴望以参军、当官、升迁为途径改变人生命运，到突然放弃飞黄腾达的仕途，毅然离开军营，而且一不做、二不休地来了个彻底不要任何单位和组织扶助的“下海”，并一下沉到海底。欧阳是疯了，还是政治信仰发生了变化？

欧阳说：“不是，我什么都没变，也没有疯。”

欧阳也不是没有考虑过。他后来回忆起自己1994年离开部队的那一刻时，依然带着对军队的那份切肤依恋之情。他当时心里极其复杂，在填写专业志愿书时，怎么也下不了笔，但最后还是在志愿栏里写下了千钧重诺——

第一志愿，不要组织安排！

第二志愿，不要组织安排！

写完这两个志愿，欧阳的眼泪一下子哗哗地流了出来。“我知道，从脱下军装的那天起，我又将回到从前的那个渴望有顿饱饭吃的穷人地位……”

他不可思议地成了广东省第一个自谋职业的转业军官！

这是不可思议的选择。我不明白，也许读者更不明白。

欧阳抹了一把眼泪，露出了笑容，“这回我选择放弃军旅生涯，放弃前景很好的仕途，与当年拼命想通过参军改变命运的做法，有了质的不同”。

“此话怎讲？”我有些糊涂。

“当兵参军，想入党升官，是我们多数农民子弟唯一可能改变自身命运的选择。当年我走的路跟百万现役军人走的路没有多少区别，只是可能我从小受的苦难跟别人不一样而更加渴望出人头地而已。这回我毅然决然离开好端端的工作岗位，脱掉军装下海，心里是明朗的，目标也是清楚的。”

“明朗的是什么？目标又是什么？”

“我明朗自己的选择是为了更加自由地发展自己；目标是要让我的家庭和我所有的亲人都有钱花，都过上真正的不缺钱的生活。”欧阳的坦率令我意外和吃惊。

一个现役军官、一个全军先进单位的主官，竟然会冒出如此实际而大胆的想法，欧阳的真话让我内心感到一份震撼。有多少曾经在部队的军人能在自己仕途十分辉煌的时候敢于放弃？敢于拥有这样一份不加掩饰的真切追求？不管是军人还是其他什么人，能够做到这一点的并不多，这也决定了芸芸众生之中，英雄与豪杰最后总是少数。

欧阳的大胆果决注定了他将成为与众不同的成功者。在10年的“下海”历练后，欧阳总结的一句话让我印象极深：“如果在转业前我知道创造财富竟然会有那么难、要吃那么多苦，我肯定会继续留在部队吃稳稳当当的饭……但人生没有后悔药。既然选择了我就要走下去，走下去后我才发现每个人的潜能其实是无限的，问题的关键是你是否具备了真正想破釜沉舟、不胜不休的决心与勇气。”

1994年8月18日，这是欧阳辞去部队营职干部职位，脱下戎装、告别军营的日子。很巧，“8·18”，生意人喜欢选择这样的吉利日子，但欧阳在这一天却格外忧伤。部队在转业之前一般会安排半年时间给转业干部找工作，虽然有足够的时间，但到了最后欧阳还是选择了转业和不要组织安排工作的“绝路”。然而尽管如此，当部队首长真的命令他离开部队时，他仍然从感情上觉得难以接受……在军营的最后一天，他依然冒着烈日炎炎，到训练场上为部队官兵做队列、拳术示范，汗水湿透了军装。

“这么晚了，你怎么还不回家啊？”周新义教导员见后，关心地问欧阳。

“我要一直待到零时才离开部队，陪陪你们，把军旅生涯的最后一天过完吧……”欧阳话未说完，竟不由自主地掉下了眼泪。

离开了部队。

离开了战友。

离开了第二故乡。

欧阳感到自己好像没有了组织、没有了靠山，孤独地在茫茫大海上漂泊。回到家后，他仔细想，自己现在离开了部队，没有工作就什么都不是了，甚至连普通老百姓都不如。在深圳，一个普通老百姓，怎么着也有辆车，也有几万、几十万存款吧！可他什么都没有，除了几套军装只有刚刚拿到手的6500元转业费。今后住房怎么办？部队可以让你赖几个月，但不可能让你赖一辈子，部队家属房只有这么多，后提拔起来的干部又从哪里来住房呢？

这时，欧阳的心开始发慌了。虽然妻子张青玲已经随军，户口也迁到了深圳，从服务员干到了副经理职位，可单位效益不好，工资太低。他们平时也没什么积蓄，现在又有了一个女儿，平时两人的工资基本上是“月光”。即使偶尔有一点节余，也都给了远在湖北老家的父母和穷得叮当响的亲戚们，而且这些穷窟窿是永远填不满的。

其实，在离开部队前欧阳有过深思熟虑：如果自己在部队继续干下去，即便干到将军级军官，可能还只是能解决温饱。他一家 3 口人还好说，但家里年迈有病的父母要管，瞎眼姐姐一家 4 口人要管，还有哥哥姐姐几大家子也要管。欧阳的大哥一家都患有肺结核病，嫂子去世了，留下 3 个孩子。他们大多养活不了自己，都需要他的帮助。

在家人、亲戚们眼里，他是吃皇粮的军官，又在深圳，有花不完的钱，所以，家里有什么事都来找欧阳。哪一家有点事，他就得掏腰包，这其实也没说的，他在姐妹兄弟几个中最好嘛，他不掏谁掏？再说了，人总得讲点孝心和良心，更何况他们都是与他有血缘的亲骨肉，想想小时候一家人流浪算命、讨饭挨饿的日子，毕竟现在的日子要好多了，能帮一把、搭一把也是他的责任。可总这样下去，欧阳一家就永无出头之日。怎么办？想来想去，只有靠他了！可靠他在部队里干下去还是不能从根本上改变欧阳一大家子的贫穷呀！所以在这样万般无奈的情况下，他选择了下海。

与其说“下海”，不如说“跳海”更确切一些。

转业之际，欧阳也试图找一份安稳且收入比较高的工作，也就是说找一份有特权的行当。可他根本想不到，对一个普通转业军人来说，要找份理想的工作实在太难、太难……

有一天下午，欧阳到深圳市人事局军转办想打听当年转业干部的去向，其实是想结识个把重要人物，看看自己能不能碰上好运气。结果他到军转办一看，门口堵了有 20 几人，有解放军的、武警的，小到排级干部，大到师级官员，都在那里排队咨询去向。快到下班时间了，却根本轮不到欧阳去咨询。第二天上午，欧阳又去了军转办，这回来的转业军人更多，有 30 多个。又是排着长队，快到 11 点时出来一名办事人员说，他们现在要开会了，请大家下午再来。到了下午等待的人还是没有减少。其实深圳军转办的多数工作人员欧阳都认识，他在七支队当副大队长时，军转办搬办公室时他曾带领两个排帮他们搬了两天家。有这么一层交情，他想这回轮到自己需要请他们帮忙时还不照顾照顾？可他完全想错了，到了第三、第四、第五天，欧阳天天到那儿去，见到工作人员就说："你们当初办公室搬迁的时候就是我搬的。"可竟然谁也不认识他了，谁也不想认识他了。为这，他思来想去好几天想不通。

最后，他得出了结论：要想找个好出路全靠自己。

得出这个结论的同时，他也在思考一个社会命题，这在他 2005 年的演讲中，得以充分吐露。

2005 年 8 月 22 日下午，功成名就的欧阳祥山受到市委常委警备区崔司令员和市委组织部的邀请，为全市的转业干部演讲，他直言不讳地把他所思考的这个社会命题，以演讲的形式向公众公开。

市委、市政府各位领导，亲爱的战友，你们好！

今天，我以一个老兵和老战友的身份，跟大家共同探讨转业干部应具备什么心态对待第二次创业，同时也渴望各级党委、政府审视和理解转业干部的过去和未来。我们当兵的，在战争时期，用生命和鲜血换取了"世界上最可爱的人"这个用金子也买不回来的光荣称号，保卫了国家、保卫了国土。到了和平时期，军队不打仗了，经济建设也不再需要靠枪杆子了，但国家依然是由我们来保卫的，只是日久天长后，人们感觉军人不再是"最可爱的人"了。不，我要说的是，这是他们不了解我们军人，不了解我们这些和平时期同样为国做出种种牺牲的军人。我们这些当兵的，有 90% 是从农村走出来的，如果能够考上大学，绝大多数人是不会出来当兵的。我们毅然担当了保家卫国的责任，平日里，哪个地方出现险情，有苦的、累的、脏的、臭的活儿，只要一声令下，我们就毫不犹豫地去完成！唐山地震、长江水灾、东北森林火灾，不都是我们这些当兵的一马当先、出生入死！说近一点，小小的深圳河污染清理、各大节日的城市卫生、助民劳动、日常边防执勤，处处留下了我们当兵的身影；看守劳教、重点目标的警卫、大型集会……哪一次离开过我们这些“大兵”？再说大一点点，戈壁滩、海岛、沙漠、高原、边疆，百分之百是我们当兵的在那里扎根固守！就说地方经济建设吧，如果没有我们这些军人在关键时刻维护治安、防盗守卫，哪个地方政府、哪个大老板能那么踏实、那么安稳呀？所有这些，难道不能说明我们仍然是这个国家、这个时代最可爱的人吗？

正是铁打的连队流水的兵，新陈代谢再自然不过了，当兵的穷、当兵的苦，现在转业又轮到我们头上，该何去何从，下半辈子怎么个活法，我们不能多想，又不得不想。说句心里话，我们这些当兵的，有些生不逢时，我们把青春和热血献给了部队，献给了祖国，过去曾经也算是个顶天立地的好汉不是！可一旦转业到地方，就啥也不是了！比如我，按理找人事局的老关系怎么着人家也该看在过去的面子上给我谋个好饭碗不是？可当我去了转业办几次后，我彻底地失望了，从那一刻起，我才意识到：脱下军装后的我，在别人眼里什么都不是了！与我一起到转业办求职的有不少是团级干部、师级官员，他们不也跟我一样吗？也是从那一刻起，我知道，我们这些转业军人，其实对地方来说，是个累赘，是个负担，是个包袱！为什么这样说呢？

因为在现代经济大浪潮中，我们不是真正意义上的军地两用人才，不懂得地方党政机关各职能部门的工作业务、工作流程，所以无论过去我们在部队有多少办事经验，到地方后，你仍然等于什么都不会。如果到企业，由于不能独立地创造经济效益，就更不可能被人当香饽饽看。事后我也在想，可能正是因为这样，有关部门的工作才有了太大的压力。他们内心里何尝不想帮助我们？但是年年有那么多人，他们帮得过来吗？可以想象，这种工作压力何等之大！

在这里，我再喊一声亲爱的战友们：我们现在遇到的问题和困难，正是一个发展中国家所遇到的共性问题和共性困难，就业压力的增大，这怪得了谁呢？这叫“苍天有眼难知因”，绝不能怪命运，但也绝不能仇恨社会，要全靠我们自己，全靠我们第二次白手创业！何况部队现在转业条件比我们那时候不知好了多少倍，至少今后的住房不发愁啊！当今的党委和政府，其实是很重视我们转业军人的，他们关注我们的“生辰八字”，甚至强制性地要求一些部门安排我们就业。我们应该感到很庆幸，也应该感谢地方政府！但我们自己应当清楚一件事：一旦我们到岗后，要等桌子、等位子、等票子、等房子、等车子，这“五等”我的理解有两层意思，一是等待的“等”，二是等级的“等”，最终等成了边缘人群、弱势群体！亲爱的战友们，你们甘心这种“等”吗？甘愿这样“等”吗？作为一个在社会上闯荡过来的转业军人，我想告诉大家的是：我们每一个转业军人，要从现在开始，活出个自我，要活得精彩、活得有价值、活出个阳光的心态！我们就得像《西游记》主题歌歌词写的那样问自己：敢问路在何方？路，其实在我们自己的脚下！我们只有拿出从前在部队时为了入党、为了提干、为了带好部队的那股锲而不舍、百折不挠、坚忍不拔的夺胜信心去学习新的知识，再次为这个发展中国家、为我们自己争一口气，我们才能真正度过这个现实难关！

欧阳讲得越来越激动。

下面，我把我这11年来“下海”以后的情况，向战友们汇报，也希望能够给大家一点有益的参考，更希望大家多多批评……

一个多小时演讲结束，满堂喝彩！

他演讲中的“阴暗面”并没有引起领导的不快，相反，大家都认为他说出了广大转业干部想说又没说出的话，也理解了市委、市政府，特别是军转办的工作难处，直观而坦率地阐述了一个客观存在的社会命题。这是最难能可贵的。

欧阳心里原本的担心，瞬间消除，他在心里一遍遍感谢领导对他演讲的理解和对这个社会命题的正面关注。

第九章　小卖部里的“大学问”

欧阳“下海”了，他走出军营干的第一件事就是开小卖部。

1994 年的深圳已经相当繁荣了，用行内人的话说：该富的早就都富了。那些看着无数淘金者富了之后而从各地赶到深圳的人此时也大多小富了。深圳从 20 世纪 80 年代初成为特区，经过十余年的大浪淘沙，发大财的比比皆是，大财的标准应该是几千万、几个亿甚至几十亿的概念吧！人们普遍认为：在深圳工作的人，如果一年不装进口袋几万元、几十万元的，等于在深圳白活了！但在那个时期的深圳，人们还有一种说法，那就是所有“赚钱的坑”全都有人占了，剩下的都是些陈芝麻烂谷子了。当然，在经济高层还另有一种说法：香港和澳门即将回归，深圳还有一个发展机遇，但得“大进大出”，即当深圳的经济市场与成熟的港澳台经济模式连成一线后，若再想干点“大买卖”，就必须得有足够的资本下赌注进去，方能实现大利。

欧阳就是在这个时候，怀揣着 6500 元转业费，走向那个竞争激烈的深圳的。

6500 元能干什么？这样的话，你现在去问深圳人，恐怕多数人会朝你哈哈一笑，或者干脆告诉你：上饭馆撮一顿后上吊算啦！

在军营那个与经济和市场无关的纯洁圣地待了十几年的欧阳，突然感到自己是多么的悲哀。17 年前走进军营时，他本以为可以通过穿上一身军装彻底地改变自己及欧阳家族的贫苦命运，17 年后他发现自己什么使命都没有完成！

那一瞬间，在17年与6500元之间，欧阳无法找到一种平衡与解释。不错，这17年的军旅生涯，他没有白耽误，甚至可以说与所有同期入伍的战友们比，他欧阳是最棒的，荣耀是最多的、职位是最高的。然而除此之外还有什么？欧阳反反复复思考着……当然了，还有人生经验、意志锻炼等，但这些并非只有在军营才能获得，几乎任何一个地方、任何一个岗位都同样能获得。欧阳想来想去，这17年只有一样东西他认为是无价之宝，那就是他曾经的军人身份。

中国的军人身份是一种荣誉的象征，是社会信任度的一种象征，也是一种能力的象征。为此，欧阳在跨出军营大门时给自己悄悄留下了一件东西：军官身份证。

军官身份证与公民身份证具有同等的法律地位，同时它又是比公民身份证多了份荣誉、信任度和能力的无声证明。欧阳从内心太爱自己的军人身份了，所以他瞒着部队做了唯一的一件违反军纪的事：转业头一年时间里，他时不时将离开部队时谎称“已经丢失”的军官身份证亮出来。“那个时候我什么资本都没有，拿军官身份证为的是掩掩丑，掩掩一个30多岁还两手空空的男人的丑！”欧阳为自己当了17年兵后所做的唯一一件违反军纪的行为作了如此辩解。尽管无力，但却很真实。

欧阳从军营大门走出来后，已别无选择，是他自己将“活路”堵死的——不去组织安排的单位。他是想彻彻底底地“下到海里”，“救生衣”和“游泳衣”他都没带，就光秃秃的一个身子，还有就是6500元的转业费。

同在军营一二十年的几位铁杆战友得知欧阳已经“下海”准备挣大钱去，吵吵嚷嚷地前来“祝贺”。欧阳不得不装出一脸豪气，仿佛他的“下海”选择已经获得黄金万两了。

“吃，放开肚子吃！今天我请客，平时我不让你们喝酒，怕耽误了战友们的军务。现在不一样了，今天我们是‘军民关系’，不好好地干上几杯，就是对我这个‘民’不够意思！来，痛痛快快地干！”欧阳逼着好友们干杯。

“好，为了欧阳辉煌灿烂的前程和日进斗金的明天，干！——”

那一顿饭，是欧阳到深圳17年来请战友吃饭掏腰包掏得最多的一次，其实也就花了500元。可它却耗去了当时欧阳全部家底的十三分之一。

现在他只剩6000元。

6000元能干什么？欧阳办完转业手续的第二天，捂着口袋里的这6000元钱，像条迷失方向又饥肠辘辘的野狼，整个一上午在外面转悠……他第一次发现自己对深圳市区竟然那么陌生：深圳还是很大呀！在深南大道的上海宾馆门前的马路边，跑累了的欧阳看着自己眼前行色匆匆的人群和闪电般飞驰而过的车辆，不由暗暗寻思起来：怎么搞的，在深圳待了十几年了，以前为什么没感到它有这么大！随即他突然沮丧起来：可不，过去在部队时，出来回去都是坐在车上的。当排长时，他有自行车骑；后来官大了点便有了专车。军车和警车到哪儿都是威风凛凛，再远的路也是一瞬的工夫……那一刻，欧阳十分怀念昨日的军官身份和军旅生活。

身后的路不可能再回头走，前面的道却太长、太远……欧阳立即意识到：要想在深圳干点事，没有基本的交通工具等于节奏慢了几倍。买，咱也得买一辆！

买汽车？欧阳是想过，但他没有这能力。借钱买一辆？欧阳不敢这么做：刚“下海”就背上一身债，往后的日子肯定更难过。怎么办？弄辆自行车？那可不行，这也太丢份了！而且深圳本市人骑自行车的也很少。对了，先搞辆摩托车，速度不比汽车慢多少，也还算“酷”吧！好吧，就它了！两个飞轮总比两条肉腿能经折腾吧！可当欧阳从马路边站起身的那一刻，他又犹豫了：一辆摩托也得上万元呀！即使再差一点的也要六七千元，自己身上只有6000元，买了摩托，这后面的事咋做？我的妈，这转业费谁定的？要是我定就好了，多它个几十倍、几百倍！

思量再三，几番折腾，欧阳终于想了个两全其美的法子：花2000元钱，从废品店里买回了两部废旧的“神鹰牌”100C摩托车进行“组装”。那一天，他在修理厂与修理工一起挥汗战斗，东拼西凑，临近傍晚时，一辆半旧的“神鹰”摩托车竟然在他身下飞驰起来。哈哈哈……夜幕下，欧阳使出在部队开警车时的那股劲，“神鹰”一路风光地出现在金光闪闪的车水马龙中。

欧阳好不得意：这是他的第一份“资产”，也是他通向富裕之路的船帆……

“吱——”眼看快到家了，欧阳猛地一踩油门——他想把走出军营的第一份喜悦告诉在家等候的妻子。可是，几乎就在同时，欧阳突然又把“神鹰”的油门熄灭了。

怎么回事？谁也搞不清。

只见欧阳从“神鹰”上下来，然后双手推着车把，猫着腰将摩托停放在距部队营房几百米远的一户菜农家后面。当他从菜地里走出来时，又神色颇为紧张地朝左右瞅瞅：没人！欧阳顿时觉得来了精神。他拢了拢头发，把衣衫扯扯平整，装出一副若无其事的样子，然后昂首走向营房——刚转业那会儿，欧阳的家还在部队营房的大院内。今天他之所以这样做，实在是内心的一份怪诞的虚荣心在作怪：刚骑回来的那辆破摩托车假如被部队的战友或哪位首长看到了，简直丢份透了。欧阳丢不起这个脸面，所以他在进营房前就赶紧远远地把摩托停放在谁也看不到的地方……

不管怎么说，现在有了摩托车，欧阳便开始盘算起自己的未来了。干什么呢？那几天，欧阳整天驾着“神鹰”，马不停蹄地四处奔跑。可数日下来，他的那股跃跃欲试的雄心壮志变得日趋黯淡，焦躁的情绪无处发泄，于是就与倒霉的“神鹰”较起劲来——又耗油又没面子，骑你个垃圾干什么吗！几次加油下来，欧阳开始对“神鹰”烦透了——其实是他内心在为迷茫的前途而焦灼着。

一日傍晚，欧阳拖着疲倦的身子回到家，妻子赶忙为他递过擦汗的毛巾同时询问道：“怎么样，有什么眉目？”欧阳知道妻子问的是什么，便没有好气地吱了一声：“有啊，深圳满地是黄金，可惜都不是我欧阳能捡的。”

妻子扑哧一笑，然后话锋一转：“哎，我认识一个小老板，他有个小卖部想出租，咱们把它租下来怎么样？”

欧阳的眼睛一下亮了起来，突然又暗下去：“我们全部家底才4000来块钱，连人家要的押金还交不起呢！”

“我问了，人家不收押金，说是干满一个月后再收你租金。”

欧阳的眼珠子重新瞪圆了：“有这么好的事？”

“我用得着骗你吗？”

欧阳立即兴奋起来，仿佛前面就是一座金山：“那我们现在就去找他！”

妻子嗔道：“你也不看啥时间了？”

欧阳看了一眼墙上的挂钟，“那——就明天一早！”

第二天，欧阳来到位于深南大道蛟湖71号的那个小卖部。习惯于晚起的李老板很不情愿地揉着尚未清醒的双眼，费力地将那道破旧不堪的卷帘门打开。就在这一瞬间，欧阳伸长脖子往里瞅了一眼，不由嘘了一声：“怎么这么小？还没屁股大！”

李老板一听有些不悦：“要真比屁股大，你租得起吗？”

欧阳第一次感到无财气短，便再不吱声。小卖部就这么租定了。

一个昔日驰骋边卡守卫特区的武警教导队队长，现在站在不足10平方米的一间光线暗淡，挂满了纽扣、别针、香水、肥皂以及五颜六色女人用品的小卖部里……欧阳的脸红得不知要搁到哪。

“唉，同志，你卖不卖嘛！这卫生巾到底多少钱一包呀？”一个操着陕西口音的打工妹站在柜台前，两眼瞪着直愣在那儿的欧阳。

“啊？噢，这、这卫生巾是……”第一笔两块钱的生意是在别人临走时的一句“讨厌”声中完成的。欧阳接过那张薄薄的钞票时，心头一阵酸涩。他不由得想起了自己在部队时曾经造成过的一次“傻帽”事故——

那是1985年的事。欧阳从营部一个正排级书记刚刚提升为武警深圳七支队四中队中队长。在夏日的一个午后，他见天气异常闷热，便从营房里走出来。这时，远处的天边不时传来阵阵雷声，不一会儿一场大雨倾盆而降。此刻正值午休时间，战士们睡得正香。身为中队长的欧阳却在惦记上午连队尚未搞完的那片菜地。

雨稍小些时，他便光着上身，下身穿一条军用短裤冲到菜地，他叫来附近老乡的一台推土机，便在菜地里干了起来。突然有人喊道：“中队长，这儿有根东西把推土机挡住了，怎么办呢？”欧阳过去一看，不屑一顾地说：“不就一条树根嘛，推！”结果那树根越推越长。

正当他和操作推土机的师傅来回挖、推之时，忽听一阵急促的警笛声在雨中呼啸着，而且越来越近……“中队长，不好啦！警车把我们包围了！”文书吴焕强叫起来。

“警车是执行公务的，怎么会包围我们呢？”欧阳本来对没拔出“树根”就很恼火，一听有人说竟然还有警车来“捣乱”，十分窝火地吼了一声。

“我命令你欧阳，立即住手！”

欧阳不由抬头一看：天哪，不知什么时候，他的四周围满了警车和摩托车，几十个公安人员一个个朝他怒目而视。更让他紧张的是自己的顶头上司武警七支队的支队长王攻坚、政委王殿富和大队长刘国棋也都威严地站在他面前。

“欧阳，你过来！”这回是大队长的声音。

“是！”欧阳尽管被眼前的阵势给弄糊涂了，但首长的命令他听得非常清楚，于是朝大队长一个立正——他样子实在好笑：上身光着，下身穿着裤衩，两腿上净是泥巴。如此光景，再威武的军人也是一副滑稽相。

有人想笑，可谁也没有笑出来。只听大队长厉声道：“这，是不是你干的？”

欧阳有些疑惑：“首长你问的是？”

“这个！是你挖出来的吗？”大队长一下语调高了几十分贝。他捡起扔在地上的一截截“树根”，又火气冲天地扔在欧阳腿前。

“报告大队长，是我刚才挖的。”欧阳虽知有些不妙，但却不明白不妙在何处。

“你知道这是什么吗？这是香港通往东江的铜轴电缆！你知道挖断了电缆，每秒钟要损失多少钱吗？现在整个香港与内地的通信都受到了严重的破坏！你，欧阳你闯大祸了呀？……你怎么这样干呢？”大队长气得脸通红。

“这、这怎么可能？这树根怎么会是电缆线了？”欧阳的脑子“嗡”地一片空白……

“欧阳啊欧阳，真不知说你什么好！简直是乱弹琴！”这是支队长的声音。

“树根！亏你想得出这是树根！你家的树长过这样的东西？”大队长又骂起来了。

“是，我家没有过这样的树根！”欧阳这时老实了，大队长骂他，他就笔挺着光溜溜的身子面向大队长立正。等支队长训斥他时，他又将身子转向支队长。任凭雨水打，任凭泪水流，欧阳就这样站在泥坑里，当着全连战友和那么多公安人员的面，满身狼狈和耻辱之相，叫人又可怜又可笑。

最后还是支队长解了他的围，让他即刻赶往广州去找广州军区工程团的王团长，恳请王团长调派人马前来修复电缆。那王团长是支队长的老战友，是支队长动用了自己的关系让欧阳去搬的“救兵”。电缆抢修用了近一个月时间，事件应当说非常严重，但支队长念在欧阳不知情和利用午休时间为连队建设，冒着雨挖菜地才造成挖断电缆的无心之失，除了一顿严厉批评外，并没有处分欧阳。

不过，欧阳“傻帽”的事在部队可是流传了很长时间。

现在，欧阳站在小卖部的三尺柜台之前，他感到自己仿佛比当年错将电缆当作树根的那般狼狈相还要“傻帽”！

“坏了！”突然不经意地往大街上一瞥，吓得欧阳恨不得立即掘个地洞钻进去——原来，他看到自己部队的一位战友正从那边朝他的小卖部走来……

1分钟、5分钟……10分钟、半小时……欧阳这才从柜台的后面探出头来。

欧阳知道自己必须从这一天起，把往日在部队当营长的那颗高昂而光荣的头颅低下去，一直低到地底下，因为你欧阳现在什么都不是，仅是一个只能卖点妇女用品的小卖部的小老板——可能在全深圳再找不出第二个这么小的小老板。

既然头已低下，就不再讲啥脸面了。

欧阳开始动脑筋：啥叫小卖部？就是方便周围居民和路过此处的百姓，给他们提供又便宜又方便的日用品呗！有了这样的意识，欧阳就着手“武装”起自己的小卖部：原先的服务内容一样不少，还添置了烟酒糖茶、粮油水果、锅碗瓢盆、录音磁带，甚至服装鞋帽……好家伙，屁股大的地方，他欧阳硬是将它“打扮”成一个有数百种物品的“小百货店”。只要能想到的和顾客上门曾经问过的东西，他欧阳全都纳入了自己的营业范围。

有个商界巨擘说过这么一句话：财富积累的真正本事并不看他的资本有多大，关键看他的经营窍门是否高人一招。真是小卖部里有大学问啊！

对于手头没有多少本金的欧阳来说，初入生意场的他时时处处受到牵制和遇到尴尬。而正是这种让他脸红的尴尬处境，也迫使他突破了最小、最窄的经营门道。比如说“百货”，你真要进一百种货，那手头的几千块本金即使想填满“屁股那么大”的小卖部也不易。于是欧阳采取每天只进少量货的策略，只等哪样东西卖掉了，他赶紧又在第二天一早跑到供货的批发地再进货——欧阳当时占了个“地利”优势，在他小卖部的后街四五百米的地方就是个小百货批发市场。

顾客什么样的都有，想买的东西五花八门，想要支撑着店面生意兴隆，就得让所有来的人尽兴而归。但要做到这一点对小本经营的欧阳来说谈何容易！可是他竟然做到了：你要什么，我这儿都有。对对，你要的我这儿都有。请稍等一下，我上后面库房给您去取，先生请稍等片刻。

有一日，一个穿着很体面的男子行色匆匆地从街的对面直奔小卖部而来，一到柜台就问有没有“中华烟”。欧阳的柜台里其实没有“中华烟”，那一条“中华烟”进价就是三四百元，欧阳进不起。但生意来了，绝不能跑掉，这是欧阳的原则。

“您要几条？”欧阳恭敬地问。

“10条！”顾客说。

天啊！10条！10条“大中华”！一笔生意就是一二百块的赚头呀！“有有，我马上去后面的‘仓库’给您去取！”欧阳的心跳在加速。

“快一点，我得去见一位朋友！”看得出，那顾客真有急事。

"好好！"欧阳用一次性纸杯给顾客递上茶水后，又与旁边的店主打了个招呼，便跨上"神鹰"去"后库"取货——其实他哪有后库，而是上批发市场的一个烟酒店提货去了。

前后不出10分钟，那顾客满意地拎着10条"大中华"出了欧阳的小卖部。欧阳一边擦着汗珠，一边数着钞票，心头甜滋滋的。10来分钟净赚300来元，这中间的奥妙只有欧阳自己知道：他这边让顾客等着，自己则跑到批发商那儿赊账取货——他吃的苦就是以百米冲刺的速度完成从小卖部到批发市场之间的几百米的奔跑，并确保不被顾客感觉有异常。

欧阳的第二个招数是：对一些销量较多的货物，他上批发市场看清出品的生产厂家在何处，然后直接与厂家联系。每次上厂家，他都摆出要很大数目的架势。厂家一看来了个大客户，自然热情接待，主动带"大老板"欧阳参观制作车间。满身长着心眼的欧阳，在参观的同时，很快了解清楚了这个产品的生产工艺流程和成本。当他再向厂家要货时，价格已经不是由厂方定了，而是他欧阳想出什么价基本也就这个价了。如此这般，到欧阳手里的货不仅比批发市场便宜了一大截，就连厂方的销售业务员都不可思议地惊呼："只有你才能上我们厂要到这么低的价！"

一个小卖部，把欧阳骨子里潜藏着的智商给淋漓尽致地挖掘出来了。而这中间，还有两个字同样胜过一切商界金科玉律，那便是"吃苦"二字。

这段时间里，年轻的欧阳又瘦又黑，甚至连头发也花白了。白天进货站柜台，晚上整条街他是最后一家关门的店铺。熄灯前夫妻俩面对面一分一角地数零钱，用小橡皮筋一捆一扎地整理好，哪怕是一分钱的盈利，也得心知肚明。那时的深圳社会治安还动荡不稳，为怕半夜被撬门和第二天早上开门晚，欧阳只好在店里守夜，睡在又硬又窄的柜台上，店铺顶棚就贴着他的脸，连呼吸都觉得窘迫。

像是唐僧西天取经一样，命里注定欧阳从商的路需要走过“九九八十一难”。正当欧阳不分日夜地倾情经营小卖部之时，突然有一天市政部门来了一帮人，说深南大道要扩建，蛟湖两侧的民房和商店一律搬迁。

“怎么会这样？”措手不及的欧阳想发火，却不敢找对方理论。无奈，第一次经商经历就这样夭折。回到家，欧阳盘点了一下两个月的收支情况：还好，扣除本钱租金，净赚了 12000 元。想想刚出来时的 6500 元，他心里不知道是咸是甜。

“行了，咱们也算‘万元户’了！”妻子幽默地一笑，并奖励丈夫一瓶广东米酒。

“喝什么喝，今天干部股来人开始催我们两个月后就要搬出部队的家属房，一套房子少则得十几万元，能喝出个房子来吗？”欧阳冲着妻子一边吼一边拿着这瓶足有一两斤的广东米酒直往肚里灌，然后拿着小板凳跑到阳台上面，在风雨交加的晚上含着眼泪一直坐到了天亮，妻子一声不吭地也陪着他坐了半宿。

第十章　第一个执照和“打狗队”的闹剧

如果说欧阳的小卖部经历值得许多人赞赏的话，那么当他向我讲述他雄心勃勃地拿到第一个属于自己的公司执照后，他当时所做的“伟大而壮丽”的事业经历时，我笑得差点背过气去。

真的太好笑！也只有欧阳才能干得出！

欧阳本想利用租借小卖部，起航他新的人生之旅，结果才一个多月就因城市建设需要而终结了他站柜台的梦想。欧阳曾对我说过，假如那个小卖部不是因为道路改造不得不使他另起炉灶的话，也许他会再干上三年五载，或者他永远照这条路走下去，那现在他可能就是个像“沃尔玛”似的连锁店大老板了，或许也可能至今仍然是开那么一个屁股大的店面的小百货老板。但最后的结果是，欧阳被城建部门从小卖部“赶”出来，他带着刚刚赚来的 12000 元急切地寻找着新的饭碗……

与当初 6500 元的转业费相比，此时欧阳的底气似乎硬了一些。然而让他感到沮丧的是竟然在这之后的一个多星期里，他骑着“神鹰”走遍了深圳每一个角落，却仍然找不到一个可以用他的老本去挣口饭吃的机会。他甚至想继续以租借小卖部的形式再开一个小百货店，但在与数位欲转让门面的老板接触的过程中，欧阳都因为囊中羞涩而被人家拒绝。倒是有个姓纪的老板愿意把自己的小卖部租借给他，可条件是必须先交 3 万元押金。欧阳只得放弃。

无奈，欧阳又一次迁怒于“神鹰”，将这倒霉的破摩托冷落在菜园的旮旯里，每天早起晚归地独自拖着沉重的步履，沿着深南大道从东到西，苦苦寻觅着可能出现的生存之路。然而天上没有掉下馅饼，倒是总有飞扬的尘埃将他那张本来很英俊的面庞涂抹得面目全非——让他感到一丝苦涩的安慰是，谁也不会认出他这个曾经驰骋深圳军界的模范连长、先进营长了。“也许深圳还没有一个人能像我一样熟悉每一条街道。没有资金跟人家谈判，想不出以后的人生道路怎么走，我便一个人独自坐在不同的交叉路口，像傻子似的瞅着来往奔忙的车子和行人！那种苦闷和无奈的日子能把人的头发都愁白的……”欧阳的一生有过一次次的低潮，小卖部之后他又一次经历着这样的低潮。

就在这时，欧阳接到远在江西萍乡的舅舅沈作财、表哥沈敬堂一起写来的一封信。他们已经知道欧阳从部队出来了，出于关心在信上问他现在在干什么工作，并说如果有什么用得着他们的地方，让欧阳不用客气。对啊，为什么不干铸造呢？欧阳在当兵之前去过舅舅那儿，并向舅舅学过几天铸造技术。而前几日他在到处寻找生计时曾听几个朋友说，佛山那儿很需要一些加工好的铜锭铝锭。这一封来信，骤然间点燃了欧阳开个小铸造厂的激情。

说干就干。对欧阳来说，耽误一天，就是对自己生命最大的浪费，更何况闲一天等于是多一天只支出、不收益的要命日子。

啥叫铸造？这是说得比较文雅的词儿，欧阳的“铸造伟业”说白了，就是找块野地，买个别人遗弃的旧耐火炉子，再收购些废铜烂铁，从中提炼出一些非正规市场上需要的铝锭什么的赚点钱而已。

特区深圳，南国美城，到处欣欣向荣。像欧阳琢磨的这类污染环境又影响市容的“黑制造业”，只能在那些山边角落偏僻地方干一把赚了就跑。当时的欧阳虽不是过街老鼠，但他可怜的生意只能是这样。一没有本钱，二没有经验，他还能干什么正经的买卖？

深圳梅林武警十三中队驻地旁边有个荒山坡，欧阳凭借着自己过去是十三中队中队长的身份，向上梅林村的黄瑞方书记求助，将其租了下来。

地有了，厂房在哪儿？一个再简单的野“铸造厂”，怎么着也需要一两万块钱支撑个铁皮棚吧？欧阳不用回家点自己的腰包，他一闭眼就知道自己“能力有限”。不过这回欧阳碰上了一点运气：当时深圳正在全市范围内进行市容整顿，聪明的欧阳凭着自己当武警时经常帮助地方清理那些违章建筑的经验，他觉得“幸运之神”正在向他招手。于是，他又把“神鹰”从菜地里拖出来……

几天“侦察”下来，欧阳终于在治理整顿的重点片区岗厦发现有一间正要被拆除的铁皮房非常合自己意。他悄悄上前打听，得知那老板是个香港人，叫阿贵。阿贵这两天愁死了，市政队伍责令他把刚刚建起的铁皮房拆了不说，问题是人家限他两天内将一大堆铁皮“疙瘩”搬到不能影响市容的地方。

“我对深圳不熟悉嘛！这么一大堆铁家伙我哪搬得动呀？就是搬动了，我也不知道放哪儿合适嘛！麻烦死了！”阿贵见有人主动前来与他搭话，便把欧阳当成了倾诉的对象，“我看你是个好人，这事我得跟你说说……”

欧阳暗喜，他显出十分友善的样子对阿贵说：“老板，我倒可以帮你这个忙。要是你愿意把这铁皮房给我，兄弟我还可以给你点补偿费。”

阿贵瞪圆双眼：“这、这可是你说的啊！”

“是我说的。不瞒老板，我正在盖个小厂，用得着这些东西。”欧阳这回显得很诚实。

“成交！兄弟！”阿贵兴奋地拍了拍欧阳的肩膀，开心地伸出双手。

花了1500元运费，将520多平方米面积的铁皮房弄到自己的山头上，而且还落了个人情，欧阳没做生意却得了笔不薄的赚头。

厂房有了，欧阳于是开始四处购置铸造铝锭的旧耐火炉。功夫不负有心人，几天后6台火炉到位，但此时欧阳的口袋里已所剩无几。因为没有本钱买模具，欧阳从南京买回一些红砂后自己动手土法制模……

现在一应俱全，只等原料进炉。

原料在哪儿？欧阳在心里暗自盘算着：从正规市场上购买可以铸制成铝锭的原料，根本不可能有丝毫利润，而且人家还要他出具这证明、那执照，这不是欧阳能干的。

望着自己辛辛苦苦建起的“厂”，欧阳再一次启动“神鹰”，开始了他那走街串巷的“摩托收废旧物品”生涯……

这一天，“神鹰”转到深圳坪山的一家电线厂。门卫见欧阳实在，便指点他说厂里前天刚进行了一次“卫生清洁”，正好有一大堆废线头要处理。欧阳一见那小山似的废线头堆，就差没当场跳起来：“师傅，我给你点烟钱，你就开恩把它全给我吧！”门卫接过欧阳塞过来的几张“大团结”，左右张望了一下，督促道：“赶紧！快拉走！”

欧阳叫来了在坪山打工的堂哥和村庄里的20多个兄弟姐妹，让他们把死死缠在一起的铜线和铝线头分解开来——那是什么活嘛，简直就是麦芒里搅进了棉絮，整个儿在练耐心！电线厂的老板无意间看到有那么一帮人在大太阳底下干这等下脚活，不由感慨万千：花如此大力气，干利润这么低的活，整个深圳恐怕只有欧阳祥山一人！

傍晚时分，当欧阳拉着一车废旧电线头回到他的铸造厂时，妻子望着已分辨不出本来面目的丈夫，眼泪哗哗地流了下来：“你咋又成‘花子’了？”

“花子？！”

17年了，17年荣光的军人生涯，使农民出身的欧阳彻底改变了身份，小时候的“花子”别名也早已在他生活中逐渐被淡忘，可这一天妻子重提的一句“花子”，令欧阳心头真的很酸……然而此一时彼一时，此刻的欧阳已经不相信眼泪了，他只能把泪水暂时咽进肚里。现在，做生意赚钱才是他唯一的目标！

“点火！——”一声令下，6台炉子燃起熊熊火焰……那一刻，火光照得欧阳的心热烘烘的，他的那颗梦想发财的心，怦怦跳动。

不过，令他多少有点沮丧的是，这座搭建在小山坡上的铸造厂实在太简陋了，那铁皮屋在狠毒的阳光下就像大蒸笼，他想雇几个炼炉人帮着干，结果一个个最终都因为条件太艰苦而逃跑了。没办法，欧阳只好请表哥和自己一起动手。在炉火旁，光着身子的表哥和欧阳汗流如注，皮肉疼痛，而为了从残渣中提炼出能够变成钞票的铝锭，欧阳必须默默地承受烈焰的蒸烤。

欧阳在部队时经常教育自己的战士要看《钢铁是怎样炼成的》，其实他自己还真没有把奥斯特洛夫斯基的这本书完整地看过一遍。不过，这回在铁皮房内不分昼夜地烧炉冶炼，使他真正体会到了钢铁原来是这样炼成的。

在那些日子里，欧阳每天唯一感到满足的是妻子在他口干舌燥时送来的一瓶矿泉水——其实是一瓶白开水。这是欧阳吩咐妻子这么做的，他说一瓶最便宜的矿泉水也得两块钱，两块钱对所有的人来说都不在乎，可对我欧阳来说，那是甩出的一千粒汗珠子啊！所以你给我灌点白开水就成了！

然而，小铸造厂干得正欢时，因为污染严重，被政府责令关闭了。

不过这回欧阳心里蛮平静，因为他一算账，除开所有的费用和罚款，开工两个月他在铁皮房里赚了整整3万元。这对他来说简直就是一笔巨款。3万元哪，加上前面小卖部赚的和自己的转业费，现在他手里的资金已经接近5万元了。

此刻的欧阳，内心涌动着一股强烈的躁动：要干大事，得有自己的正式公司，就是那种在工商局注册的公司，并且在法人代表那一栏里应当明明白白写着“欧阳祥山”的大名。

“我看你这个人能吃苦，将来必定做得了大生意。我呢，有经验，我们一起联办泡沫制品厂，保证有你赚的！怎么样？”一天，欧阳与一位在深圳干了多年泡沫板制品生意的黑龙江佳木斯人童兆寅相遇，这位童先生对欧阳特别赏识，一定要邀欧阳联手干当时深圳包装业很需要的泡沫制品生意。

“这个行当我不懂，你说我俩怎么个干法？”欧阳那颗躁动的心更加躁动。

“技术上我负责，厂子你来干，利润和风险按我们两人的股份分担，法人代表你来当……”看得出，童先生是个痛快人。

“得多少注册资金？”欧阳一听“法人代表你来当”这话，那颗激动的心都快跳出来了。可他又想到一个敏感的问题，因为他没有实力。

“嗨，注册资金是对付工商局的事，全深圳几十万个公司，有几个真正是注册资金到位的？没关系，注册时我多填些，你有多少出多少吧！”

“那——我们就一言为定？！”

“绝不反悔！”

欧阳兴奋得紧紧握住童兆寅先生的手，说话都有些结巴了：“你、你说我、我们是不是应该给公司起个好名字？”

“那当然！”童先生是生意场上的老手，他瞅瞅欧阳，说：“你是带过兵的人，文化水平肯定比我高，你给起个……”

于是欧阳思忖起来：“既然是我们俩的公司，最好从我们每人的名字上取一个字，你说是吧？先生的大名叫兆寅，兆这个字很好，吉利，不过用兆的太多了。寅，寅……这个字用的人少，可它有些偏。寅，哎，寅字跟‘银’字谐音啊！银，银好！”

“你的名字好，取祥、取山都吉利。”童先生在一旁笑着插言。

欧阳突然将右掌往大腿上一拍：“就叫银山吧！你我名字中各取一字，金山我暂时不敢想，但银山还是要争取的！”

“好，银山好！就这么定了！”

“深圳市银山包装制品有限公司”就这样在深圳工商部门正式注册了！那天，欧阳从工商局拿回公司营业执照时，看一回，笑一回，笑一回后再看一回。

欧阳祥山终于当老板了！

欧阳自己认为这对他而言，具有历史性的意义。尽管在过去的几个月里他干过两个行当，但小卖部和铸造厂不是执照是别人的，就是干的地下“黑”工厂。

“这回‘深圳市银山包装制品有限公司’可是国家正式承认的公司！而且法人代表那一栏上明明白白写着楷体的‘欧阳祥山’四个字呢！哎，这下子我可以打名片了！”有一次老朋友、梅林派出所的副所长叶发德上欧阳家，欧阳举着执照跟人家这么说。

泡沫厂上马了，欧阳这才发现真正当老板并不那么简单！他自己手头的钱有限，童先生其实并不比他强多少，注册资金抽走后仅以技术参股，所以实际上泡沫厂还是欧阳一个人撑着。

塑料泡沫制品的生产过程并不太复杂，设备则比铸造要讲究得多。一全套像样的泡沫制品设备，得 30 多万元，单纯的蒸汽锅炉就得 6 万元，还有预发机、压缩机等设备怎么办？欧阳又一次感到像当初购置铸造炉子那么难了。还是老办法，新设备买不起，寻找别人遗弃的旧设备吧。

“神鹰”再次出动。

快跑断腿的欧阳最后锁定了位于水贝的深圳石化泡沫塑胶厂

的垃圾堆——那垃圾堆里有人家准备扔掉的几台旧设备。生意很快谈成："归你欧老板，我们的条件是，你越快把这些破玩意儿给我们清理走越好！"卖主这么说。

欧阳立即谦和道："好，好，没问题！没问题！"

遗弃在垃圾堆里的旧设备和泥土粘在一起，欧阳让妻子从湖北驻深圳的外贸公司办事处租借了一台吊车，费了大半夜工夫，才算把6台旧板材机——通常被称为"土炮机"的设备吊上车，运了回来。

又是6台！与上次铸造厂搞的破设备一样。"六六大顺嘛！"妻子逗丈夫，欧阳则冲着满是泥巴的旧设备直喘粗气。

六又六，对欧阳来说并不顺。他在张罗完塑料泡沫制品的一系列配套设备后，正满怀干劲准备投入正式生产时，深圳特区出台了一则新规定：所有工业锅炉不准烧柴油。原因是用柴油造成的污染太严重，相关企业只能改用电。

欧阳一听就叫苦。制造泡沫板本来利润就薄，如果柴油改电，所有的利润等于泡了汤！无奈，欧阳只得把刚刚建起的工厂迁至关外的宝安西乡，关外的锅炉可以用煤。

到了西乡后，欧阳了解到这儿的加油站对面也有一家泡沫制品厂，老板叫章冠威，是客家人，从事泡沫行业多年，为人厚道。欧阳喜欢跟这样的人一起干事。章老板见欧阳热情真诚，于是俩人商定联手作业，一时间泡沫厂经营得有声有色。

经过从关内到关外的搬迁，欧阳意识到早晚有一天这关外烧煤的泡沫厂也会受到政府有关部门的限制。因为解决环境污染是特区政府的一项长远之计。营长出身的欧阳懂得兵家之道，与其让别人赶着东躲西藏，不如提前撤出，变被动为主动！

从泡沫制品厂撤出，欧阳并没有受损失，他把旧设备全部卖给了与他一起经营的章冠威和顺德的一位老板，自己还赚了一些薄利。

欧阳说，在生意场上，每逢生死存亡之时，薄利就可能是大利。因为你如果不提前撤出危险境地，就可能全军覆没、倾家荡产。与这相比，薄利就是大利。

欧阳觉得，生意做到七成时就该放手了，留出三成利给人家做。你得迅速调整战术，重新瞄准新的生意，再辟生财的战场。如果你在一个行当把所赚的利占得满满的，这个时候如果你再不出手，弄不好一夜的工夫会把你过去赚的钱全部赔个精光。

我想，这也是欧阳日后成功生财的一条经典秘诀。

现在包括欧阳自己在内，和那些喜欢吹捧他的人，都把欧阳早期一次次办厂的经历说成是“成功”，其实并不客观。实事求是而言，初入商海的欧阳，对经商和生意之道并不熟悉，尤其是办企业，他更是门外汉。与所有刚刚下海者不一样的是，欧阳有两大可贵之处：一是他能在失败中不断总结经验教训，二是面对失败他从不停止追求的脚步。他很喜欢马克思的这段话：“商品惊险地跳跃，这个跳跃如果不成功，摔坏的不是商品，一定是商品的所有者。”

“从商其实就是一种人生的跳跃过程，而且是惊险的跳跃过程。你首先得敢跳，其次要学会跳，再者是要跳出水平来。”这是欧阳对“下海”的“三段论”总结。

走出军营的头几个月里，从某种意义上讲，由于缺乏经验，欧阳像只无头的苍蝇，到处飞舞又到处碰壁。当然，这期间他也闻到过不少胜利的“果香”。

欧阳有一个很大的特点，就是善于观察和好学。在经营泡沫厂时，他认识了一位姓林的面包厂老板，两人一来二去便成了好朋友。欧阳从林老板那儿了解到面包厂投资少，制作程序简易，需要的人手也不多，只要有几个固定的客户帮衬，销路便不成问题。欧阳觉得这种经营很适合自己时下的情况，所以在泡沫厂转让给他人后，他就立即转向，投资开办了一间面包厂。

生意果真不错。一万多元的投资，雇上几个员工，再找上几个固定客户，每天送出去的货基本上不见回货。欧阳闻着香喷喷的面包，心头也在甜滋滋地想：这可能就是我要寻找的理想之道——投入少，工作环境清洁，干活不累，利润又不薄。

但生意场就这么复杂，正当欧阳每天陶醉在香喷喷的“面包命运曲”之中时，深圳市面上的面包突然越来越多，好像一夜之间“发酵”出无数面包商！

欧阳先是采取了比别人拉出去更多面包的办法，不断地跟人家抢市场，之后发现别人跟自己压价。压就压呗！欧阳心想，我就压根儿没想赚大钱，你赚一毛，我就只赚五分，你赚五分我就赚二分、一分！可即便这样，没过多少日子，他的面包就根本卖不动了。拉出去多少，拉回来的也是这么多。面包不像其他可以久放的物品，你一两天出不了手，就得变质扔掉。个别黑心面包厂老板把拉回来的面包晒干后再磨成粉，重新加工成新鲜面包出售。欧阳因为从小牵着瞎眼姐夫给人算命时，有人家给过他馊饭馊菜，一吃这些东西他就闹肚子，有一回他差点拉断肠子，因此特别厌恶这类事。面包厂刚开张，前期的好生意也才没几天，怎么办？

挺吧，挺一天是一天吧！可是每天加工出的面包越来越多地被退回来，之后又迅速变质被白白扔掉。棘手！真是棘手！欧阳突然又想了一招：办个养猪场吧。他想，既然做面包的人那么多，肯定有市场需求。不是现在每天都有面包退回来吗？我退你也退，大家都退。总有一天会退到谁也受不了的时候吧？

单说现在，你们把变质的面包磨成粉后重新卖出去，总有一天消费者受害后不会再买你的面包了吧？那时我再卖，胜利的还是我。眼下我可不能搞“黑心面包”，我亏点，亏点我也不会白亏——我把变质的面包变成猪饲料，面包没赚到钱，养肥了猪还不照样赚钱？

可是欧阳没有想到的是：面包的竞争之战竟然越打越激烈，几十天过去后仍不见明朗的胜者与败者。用变质的面包办养猪场固然是一条路子，他养的猪也由两头一直发展到 11 头大猪，猪个个长得像没有骨头似的。但毕竟用高价买回面粉，再制作成面包，后转化为猪饲料，这样去养肥猪崽，成本实在太高。欧阳从干小卖部的第一天起就在内心立下一条铁规：绝不做赔本生意。一旦出现本钱亏损，立即洗手不干！

两个月后，面包厂被迫关张。

关张的那一天，欧阳独自待在面包机房，一连抽了两包烟。他在寻思自己几个月来在经商方面的一次次失败教训，似乎渐渐得到一个结论：选有市场的行当干固然重要，更重要的还得在水平和技术上优于别人。

抱住这条自己总结出的经验，欧阳在关闭面包厂和养猪场后，经过反复调查和考察，决定与一位认识不久的纸箱厂老板合作开办纸箱厂。欧阳认为：深圳是个转口商品特别多的新兴城市，纸箱包装业方兴未艾，因此决定办纸箱厂。合作伙伴叫苟方生，四川人，虽然资金不足，但已有几年的纸箱制品生产经验。

“这个行业不像办面包厂那么简单。这回要干我们就得在技术设备上领先于别人，否则前景不大。”欧阳与苟老板商定合伙后，提出了自己对联合办纸箱厂的看法。

“哎呀，欧阳先生，有你这思路，咱们的纸箱厂肯定赚大钱！”苟老板欣喜万分，双手握着欧阳的手不放，仿佛对方的手里捏着的就是金子。

欧阳这回一反“小气出手”“步步为营”的做法，他拿出自己所有的积蓄，和苟老板共同集资 13 万元，购买了当时深圳小型纸箱制品界最为先进的设备。果不其然，由于他的纸箱设备先进，制造出的纸箱样式和质量高别人一筹，生意因此一路红火。接踵而来的业务，使得纸箱厂每天必须加班加点才能完得了活。

听着车间内隆隆轰鸣的机器声，欧阳的脸上露出了笑容：这回总算找对行业了！

"哎呀不行了、不行了！"一日，欧阳出去办事刚回到厂里，苟方生垂头丧气地对他说："老弟，实在对不起，我一直是做小本生意的，我想撤出纸箱厂……"

欧阳很震惊："干吗？你慢慢说，我欧阳哪个地方做得对不住你？"

"没有，不是你对不住我，而是市场对不住我，我的欧阳兄弟，你没有看到现在我们的生意越来越惨淡了吗？"苟老板说。

"这我知道，可做生意总有旺季和淡季吧，前段时间你也看到了我们的生意有多好！"

"是啊，可现在不行了……求求欧阳老弟开开恩，你就放我一马吧，把纸箱厂的股份还给我，我一家老小可全靠它活命呢！"苟老板说得好可怜。

欧阳紧锁眉头思忖片刻，说："既然你决心已下，那就照你说的办。"

纸箱厂现在成了欧阳一人投资的企业。让欧阳不明白的是为什么一直红火了两个多月的纸箱厂咋就这么短命？他再次发动"神鹰"，一连暗访了其他几个同行厂，不看不知道，一看真把欧阳吓出了一身冷汗：原来人家的设备比他的更先进、规模更大，厂房也更有模样！

那天，欧阳拖着疲惫的身子刚刚回到自己的厂子，几位停机待活的雇员向他伸手要工资，欧阳左右上下掏起口袋，费了好大力才应付过这一尴尬场面。

往日机器轰鸣、人来人往的车间，此时人去机停。欧阳昂首喊了一声："老天，干吗跟我欧阳一个穷小子过不去呀？"

悲号的声音在车间回荡了几遍，但始终不见"老天"的回音。

欧阳无法面对这一次又一次的失败，但又必须接受这样的严酷现实。最后，欧阳忍痛割爱将纸箱厂以每月5000元的租金承包给了来自湖南的吴连清夫妇。虽然这也并不是最坏的结局，但纸箱厂占用了10多万元设备资金，使他无法再度拓展"伟业"。

漫漫征途，路在何处？

万家灯火辉煌时，欧阳独自一人徘徊在深南大道上……一辆辆崭新的奔驰、皇冠、丰田、本田从身边迅速掠过，更有成群结队的老板们在豪华酒店门口有说有笑地调侃着"今天你赚了几个亿""明儿我保证走在你前面"一类的"海语"。极度自卑的欧阳见后忙躲闪到马路一边，"汪！汪汪！汪！——"忽地几条脖子上系着响铃的狗崽在欧阳前后蹦跳嬉闹着……"老子连条狗都不如！"

"你以为呢！现在深圳有钱人牵的一条狗少则几千元，也有上万元，甚至几万、几十万元的！你可别傻帽去踢这些狗，弄不好你还赔不起一条狗钱呢！"欧阳回头一看，哟，是深圳公安五处军犬队徐队长。深圳真新鲜，什么时尚就有人干什么。

欧阳一看是熟人，便哭丧着脸勉强地应酬道："老哥，你这话中有话，是说我连狗都不如？"

徐队长整天与军犬打交道惯了，又跟欧阳熟，说话没有客套："你以为你真比狗值钱？"

欧阳长叹一声："是啊，人家一条狗，几万、几十万元，我欧阳怕是连皮带肉不值千儿八百！"

"对呀，所以我来提醒你，瞅什么都可以不当回事，千万别看轻了深圳的狗！”徐队长说话幽默。

两人笑过之后，欧阳突然拉住徐队长，眼睛瞪得溜圆："哎，兄弟，你有经验，我们一起养狗吧！"

"哎……你欧阳？一个堂堂的武警营长，我军优秀干部，模范连队的旗手，现在要养狗糊口？"

"好了兄弟，你就别挖苦我了！我现在是无业游民一个！乞丐加穷光蛋！能养狗糊口已经是你徐大队长赐的福了！快说，干不干？"欧阳心急火燎，根本没心思开玩笑。

徐队长瞅瞅欧阳，又用右手支着下巴颏，喃喃道："现在深圳有钱人越来越多，养狗确实是条生财路子。你欧阳老兄是武警出身，干这活手到钱来，我看可以！"这老兄一看便知是性情中人，竟然"当当当"地拍起自己的胸脯。

上南京进货的一路上，欧阳闲着闭目养神时，怎么也弄不明白自己咋就干起养狗的行当了！唉——人生如梦啊！

从南京运回一条小军犬，成本在2000元左右，回到深圳驯养一番，可以卖到一万多元，甚至几万元、几十万元，利润十分可观。然而，再好的生意一到欧阳这儿，似乎都是生不逢时，他干什么，后面准有人给他堵路。山坡上的狗场，是他用石块废砖经过8个昼夜垒成的。当欧阳费尽力气将十几条军犬从南京运回后，一日忽听徐队长惊慌失措地告诉他：政府成立了"打狗队"，严禁开设一切私人养狗场。

"这这……这可怎么办？"欧阳一听，如同晴天霹雳。

"我也不知怎么办。总之得赶紧出手，能弄回几个钱就算几个呗！"

说得轻巧！欧阳沮丧万分地颓然而坐，身后那群等食的小军犬则得意地冲他"汪汪汪"地欢叫。

"叫什么？再叫老子全宰了你们！"欧阳对着小军犬怒吼起来。

第十一章　车缘结情缘，好人命该如此

那几日，深圳“打狗队”的勇士们开着警车，每天出没在大街小巷，整个深圳一时间有些鸡犬不宁。其实真正惊恐的倒并非狗崽，而是那些养狗的人。深圳狗多，是因为这个新兴的城市经历十几年的发展后，确实使不少人富了起来。人一富担心的事就多了，而这个时候市民们经常从媒体和亲友的嘴里听到一些很吓人的凶杀之类的案件，通常这类要命的恶性案件都是入室抢劫。后来还出现了多起在大街上明目张胆地持刀杀人的案件……干坏事的人是少数，却让多数市民感到一种强烈的不安全感，于是养狗防身护室成了深圳市富人一时竞相仿效的事。狗，就是这么多起来的，并且多得叫人烦而无奈。

有人养狗，就会有人做卖狗的生意。都说南方人会做生意，其实像深圳这样的外地打工者占多数人口的新兴城市，每一种生活和社会现象的出现，必然会诱发出无数寻求生存的人的从商念头。狗业的兴旺，便是数以万计生活与社会新现象催发出的一种生意经。欧阳事后经常自个儿发笑：在武警部队干了这么多年，咋就不多拐个弯，想一想养狗卖狗早晚得受到政府和治安的严厉管制呢！还真没有想过，欧阳自嘲道：人一穷，真的就会丧失一些基本的判断能力。

“打狗队”的出现，让欧阳的情绪跌入最低谷。他甚至怀疑自己天生就比不上深圳这块地盘上的生意人。

走！走得远远的！一连几日，欧阳驾着那辆前阵子购置的人货两用车，毫无目的地奔走在远离深圳的广州番禺区、佛山的九江镇和东莞的新塘镇之间。其实了解欧阳的人都知道，在他离开部队后的每一个日子里，即使是闭上眼睛的夜晚，他欧阳也没有停止过一分钟的思考和观察。有同行对他做过这样一个评价：欧阳祥山比任何一只精明的狼都精明，别人睡着时，他醒着；别人醒着时，他已准备出击；别人以为他睡着时，他正在寻求新的出击目标。

此次的广州番禺、佛山九江、东莞新塘之行，欧阳真正的目的肯定也是在搜猎目标。只是“打狗队”疯狂地追击他的养狗场后，令他十分郁闷的心情增添了某种焦躁。但我们也许已经发现他的一个特点：再苦闷再挫折时，一旦与车子相伴，欧阳就会变得心情舒畅万分。花 2000 元购来的“神鹰”给欧阳离开军营后的生活带来过不少快活和惬意，尽管比起从身边飞驰而过的一辆辆皇冠和奔驰逊色与寒酸，可加大马力后飞转的车轮，仍然使欧阳感到一种刺激和威风。

欧阳从骨子里渴望自己也能有辆像样的车子。不是有人说过在深圳看一个人有没有身份，看一下他的车子就行了。为此，欧阳发过誓：一旦有钱，就买辆皇冠，体体面面地驰骋于生意场，这是欧阳走出军营后渴求在公众场合仍然保持自我高大形象的最大心愿。然而这个心愿在他初入商界时，几乎不敢去想。正式划入他名下的第一辆车是欧阳驾驶的这辆人货两用车，这也是他“银山公司”的第一份“固定资产”。别小看了这辆走起路来“吱嘎”乱叫的车子，欧阳正是靠这辆车子连接了通向财富之路和成为知名企业家的征途。

人生的机遇常常很奇妙，欧阳的人生真是由无数传奇和妙遇联结而成的。

在他办纸箱厂时，因为送货运物的需要，他不得不花几万元到广州番禺的旧车市场购置了这辆人货两用车。养狗场失意后，欧阳一时对深圳产生了倦意，便驾着他的人货两用车重新回到广州番禺的旧车市场，这回他不是想买车，而是想卖车——把已经没有了拉送货物之需的两用车卖掉。

“兄弟啊，做生意可不像你在部队里带兵那么简单，你大营长一声令下，全体官兵就冲锋陷阵实现胜利目标。这做生意越是心急越吃不得热豆腐。你现在不是不开厂了吗？要不，你就跟我干！”佛山九江自由市场上，欧阳认识了来自广东始兴县的曾经担任过交警大队队长的华明雄，彼此一交谈，才发现两人曾经还是省军区独立师英德河头教导队的老战友。华队长见欧阳垂头丧气的样子，便这样怂恿他。

“你现在是车老板，我能跟你干什么？”欧阳泄气道。

“你人实在，驾驶技术又好，帮我们送车怎么样？这活虽然苦一点，但赚钱不薄。”同华队长一起的成茂明和钟小杰两位老哥都这么说。

欧阳什么苦没吃过，一听“赚钱不薄”这四个字就眼睛发亮，忙答应：“行！老战友，你吃肉，我能有口粥喝就行。”

送车是指有人从广东佛山车市那边买了车后，他们就负责帮助买主将车开到指定的地方。他们的主要服务对象是江西赣州的买主。从广东佛山到江西赣州相隔千里，途中翻山越岭，道路崎岖不平，送车的活儿非常辛苦，一路颠簸不说，十几个小时要穿越无数县界市界，沿途各种路情社情相当复杂，送车者的任务是必须保证车子完好无损地送到目的地，风险很大。因此送一趟车，尤其是高价车，一次送车费能达 8000 元，普通车也有 4000 元的收入。欧阳觉得这个行当虽然辛苦也有风险，但赚钱稳当又来得快，而且是自己能看得见摸得着的生意，不像办厂，投下去后，其前景总像一团迷雾。这送车不一样，钱多钱少，全在自己的双手里握着。你只要肯吃苦，不怕险，“奶酪”就放在你面前。

欧阳这回彻底放下了在深圳当小老板的那份虚荣，让妻子给他带上几瓶用矿泉水瓶灌满的白开水和十几个茶叶蛋及面包，扒掉上衣，登上驾驶室，完完全全成了个运车司机。反正，谁也看不到，谁也不认识。从广东到江西，千里路线上，欧阳第一次感觉到自由自在的劳动其实也很爽。饿了，啃两口面包；渴了，喝几口水；困了，发动机一灭，驾驶窗的玻璃摇好，头往座椅上一靠，呼呼大睡……哈哈，爽！什么尊严，什么面子，只要活着，只要方向盘在转动，只要把钱挣到手，一切都无关紧要。

那十多天，欧阳似乎忘了自己是谁，他的眼里只有路，只有开不完的路，只有弯弯曲曲、稍不留意便会坠入深谷的险峻之路，只有能用他的汗水和生命换取钞票的路。

为了避免沿路交警盘查耽搁时间，欧阳选择的都是无人行走的小路、险路、山路，最让欧阳难忘的是行驶在新丰县到翁远县的青云山顶上，山势极为险要，道路曲折无比，60 多公里的行程，途中没有 30 米的路是直的，夜间行车胆战心惊，没有过人的车技和胆量是难以完成任务的。那一天，当欧阳从华队长手里接过 3 万多块钱时，他想放声大笑，却分明感觉到心头充溢着一股酸楚的感觉，最后只是心事重重地蹲在一旁默然无语……

“欧阳，你怎么啦？要是吃不消就算了，下回我给你找个省心省力点的活儿。”华队长很不安。

“别别，千万别辞我！我能干！能！”欧阳“噌”地从地上站起，身子笔挺地转向华队长报告。

“那——你要真扛不住的时候，一定给我说一声。”

“没事。保证没事。”

“要不我们四人结拜为兄弟吧，按年龄我是老大，成茂明为老二，老三是钟小杰，你应该是老四了。”华队长提议道。

“谢谢大哥、二哥、三哥看得起我，我认了。”欧阳感激地说。

他们三个老兄并不了解欧阳继续留下来的目的。打在自由市场干上运车的活儿后，欧阳一有空就在市场里转悠。由于这个市场曾是走私车的集散地，车价一向便宜，因此生意也很红火。欧阳在部队就喜欢车，如今整天在车的海洋里游荡，更使他对各种车子的性能和价格发生了兴趣。好学钻研的他，不出多日便成了车市的一名行家。

有一天，欧阳又像往常一样在车市内转悠，见一高一矮两位青年男子正在一部黑色林肯车前品头论足，兴致极高。

“老板，这辆‘林肯’要多少钱？”小个子男子问卖车老板。

车主用老练的目光扫了一眼这对急于想买车、操着外地口音的青年，眼睛朝天道：“65万，一分不少！”

“65万？是不是贵了一点？”那对青年交换了下眼神后，轻轻嘘了一声，但仍然爱不释手地抚摸着“林肯”。大个子用手捅捅小个子的胳膊：“气派还是蛮气派的喔！”

“大哥，能不能再便宜点？”小个子转头又和颜悦色地询问车主。

“我是痛快人，65万是我的开口价，也是我的收口价。”车主面不改色地回答道。

通过这一幕欧阳看得出其中的小个子是老板，高个子是助手。这对年轻人显然是对林肯车情有独钟，在车市转悠了半天还是想买林肯，但对价格又实在没把握。这时他们经人指点找到了同样在车市转悠的欧阳。虽然离开了部队，但欧阳一直身着军裤，加上他对各种车的钻研劲，一下子让这对年轻人像是看到了救星。

“这位大哥，能帮我看看车吗？”

“你真想买这车？”

“真想，我们就只想买它！”

“那你把价压到25万。”

那小个子瞪圆了双眼看着欧阳：“不太可能吧？”

欧阳用眼色使劲向他们示意，然后便不露声色地溜到了一边……

“先生，太谢谢你了！成交了！我们把车子买下了！太谢谢了！谢谢！”不一会儿，那对年轻人兴高采烈地跑到欧阳跟前。

“多少价？”

“25万，就你说的25万元！”

欧阳笑了，笑得很开心。

“先生，你让我们整整少花了40万，所以，这15万元是我们表示对你的谢意。”买车的小个子从皮包里取出一大捆现金，想塞给欧阳。

“这怎么行？我不能要，不能要！你们快收起来……”欧阳想不到会有这样的结果，他无论如何也不肯接受。

三人推让半天，最后还是买车的小个子把钱收了起来。

“看得出，你是君子一个！我们交个朋友怎么样？我叫王国明，这是我的助理小沈。我们是浙江绍兴人，开商场经营电器和摩托车，你要是去我们老家，只要打听一下我王国明，基本没有人不知道的。”自称王国明的浙江人一定要请欧阳喝咖啡去。于是三人在咖啡馆里海阔天空聊了一番后，成了真正的朋友。王国明买完车后，发现无法将车运回浙江，这时欧阳又将自己结拜的三位大哥介绍给王国明，于是华队长安排老二和老三将车安全送到王国明老家绍兴。

几次交谈后，王国明主动提出愿意成为几兄弟中的老五，同时又得知欧阳也曾做过电器生意，觉得这位军人出身的新朋友值得深交，便主动提出要和欧阳合伙做空调生意。

“资金方面你不用考虑，我先给你100万，你帮我运三菱空调到浙江，但一定要保证货品的正宗，在我不需要货的时候，这100万你可以自由使用。”老五不愧是大亨，出手大方又义气。“这是我老五借给你老四的，我们兄弟就不用谈利息了。”

“好兄弟……谢谢你看得起四哥。”这回激动的是欧阳。

100万元！我也有100万元可以自由支配的本钱了！这在半年前是想都不敢想的事，现在却是实实在在的事——欧阳捏着100万元的活期存折，看看笑笑，笑笑再看看，心里充满了意想不到的喜悦。

往江西送车的活儿就此结束了，欧阳开启了拳打脚踢式的忙生意的生活。他恨不得将自己分成十个人，十路出击，将生意机遇抓住不放，将能赚进的铜板都牢牢捏住。

一日，妻子从一个做印刷生意的朋友口中得知深圳蛇口的天福印刷厂时下经营艰难，几近倒闭，正欲低价对外承包。欧阳对印制业颇为熟悉，也深知这天福印刷厂过去吃亏就吃在企业规模小上。当他到天福印刷厂考察后，当下就做出了承包此厂的决定。

“慢点慢点。放正中，对对，就这样。”

“椅子？椅子得那种后靠背高高的，又能转动的那种……”

第一天上午进了天福印刷厂“总经理”室后，欧阳就没有出过门槛一步——这是他从商数月来第一次有了自己的办公室。那感觉实在太好了：宽宽的老板桌、能转动360度的老板椅、新印刷的名片——上面赫然印着“天福印刷厂董事长兼总经理”的字样……是嘛，董事长兼总经理，这身份可以表明他是这个企业的最高权威，也是唯一的绝对的“皇帝”。哈哈哈，老板椅里的欧阳忽而坐起，忽而又坐下，将身上的西服领带扯得平平整整。这一天，他的脸上始终带着笑意，所有来见他的人都会得到一张名片，不管是本厂的还是外厂的，只要遇见他欧阳，他都会笑容满面地递上名片，并不忘记说一句“多多关照”。

“欧总！”

“欧总好！”

要出门了，自然一方面是业务需要，另一方面，欧阳感觉该是他在深圳地面上堂而皇之地公开身份的时候了。以前办这厂那厂，并非欧阳心目中的“老板”形象。这回他当老板既非皮包式的，也非外强中干的穷光蛋，管它是承包还是非承包的，反正是账面上有百万资金、地面上有规模达到中型厂房公司的老板。这样的老板，与他欧阳曾经是营职干部的身份颇为匹配，所以他认为现在可以去见任何人了，即使是老部队的首长和熟人。

可是当他一出总经理办公室大门，走向自己的“专车”时，他皱起了眉头：人货两用车太次了，这样的车让人一看便知是口袋里没几个钱的小老板。得换辆车！可一辆有派头的好车就得几十万啊！欧阳掐了下手指，觉得目前还不具备这个实力。于是他经过一番“侦察”，从一家外资厂那儿买回了一辆福特“的士头”。但欧阳开了一两个月后，由于卖方是外资厂车不能过户，所以只得原价退回。

没有像样的车，这“董事长兼总经理”只能在屋里待着，欧阳感到有些憋气。买！干脆买辆“皇冠！”这回欧阳咬咬牙，出手28.5万元买了一部手动3.0皇冠光头车，在老朋友的帮助下，跑到广西百色市买了全套车牌手续，然后过户到汕尾市。这个周折减少了差不多15万元的车价。

哈！坐“皇冠”和开“皇冠”的感觉就是不一样。那些日子，有事没事，欧阳总会穿得整整齐齐地坐在“皇冠”里到处转悠，一身派头地出现在各种场合。在大街上，他的车子所到之处，可以看到保安们毕恭毕敬，也可以看到路人羡慕和敬畏的目光。尤其是多次“无意间”出现在老部队的营房门口，让战友或首长们看到后，听到那一声声“欧阳了不得啊”“皇冠都坐上了”这样的评语时，尽管欧阳他嘴上说着“小意思”“温饱水平”一类的客套话，可心底的小小虚荣心和成就感却获得了极大的满足。每个平凡的人，内心或许都是这样。

手动 3.0“皇冠”开了才一个月，人们发现欧阳又坐上了一辆更高级的自动挡“皇冠”。那轻盈、那流线、那舒适，更重要的是那气派，使欧阳完完全全地进入了“大老板”的感觉。说来可笑，当欧阳将以 32.5 万元买来的这台自动挡“皇冠”开到深圳统建大楼时，有位姓伍的老板死活希望欧阳将这车转让给他。

“价钱你说，我是要定你这车了！”那老板几次拉住欧阳不放。

聪明的欧阳早已看出此人买此车的用意，于是便半推半就道：“我就靠这车装装门面，你要买走了，我欧阳就啥也不是了！”

“哎——你欧总就是骑辆自行车，我看哪个人敢说你不是大老板！我不一样，小本生意，能有这辆自动挡皇冠，就是要充充门面。欧总你这么个大老板，还在乎这一辆嘛！”

“你真想买？”欧阳开始认真起来。

“肯定想买！”

欧阳随即一副皱眉的样子：“我真有点舍不得，它跟我刚刚有感情了，再说当时我买这车价钱可不低……”

那人立即打断欧阳的话：“价你开，我既然想要，就不能亏着你欧总嘛！”

这时的欧阳开始进入卖主角色。他很沉稳，最后又很痛苦地说：“这样吧，我不把感情价放进去了，60 万，求个顺字吧！”

“60 万？！”那人眨了眨眼睛，继而笑嘻嘻地挽起欧阳的手恳求道：“欧总，你是大老板，不在乎小钱。我呢，刚在商海里转，没沾几滴水，你高抬贵手，让小弟 10 万行吗？”

欧阳面不改色地深思片刻后，说：“这样吧，我在开价上退 5 万……”

“那饶 2 万。”

“那好吧！算我们一个交情，53 万成交！”欧阳将车钥匙握在手里。

“谢谢欧总！”那人迫不及待地抢过钥匙。

试车时，那人笑声朗朗，似乎找到了从未有过的满足感。此时的欧阳，你看他脸上只有一丝笑容，其实他胸膛内的那颗心，跳得快要蹦出来了：32.5万元买进，不到两个月，净赚20.5万元！

真是“货如轮转，钱似水流”。欧阳望着飞驰的“皇冠”，他似乎明白了许多商道上的事——身份、财富、个人气度、临场表演……它们都像一个个神秘的魔女，会让低贱的你高贵起来，让高贵的你更加高贵。当然，有时也会让真实的你隐蔽在朦胧中，让朦胧里的你露出丑陋的尾巴。

第十二章　诚信和友情是一种境界

老实说，随着与欧阳交往得越来越深入，我已经不再特别敬佩他的苦干精神了。因为靠苦干干出名堂的人多得是，一个捡破烂的人靠苦干在三五年、十来年成为“百万富翁”，在中国可以找出一大堆。不用说，在商界通过苦干、巧干积聚财富发了家的人更多。我敬佩欧阳祥山的是他坚忍不拔、无止境的追求，以及在这种追求中始终能保持一种诚义。

“诚义”，我将其概括为诚实、诚信、义气和交情这四种为人之道的组合体，这其实是一种人生态度，也是一种做人的品德。

在中国传统文化中，除了“诚”字以外还有一个重要的东西，就是“义”。义，是一种感情，是一种道义，是一种为人的原则，它有时超过爱情和亲情的分量。

义，很多时候恰恰又体现在军人出身的人身上。他们之所以能比一般人讲义气，是因为特殊的磨炼使这种职业的人容易相互之间产生超越爱情和亲情的另一种情，这就是义。

商道上有句话叫做“无商不奸”。做生意不“奸”确实不太可能发财，但奸商未必都成大器。真正从商成大业的人，恰恰最讲求诚义。

欧阳的身上有股浓烈的诚义之气。

他的许多成功事例与人生转折关头都与这两个字相连。世上没有哪一个成功者的辉煌之旅不遇风险和困难的，有人靠意志战胜，有人靠智慧战胜，但有些风险和困难单靠意志和智慧也未必能闯过，这个时候运气就占了很大因素。有人把运气当做天意，其实所谓的运气在很大程度上考量的是你这个人以往和日常生活中的为人之道是否能够得“天助”，这里的“天助”说白了还是你自己长期建立的人际关系和社会资源是否积淀得坚实，你的人格是否卓越。

一年多折腾后，欧阳已经从一名只知稍息立正的军官，摇身一变成为身价“百万”的小富翁了。这种短时间内的跨越不是靠汗水和埋头苦干就能得到的。

口袋里能有100万，在普通中国人的眼里绝对是个大数。这对一个从军17年、最后只拿到6500元转业费的转业军人来说，是个绝对的大数。从6500元到100万元，此刻的欧阳似乎该知足了，这个好面子的人现在也有了很好的面子。

欧阳其实也非常得意，但放眼深圳，有钱人实在太多，口袋里能有百万的人满街都是。这让欧阳感到自己仍然“太土”，骨子里还是“土老帽”。他将目光投向了更远处……

可欧阳发现，小富之后，前面的路竟然再也不那么清晰了——

往日一个月挣千儿八百的小卖部生意他觉得积累太慢；建炉烧窑的半地下工厂他嫌做贼般地滋味难熬；倒腾辆“皇冠”赚上一二十万元的运气又不可能天天有……欧阳一时有些不知所措。

“欧阳兄弟，你现在忙什么呢？”一天，一个熟悉的声音从电话中传来。

“哎呀樊总，怎么会是你啊！”欧阳一听对方的口音立即兴奋起来。

“是我。哎，我想问问你，现在你真的没有什么大事要做？”那个被欧阳称之为“樊总”的人在电话里询问道。

“没事做，也一时想不出什么事是能让我做得了的……”欧阳有些惭愧。

“要这样的话，我想问问你，愿不愿上我丰润集团干？”

这句话让欧阳一下激动起来——他欧阳现在的“百万资产”与人家“丰润”的10多个亿相比，简直小巫见大巫。就说欧阳现在口袋里有的那100万吧，他在深圳往那些街头摆水果摊的人群里一站，还算马马虎虎是个人，要是上那些金座银座的写字楼里跟那些白领们一站，他欧阳就是“看门族”和“保安族”一类的人，假如他再跟那些以自己公司名义盖大楼的老板站在一起，欧阳甚至连个伙夫、司机还不一定够格。

一句话，揣了“百万”的欧阳，在深圳、在有钱人那儿他还是穷人一个。

“樊总”的一句话，是迷茫之际的欧阳身家“百万”之后的一大人生转折。这个转折到底有多大，欧阳自己说，“那是一个地上、一个天上的差距”。欧阳还有一句由衷的话：“我的事业和人生道路能走到今天，与樊总的帮助和人缘密不可分。”

然而，在香港地产界名声显赫的樊总也说：“欧阳祥山这个人，是我成就大业不可替代的好兄弟。”

“樊总”大名叫樊迎朝，祖籍河南洛阳，时任香港丰润集团董事长，以房地产开发为主业，曾担任过深圳湾大酒店的总经理。欧阳与此公天生有缘，两人结识于好多年前欧阳在部队当副大队长之时。

那年欧阳的父母从湖北老家到深圳探亲，途经广州。那天欧阳为接父母来部队，借了一辆摩托车赶到深圳火车站，准备再从深圳火车站乘车赶往广州火车站去接人。匆忙间欧阳将摩托车放在深圳火车站附近的一个战友符锡文家门口。由于匆忙，欧阳满头大汗地在火车发动前的最后一分钟跑上了火车，待他上了火车后突然想起刚刚放在战友家门口的摩托车没上锁。摩托车是借的，万一丢了对于欧阳来说可不是小事。他心急火燎想给战友打个电话，可火车上没有固定电话。1990年那会儿手机又不普及，只有少数有钱人已经才有那种像方砖一样的“大哥大”。急出一身大汗的欧阳在车厢里到处寻找有“大哥大”的“老板”，想求个情借用一下。突然欧阳的眼前一亮：一位一手拎着公文箱、一手正在打“大哥大”的老板模样的人正在车厢的另一头找座位，之后将电话放进了公文箱搁在行李架上坐了下来……

“老板，我有点急事，能不能借您的‘大哥大’打个电话？”欧阳看准那人放“大哥大”的时机，凭借着一身警服和一脸诚实、焦急的神色，温言细语地凑到人家座位旁。

“大哥大”的主人先是发愣，“你怎么知道我有‘大哥大’？”

“我在另一头已经侦察到了。”欧阳红着脸笑道。

“大哥大”的主人继而打量起毕恭毕敬站在他面前的军人欧阳。片刻，他起身开箱递过“大哥大”，说：“打吧！”

“谢谢老板！”欧阳感激地接过他从未握过的“大哥大”，随即快速地打完电话，然后再次感谢。

“别那么客气。来来，你也是到广州？咱们坐一起。坐！”

“哎！谢谢！”

这么来回地几句客气和寒暄，俩人便很快相识并神聊起来，而到下火车时，欧阳与那老板已经大有“相识恨晚”之感。

此人便是“樊总”，樊迎朝。在火车上的这次相遇，竟然影响了彼此一生的事业与命运。

“你是欧阳先生吗？我是樊迎朝呀！有点事想麻烦你一下……”出广州火车站分别一年后的6月某一天，欧阳正在部队营房内，突然接到这样一个电话。原来樊迎朝的弟弟从内地到深圳因没有带进入特区的边防证，被边防检查站挡住了。樊迎朝想到了一面之交的深圳“武警朋友”欧阳祥山，于是就打电话过来求助。欧阳一听，是曾经帮助过他的“朋友”，便立即请示报告了有关部门后，亲自赶到检查站把樊迎朝的弟弟接进了深圳……

就是这样一来一回的相互帮助，欧阳与大老板樊迎朝建立了深厚的友情。樊老板驰骋商界多年，经验丰富，生意做得很大。欧阳觉得自己刚刚下海，虽经小试尝到一点“海水的味道”，但真正要在商海中畅游，没有高手的提携和指导，绝对不可能娴熟地在各种情况下都能应付汹涌的波浪。樊迎朝无疑是欧阳认为的最理想的从商导师。其实一年多前欧阳在考虑从部队转业的志愿方向时就讨教过樊迎朝。

“既然决定离开部队，就干脆‘下海’！”樊迎朝当时对欧阳选择转业志愿起了决定性的引导作用。正是樊迎朝的两句话给了欧阳具有挑战性的激励，樊迎朝的后一句是这样说的：“下不下海由你自己决定，但到了海里后我老樊会尽全力让你学会搏浪……”

朋友一生一起走，
一声朋友你会懂。
一句话，一辈子，
一生情，一杯酒……

《朋友》成了欧阳平时最喜欢唱的几首歌之一。每次与樊迎朝相遇和分别时，欧阳总爱哼这首歌。

“我去，我愿意上樊总那儿好好学习。”欧阳在接到樊迎朝的电话后，一夜兴奋。虽然他此刻口袋里也装了百万存款，但他明确向老朋友请求道：“我去只有一个条件，樊总千万不要照顾我，我就从保安做起。”

“行，我答应。”樊迎朝十分高兴自己的朋友能有这样的境界和意识。

从那时起，欧阳一边开厂，一边在樊迎朝的丰润集团任职。丰润集团是以开发房地产为主业的大公司，欧阳上任的第一个职务与他当过武警和部队营长的身份有关——公司保安队长。带兵对欧阳来说，熟门熟路，几天之后，“丰润”的保安队伍就成了一支训练有素、纪律严明的公司“特种部队”。

“欧阳，你的事业其实还没有真正开始，深圳是个新兴城市，发展很快，房地产业前景和战场都很大。我们公司主业在这个领域，所以建议你多学习些房地产业方面的管理本领。如果你不介意，可以当我的助理，这样学得更快些。”有一天，樊迎朝对他说。

“谢谢樊总，但我还是想从一个普通办事员学起。”欧阳则坚持自己的主张。

樊迎朝笑了：“行，部门随你自己挑。”

欧阳选择了公司综合办公室，这个部门的业务主要是围绕开发项目进行内外协调和批文及法律处理事宜，集中了房地产开发中管理和知识层面的东西较多，这使得想入门的欧阳如同一块海绵浸入了水中，他孜孜不倦地汲取着……从房地产所涉及的基本知识，到每一种批文的起草和报批程序他都一一留心，还不时请教那些老员工。

“气人气人！不知现在的政府官员到底是为谁服务的？一个批文就是拖啊拖，今天你去他说明天，明天等你去了，他又说材料准备得不充分。什么材料都备齐了，他又说什么什么关系需要协调，没完没了，你不死，他是不会来救你的！你死了，他也不会同情地为你流一滴眼泪的！”某一天，有个部门经理气呼呼地夹着皮包回到办公室，又是牢骚又是骂骂咧咧的。

一会儿，公司樊迎朝等老总也来质问：怎么搞的，一个批文三个多月还批不下来！那部门经理委屈得直掉眼泪：“我上那个国土局都几十次了，人家不是说这个问题，就是摆你根本弄不清的一堆新理由……反正我是办不了啦！老板你把我辞了算了！”

“乱弹琴！我辞你要能解决事就太简单了。没有别的办法，再去催！”樊总重重地说。

“再去也是一样。不去了！”哪知那个受了委屈的部门经理不硬不软地给自己的老板来了这么一句。

“你不去，咱公司项目还干不干了？知道批文一天不下来公司要损失多少钱吗？”樊总被逼火了。

办公室的空气顿时凝固。

怎么办？政府部门办事有时真让人挠头。那些在商场上叱咤风云、一掷千金的大老板，最无奈的往往是因为一个批件之类的东西败在某些政府部门程序上。商界里有种说法，叫作能吞金山的老板，也会怕个衙门当差的。那时办事要说容易也容易，要说难也难，丰润集团现在就碰上了这样的事。

“樊总，要不我去试试？”欧阳开口了，他的声音虽轻但很稳。

“你？”樊迎朝一愣，“能行吗？”

是啊，他能行吗？一个年岁老大不小，又什么职务、什么业务都没接过的“保安队长”，能跑得了这样的业务？解决得了这样的难题？

公司上上下下都将目光盯在欧阳脸上。

“既然是公司的难题，我现在是公司的一员，办得成办不成另说，让我去试一试吧。”欧阳说得很平静，也很诚恳。

欧阳就这样去了。去之前他把公司的情况和所想获得的批文细细了解清楚后，带着相关文件，迈着军人的步伐，以军人特有的礼貌和真诚，出现在国土局。进门前，他先是一声“报告”——完全是军人式的。在允许进屋后，30 多岁的欧阳装束整齐笔挺，英姿勃发的军人气质让那些政府办事人员眼睛一亮。开始谈事时，他又完全是求教式的坦诚：“请领导允许我先自我介绍，我叫欧阳祥山，过去在深圳武警部队工作，现在在丰润集团，我是一个当兵的出身，不懂业务，但得完成公司交代的任务，所以在这里我应该首先将我们公司和这个报批项目的具体情况向领导和政府部门如实汇报……”欧阳随后一二三四地将公司目前的发展状况、资金投放等一一道来，而且有理有节地指出这个批件作为国土部门应该有充足理由尽快审批下来。

“好，欧阳同志，你说的这些我们相信，你们公司的钱早就交了，只是我们太忙，批件马上就办！”

“太谢谢了！谢谢政府对企业的支持！”

这是欧阳没有想到的结果，更不用说公司能想得到——别人跑了三个多月没办成的事，他欧阳出马，一次就大功告成！

“祝贺祝贺！欧阳为我们公司立了一个大功！现在我宣布：公司正式任命欧阳祥山为丰润集团的部门经理！”公司在召开中层以上干部会议上，樊总宣布了一项重要决定。

欧阳的好学和他学以致用的本领，确实具有天才式的超人之处。在被任命为丰润集团部门经理仅两个多月时间里，他如饥似渴地学习钻研，连老板樊迎朝最后都带着一丝酸溜溜的感觉问他：“老兄，你是不是想把我“丰润”十几年积累的精华几天之内掏光啊？”樊老板说这话没两天，欧阳被再次提拔，成为丰润集团副总经理。不到4个月时间，一个完全的门外汉，成为拥有十几个亿经营资产的著名集团企业的副总。

欧阳上任“丰润”副总，公司一些职员刮目相看，但也有人窃窃私语：一个土里土气的大兵，靠偶尔的一两件碰运气的事，不足为奇。这明显话中有话，他们需要欧阳拿出让人敬佩的不凡业绩来证明自己的实力。

机会来了！

丰润集团在宝安有块储备土地，总占地面积达177882平方米，准备卖给另一家大型集团公司。“土地虽好，但劣势也不小，能不能卖个好价钱，这直接关系到我们公司的一笔大宗利益。谈判肯定非常艰苦……你们说，谁去更合适？”公司高层会议上，樊总的目光射向诸位副总。

会议室无人应话。

“没有人去啃硬骨头？”樊总皱起眉头。

“欧阳副总当过武警，他去啃骨头没问题！”有人提议。

“对对，欧阳副总去吧！”又有人附和。

很显然，大家想借此机会看看新提拔的欧阳副总的本事！

“那——欧阳你说怎么样？”樊总征求欧阳意见。

欧阳笔直地站起身，像在部队接受首长的命令：“是，我一定争取完成好樊总和公司交给的任务。”他去了——第一次领受一项艰巨而特殊的任务。

谈判是一场智慧与利益的较量，光是签合同就花费了整整一天一夜。最终丰润集团以最理想的价位将土地顺利地出手。欧阳长长地松了口气，因为他的这次成功谈判，使丰润集团获得了可观的回报，进入了全新的发展轨道！樊总异常高兴，特意拿出500万元来犒劳有功之臣欧阳祥山。

500万！

好一笔巨额财富！

可当公司上下以极度羡慕的心情等待欧阳设宴请客的时候，却听欧阳竟然与樊总争执起来：“我是公司的职员，已经从集团拿到每月10000港币的薪金，比我在部队时多了10倍。受命出去为公司谈判，这是我的任务，是我的本职和责任，我不能因此另拿500万巨奖。”

“这是给你的奖金！”樊总说。

“奖金也不要！”欧阳说得很坚决。

“你这个人……”樊总拿他没办法。几天后，樊总拿出一串钥匙交到欧阳手里：“钱你不拿，我不勉强了。我知道你现在刚从部队营房搬出来，一家人挤在十几平方米的房子里。这是香蜜新村两套不错的住宅，算公司赠送给你的。”

“不行！不行！房子我也不能要。”欧阳更加推辞。

樊总有些无奈：“那……你直说，我能为你做点什么？”

欧阳笑了，说：“樊总，你是我经商的启蒙老师，在你这里我学到了很多做人、做事、经商的知识，我一辈子也感激不尽！”

老总樊迎朝大笑，双臂抱住欧阳，深情而激动地说：“行！今后你欧阳无论走到什么地方，在需要我樊某帮忙时，我一定全力以赴！”

“谢谢樊总！”欧阳说这句话时，目光非常平静，而这种平静里体现的是一个人的心灵境界。若干年后，在谈起这件事时，欧阳说：“500万元对当时的我来说，确实是个了不得的数目。多数普通百姓一辈子都不会见到这么大数目的钱。但这世上还有比钱更重要和宝贵的东西，那就是人与人之间的情义和求生知识的赋予。生意场上其实也是这样，而且它起到的作用可能更大……”

第十三章　部队是优势，还是劣势？

欧阳在将事业转向房地产时，最初的一个梦想似乎让人感觉有些幼稚：因为他做房地产的时候，就发誓让自己的一家人能有一个地方住——自然是一套非常宽敞的房子，如果是豪华的房子那再好不过了。

我曾经采访过好几位房地产商，他们进入房地产业并成为地产大鳄的经历，很叫人不可思议。因为他们多半并不是认为这个行业能赚大钱而进入的，相反许多人最初都是因为种种原因连个栖身之地也没有，从而发誓要为自己弄到一套大房子而开始向房地产业进军。

欧阳便是其中典型的一位。

没有房子住的日子很难过。欧阳没有房子住，是从把青梅竹马的对象张青玲接到深圳后开始的。与青玲结婚时，欧阳还没有到家属能随军的职务。为了生活方便，欧阳通过关系将妻子从老家调到湖北外贸在深圳的办事处当临时工。因为是临时工单位就无法解决住房问题，欧阳在部队又不符合分房条件，这下苦了这对年轻的夫妇。结婚时，妻子在欧阳那儿住了一个星期，当时他任营部的排职书记，营部的房子本来就少，主官干部也就一间小房子，加上营部工作的特殊性，来队家属占着丈夫工作的房间总不是个事。青玲在与欧阳蜜月时两人就只好另找“洞房”。好在青玲做临时工的单位领导比较注意“军民关系”，借了欧阳夫妇一间9平方米的小房子住了半年。半年过后，单位领导不说话，欧阳夫妇自己也感到有些不好意思，遂提出要搬走。青玲单位湖北外贸办事处主任田汉洲没有为难他们，说要不你们到出口加工的猪仓楼上面占一间凑合凑合。

“有地方住就行！”欧阳很感激田主任，当夜便踩着三轮车拿着行李带着妻子上了不到10平方米的猪仓楼上。从六七十年代开始，为了给香港和澳门的同胞提供鲜活的肉猪，每个内地的省份几乎都在深圳一带设立了外贸中转猪仓。欧阳与新婚妻子借住的就是这种猪场仓库，楼上住人，下面是运往港澳的猪崽中途的临时棚圈和屠宰场。

欧阳与妻子最甜蜜的新婚头年的大半时间就是在这种地方度过的。他们的第一个孩子也是在这个地方出生的。欧阳为此一直感到对不住妻子和女儿，房子成为欧阳成家后心头最痛的一件事。有一天，担任中队长的欧阳同另外几名中队长杨华耀、钟羡翘、黄大柯一同登上国贸大厦顶楼时，欧阳望着脚下鳞次栉比的高楼大厦，心潮起伏：这么多栋高楼，这么多房子，为什么没有一间是属于我的？这种记忆在他从商后常常浮现，为此他内心世界一直有一个愿望：有一天我也要盖房，盖成片成片的大楼，让妻子、孩子也能住进宽敞豪华的大房子，过着真正幸福的生活！

接受樊迎朝之聘到丰润公司后，欧阳与地产大鳄樊总有一段面对面坐在同一间办公室的日子。樊总在运筹房地产生意中的不少经验让欧阳受益匪浅，其中有一件事和一句话最让欧阳心动：有一天樊总就坐在办公室，几个电话间，从买进一块地到卖出这块地的两个小时内，笑呵呵地就赚了几千万！樊总掏心窝子说了一句话：搞房地产的看起来似乎都很有钱，其实多数的钱是别人的，房地产商只是恰到好处地借别人的钱盘到自己名下，然后赚自己想赚的钱。这中间的基本规律是：目前国家经济形势虽然已经滑坡，但只要你手里有300万，你就有机会可以做3000万的房地产生意。

在任丰润集团副总时，欧阳自己办的厂子并没有停止运营，这个时候欧阳点了一下自己的“家底”：不多不少，也有500万了！加上在丰润期间学习的房地产运作经验，欧阳开始跃跃欲试：既然房地产能赚大钱，我何不也试一把？

欧阳的创富梦想便从这一刻开始了……

梦想开始了，欧阳的眼睛有点发绿：哪儿有地？哪儿的地适合我欧阳操作第一把地产生意呢？

机会终于来了：武警七支队有块闲置的山坡荒地寻求合作开发，开价850万。

七支队是欧阳的老部队，欧阳觉得这是天赐良机。虽然陆续有几个开发商来考察这块地，但都因拆迁成本高、土方量大、地势狭窄偏僻而放弃。欧阳凭着与部队的老关系和人熟地熟的便利，置下了这块地，最后的价格谈到1100万。

“喂，欧阳，你到底行不行呀？”七支队领导找到欧阳。显然，部队的领导有些心悸：你欧阳才出军营几天，有没有钱干这房地产大买卖呀？

“请首长们放心，我欧阳为人处世你们不是不知道，我啥时给部队丢过面子？”欧阳现在跟部队首长说话的口气已经不像当年了。

“那1100万与你合作，你行吗？……要不我们明天到你办公的地方看看？”后勤处长王奎成紧接着说。

欧阳心头“咯噔”一下，心里非常明白部队领导加价加码和要到公司里是什么意思。镇静！务必镇静！欧阳不敢与部队领导眼对眼，他借递烟的当口，以十分坦然的口气应道：“行啊！你们什么时候去，我就什么时候在公司恭候首长。”

“行，王处长，我们明天上午去吧！”时任副支队长的宋广南说完就和首长们开着吉普车走了。

欧阳见首长们的车子消失后，才发现自己的后背湿透了——

他着急啊！明天部队领导要到自己的公司去，显然他们是想探探我欧阳的实力呗！

我的公司在哪儿？让部队首长上那个印刷厂去？不行不行，那儿一看就知道没有什么实力！要不到半年前与妻子同班同学吴越合开的新万景旅游公司去？更不行了，那儿的办公条件就屁股那么大。哪儿去？真是急死人！连个办公的地方都没有，还想搞那么大的房地产！部队领导明天一看，我欧阳的马脚不全露出来了吗？欧阳第一次为生意急得满头大汗。

他在绞尽脑汁想着如何应付明天的事……

对了，我还有一个公司：前阵子与几个朋友一起共同出资办的进口精密模具设备的欧力电子科技公司。那儿是不是可以临时借用一下？欧阳刚闪过这个念头，又立即否决了：这更是个皮包公司了！到珠海陆河县的与陈老板合开的红木家私城办公室去?！场地大虽大，但那儿又太远了，也不合适！

这不行，那不行，到底上哪儿呢？欧阳这回真的体会到了什么叫热锅上的蚂蚁！此刻的他就是。

哎呀！为什么不找找樊总！樊迎朝嘛！他是大老板，他有办法！欧阳心头一阵狂喜。

一个电话过去："樊总，我是欧阳呀，不好意思，现在我有个难题……"如此这般地与樊迎朝这么一说，那边樊迎朝立即告诉他："你上我这儿来不就行了嘛！"

"樊总你看这样行吗？"欧阳的心都快要跳出来了。

"怎么不行？我连夜找人帮你腾位子肯定没什么问题，但现在你得做得让人进来一看像是那么回事，这恐怕你还得动点脑筋，比如你要把营业执照弄来，公司牌子什么的也要挂起来……"

"行行，樊总你借我半天办公室，其他事我来处理。"欧阳觉得能借到像模像样的办公地方已经够了，其他的都是小事。

但真到大老板樊迎朝的办公地方一看，欧阳心里还真没底：首先他明天得让部队的领导们看到“他的公司”很有实力——有10多间办公室和各种办事机构；其次是这些工作人员不能露馅——欧阳一一吩咐樊总的手下明天在部队领导上这儿时不要出声，佯装都是他的手下；再者，公司的招牌要气派醒目……哎呀，现在连块公司招牌都没有怎么行嘛！欧阳一时有些慌神：现在已经深夜十点了，上哪儿去找做招牌的呀？

“我、我去想法子！”欧阳连额上的汗珠都顾不上抹一下，转身大步向万家灯火的大街上奔去……也不知他敲过多少家门脸，也不知在多少家做招牌的商店碰壁，反正等他拎着那个“油漆未干”的铜牌子回到“办公室”时，东边的天空已经露出晨曦……

上午9点左右，七支队来了整整8个人，领导们一看欧阳的“办公”地点和他的“公司”，频频点头。有位欧阳的老战友陈伟雄还极其羡慕地对欧阳说：“你老兄真不简单，才下海多长时间，便有这么气派的公司，一定发大财了，今天晚上我们要挑深圳最好的酒店让你出血……”

“没问题！你们想到哪儿，我们就去哪儿！”欧阳一副大老板架势。

合同就这么签订了。领导和同志们对欧阳百般信任，部队起名为“银湖山庄”的房产，就这样由欧阳祥山来开发。

“欧阳，你是知道的，我们这块地的合作主要是为了改善部队装备和官兵生活的。你这大老板，得照顾照顾你的老部队。”部队领导在合同正式签字前拉着欧阳的胳膊这么说。

“首长您的意思是……”欧阳佯装不明白。

“首长的意思是，你现在是大老板了，尽量想法在标价上给我们部队多一点钱。”陪支队首长一起来的部队同志笑呵呵地补充道。

欧阳微微皱眉，“我不是在竞标基础上已经加了100万了吗？”

“100万对你这样的大老板来说，等于是水牛身上拔根毫毛，你欧阳好意思啊？”

“那……我再加100万吧！”欧阳寻思了一下，红着脸说。

“还不凑个双数？”首长发话了。

欧阳的脸颊都憋红了。少顷，他咬咬牙，说：“那就照首长的指示办吧！”

“好！欧阳到底还是我们的人！”部队首长举起大巴掌，重重地落在昔日部下的肩膀上。

“首长，明年我们机关不是还要改善一下食堂和操场……”这时，一位助理军官悄悄在首长耳边轻声说道。

“缺额多少嘛？”

“大约50万。”

部队领导转过脸，又朝欧阳“哈哈哈”地笑开了：“欧阳，你看这事……都是你当年在部队时就暴露出来的困难，到现在都没解决，我这个领导没当好啊！50万，对我是个大数目，对你欧阳来说，小菜一碟！怎么样，再给我一个面子吧？”

欧阳沉默。

“嘿嘿，要不就算了！”首长挥挥手就要走。

欧阳见势不妙，立即上前拉住首长的衣袖：“首长您听我把话说完嘛！这部队的事，就是我的事，我欧阳能有今天，还不是当年您和部队同志一手教育与培养的结果嘛！那改善食堂和操场的50万我认了！”

“痛快！签！你们把合同签了嘛！”首长在命令手下的随行人员时嗓门很大，有点气吞山河的架势。

签字的那一天晚上，一路提拔欧阳成长起来的支队长何发菊、政委甘德华一再强调：“你办这件事我们还是很放心，你一定要全力以赴，要为部队争气，要干利索些。”但欧阳瞅着1350万的数目，心头很不是滋味：250 万哪！首长您轻飘飘的一句话，等于要了我欧阳半条命啊！而在此时此刻欧阳十分清楚，他现在必须得装成是见过世面的大老板，绝不能因这区区 250 万流露出半点小气。部队领导很高兴，他们看到的欧阳仍然是笑眯眯的一脸坦然，还听到他嘴里不停地说着："感谢首长！感谢战友对我的关照！"

第十四章 “秘密军事行动”

“银湖山庄”的项目毫无疑问地已经划入了欧阳的名下。现在欧阳是名副其实的“开发商”了。按说他很不容易夺下了标的，该高兴高兴吧，可欧阳笑不出来。

首先是按照与部队签订的合同，欧阳第一笔付出的就是250万元。

欧阳此刻口袋里有多少钱呢？总共加在一起，大约500万元。樊迎朝不是说过，干房地产有300万元可以干3000万元的活吗？可在实际操作时，欧阳才慢慢体会到他口袋里即便是有500万元，真要干5000万元的房地产项目，险情实在太多了！第一次操作，欧阳根本不懂得什么叫资本运营，只感到原来玩房地产陷阱一个接一个……

不要说土地的招标价与实际合同谈下的价钱有几百万的差距，就说他眼下这个“银湖山庄”，除了前期准备的费用，还有必不可少的工程款、营销款等费用，加在一起怎么着也得准备上千万元才能转得动呀！工程未动，欧阳已经付出首笔地价250万——也就是说他的口袋里空了一半。再把施工等费用初算一下，至少还得七八百万！钱在哪儿？死抠也得有500万的资金缺口。怎么办呢？

欧阳拿着合同回家的那一天，他跟妻子两人对坐着长吁短叹，想不出一个解决办法——合同签订后，每拖一天，等于将上吊的绳索在自己的脖子上套紧一圈。没有钱，工程无法开工。找人借钱干，谁借你？妻子插了一句话：听说人家搞房地产的都是银行贷的款。欧阳立即否决了：那银行是国家开的，它给你贷款，你得有等值的可以抵押的不动产。我们家有啥？除了你我和一个孩子外，有啥可以抵押呀？

"要不把这地转让出去算了！"妻子有些打退堂鼓。

欧阳又坚决否定："合同签了，而且比标价高出了二三百万，我卖给谁？再说，我花了几个月时间在折腾这事，到手的地我再不干，这辈子还有出息吗？战友们不笑死我？不行，还得干下去！"

"那等着你把我们全家人一起赔进去？"妻子十分担忧。

"别说晦气话了！办法永远比困难多。"欧阳感到待在自己的家里特别郁闷，便带上一包烟，独自出了门。

大街上人来车往，谁也没注意马路边的一块水泥砖上坐着一个打肿脸充胖子的小老板欧阳祥山正在那儿抽着闷烟……

这一夜，欧阳着急，而一直等候在家的妻子比他还要着急。本分且开朗的她，十多年来跟着欧阳不知吃了多少苦。尤其是欧阳从部队转业后，长期漂泊在外，做妻子的她又患有严重胃病，她既要照顾年迈的父母，又要拉扯幼小的女儿。但她相信自己的丈夫总有一天会成功！最后，她干脆起床站在窗前，静静地守望着欧阳离去的方向。

这一天晚上风特别大，站在窗前的妻子被冻得浑身发凉，可她依然一动不动，下定决心要等丈夫回来……可天亮时，欧阳还没回来，于是妻子急得到处打电话，还是找不着人。最后，终于接到了欧阳自己打来的电话，说他在七支队。

"你还有心思上战友那里闲聊？"妻子有些生气了，以为丈夫去找老战友下象棋去了呢！

"都什么时候了，你说我哪有心思找战友吃干饭呀？"欧阳沙哑着嗓子告诉妻子，"你不想想，我们的那块地不是在七支队嘛！我不上七支队还能上哪儿？告诉你吧，我终于有了解决资金缺口的办法，就是利用预售的时间差并采取集团购买的方式来解决。”

原来如此。妻子终于缓了口气，她知道自己丈夫跑到七支队是为了“我们的那块地”——自合同签订之日起，欧阳夫妇俩在家时经常称“银湖山庄”的工地是“我们的那块地”，这种说法应该也算正确。

“我们的那块地”现在让欧阳发愁死了。时值11月份，按欧阳的计划这项工程必须在明年夏季前完工，否则时间拖得越长越有可能赔个底朝天。

暮秋的深圳，天气仍然有些闷热。此刻的“银湖山庄”只有山而无庄。根据合同，欧阳开发的这块地实际仅是整个山坡的一侧斜坡面。这个斜坡面需要切出一块地用以建两万多平方米的楼群和一些配套设施，这就是欧阳将要向深圳市民展示的未来的“银湖山庄”。

山上长满了杂草，大片葱绿的树木证明了这儿是一个过去一直不被人关注的偏僻荒丘。两条高压线横穿山丘的东西两侧，正好在“银湖山庄”的上方形成一个高压线走廊；山坡下紧邻一条土公路，偶尔有几辆拉石子的卡车经过，怎么也看不到此地与繁华的深圳有丝毫相关的联系。没有上下水，数百米之内没有一间商店，更没有一所学校，将来房子造好了会不会有人来买呀？在百米高的山顶上，欧阳头戴一顶破草帽，俯视着眼前与他命运连在一起的这块荒丘，苦苦地一遍遍地思忖着……他感到无法排斥的愁云每天都笼罩在心头。那些日子里，他整天戴着草帽，带上几包花生米，独自爬上山头，冲着自己的那块山地发呆。一千次、一万次地问自己：这么个地方盖楼，综合成本到底要多少钱？盖起来的房子到底能不能卖掉？

没有结论。花生米不过瘾，后来改成啤酒，啤酒也不带劲，最后改成两块钱一瓶的广东米酒……可广东米酒不能多喝，喝醉了更完！

“我当时痛苦死了，又没人商量，一个人越想越不对劲，恨不得拿根绳子吊在哪棵树上死了算了……”欧阳那天带我到早已成为都市一景的银湖山庄参观，回忆起当年的情景时他说了这句话。

“吕华，你来！现在就来，我快要死啦！你快点上我这儿来一趟！”有一天，欧阳感到心头憋得气短，便给好友吕华打了个电话。这电话让吕华吓了一跳，以为欧阳发生了什么不测，马不停蹄地从公司赶到了银湖。吕华曾任深圳大学房地产专业的老师，又担任过房地产开发公司的总经理，欧阳让他来参谋是最合适不过的人选。

在山顶的一片荒地草丛里，欧阳直起疲倦的身子，指指眼前的那片山丘，急切地问吕华：“兄弟，你对房地产是内行，看看这块地到底行不行？”

吕华披荆斩棘，认真地转了一遍山坡，然后肯定地对欧阳说：“可以做！”

欧阳的眼睛立即放出光芒，双手握住吕华的胳膊，恳切地说：“兄弟，你来帮我一起做行吗？”

吕华笑了，想了想，问：“除了我，你公司还有谁？”

欧阳尴尬地说：“目前没人，只有我自己一个人。”

吕华笑得更开心了：“那好，我帮定你了！”

欧阳这一天太高兴了。在他看来，好友吕华认定这块地可以开发，就等于是说他欧阳跟部队签下这地的合同时没看走眼！再往深里说，这地只要开发好，肯定是可以赚钱的！欧阳这时已经想起樊总当初采取过的集团购买的销售策略。

对，干吧！欧阳与吕华商定：由欧阳负责抓总，眼下他的任务是负责工地、设计及以后的销售；由吕华主跑审批手续；财务嘛还是由欧阳的老婆负责。三人分工后，欧阳全力以赴抓设计。

因为设计拿不出来，吕华跑审批也没办法做。

找谁设计呀？欧阳闪出的第一个念头是：必须找一家正规设计单位的设计师。深圳搞设计的满街都是，但那些无资质的黑设计会害死人的。这一点欧阳多少听说过，所以他的第一选择就是找市政设计院。

“不可能，你要这么短时间拿出来，在我们设计院的历史上可从来没有过。”当欧阳第一次开口希望市政设计院的设计师能在来年春节前把他的“银湖山庄”设计图拿出来时，被当场拒绝了。

“我可以付加急费！”欧阳有些急了，拉住设计院领导的衣袖恳求道。

“你想出什么价？”

欧阳说了个数。

“哈哈哈，欧总，你不会是跟我们开玩笑吧？你说的这个价，实际上比我们平常要你出的普通价还低出一大截呢！”

欧阳愣在那儿，许久没说话。“那、那按你们说的普通价做，我这个项目的设计图得到什么时候才能拿出来？”

“半年，快一点半年吧！”

“不行！我已经定好春节后就要开工的！半年肯定不行！”欧阳心想，我等你这边设计图纸半年，报批那儿再搁置一年半载的，我欧阳非死不可！

“那你最好另找一家设计院。”人家关上了办公室大门。欧阳感到伸出的第一脚就被人踩得很疼。

没有设计图纸，工程只能干等。欧阳无法接受这种浪费时间的残酷现实。无奈，他只得采取了另一种战术——去磨设计院的具体设计师，争取请他们帮忙。他一次又一次地往设计院跑，人家9点钟上班，他8点半前就到了设计院；人家中午吃饭休息，他给人家端茶送水；人家下班了，他帮人家整理桌子关好门窗……设计院的设计师们还是第一次见这样的“老板”，于是没几天，“欧总”在众设计师的眼里成了熟悉而亲切的“哥们儿”。

“要不欧总我就接你的活吧！”一天，设计师卢立澄对欧阳说。

欧阳激动地朝卢立澄连鞠了三躬：“谢谢卢设计师。”

“不过，你要的时间我没法保证，我只能尽力而为，能赶就赶。”

“行。你尽力做了就行。”这回欧阳答应得爽快。

卢设计师后来发现他完全上了欧阳的“当”！为什么？因为笑眯眯的欧阳其实像只壁虎，一旦被他贴上了你就再也甩不掉了，而且他的本事让你根本无法拒绝——上班时，你在忙其他活，他会笑眯眯地拿着他的工程不停地在一边唠叨他的事，说是请教，最后等于全在干他的“银湖山庄”设计，于是卢设计师只好放下其他的活；你说好下午必须干其他的活后，他还是笑眯眯地连声说“行行”，可一到中午他就给你买菜端饭，陪着你边吃边聊个没完，当然聊的肯定还是他的“银湖山庄”；下班了，欧阳会拉着你说一起吃个“便餐”，这一吃准是他的“银湖山庄”的什么什么问题又要请教，卢设计师没办法，最后只能说：“还是上设计院里去谈吧！”到了设计院后，可就是他欧阳当“指挥员”了，自然这一干就是几小时的加班加点……周末，欧阳更是不会放过。卢设计师毕竟家里也有些事要处理，欧阳立即挺起军人的身板，拍着胸脯说：“卢设计师，你家的那些油盐酱醋的事我负责！”这一点，后来证实，他欧阳做的事确实比卢立澄自己干得还漂亮。

欧阳彻底地把卢设计师绑在了他的“银湖山庄”这辆战车上了。

“欧总，我看春节前肯定是完不成的。”一天，卢设计师翻着桌上的日历，一个上午摇了几次头，嘴里还在嘀咕着：“我已经两个春节没回老家看父母了，今年不能不回喽！”

欧阳又露出笑眯眯的本事，和言细语并富有温情地在一边附和着："每逢佳节倍思亲呀，看来你卢设计师跟我一样是个孝顺的儿子！我想今年你肯定能回得了家……"

卢设计师拿着设计图纸，瞪大眼睛反问欧阳："这话可是你说的啊！"

"是我说的！"欧阳连连点头，突然他从口袋里拿出大年三十的一张飞机票放在卢设计师的面前："你看，我已经给你把机票都订好了！"

这回轮到卢设计师感动了，他拿起机票的一瞬间，也下定决心把"银湖山庄"的设计图纸在节前赶出来。

"兄弟，你现在的任务是只管设计图纸，其他的事全由我来负责。你想吃什么、喝什么，只要吩咐，我全部负责！"

"OK！"卢设计师的脸上露出苦笑。

临近春节，设计院的大楼里早已人去楼空，除了门卫只剩下欧阳和卢设计师两个人。欧阳一看这情况，干脆把家里的两床被子搬到了卢设计师的办公室，俩人天天吃住在一起。每一天他欧阳既当"监工"，又是"学生"，还当"保姆"，形影不离设计师……大年三十那一天下午，当卢设计师睁着红红的眼睛，把厚厚的一沓图纸交给欧阳时，俩人竟然搂在一起热泪盈眶。

"谢谢兄弟！"

"谢谢欧总！"

在机场，欧阳目送卢设计师乘坐的飞机掠过自己的头顶后，转身直奔工地——在死守设计院的一个多月里，欧阳其实并没有停止过工地现场的运作。为了抓住每一天施工时间，在图纸尚未出来之前，他欧阳一直在指挥地面的先期工程。比如那满山的树木需要砍伐——别小看这样的活，弄不好就会拖垮你的整个工程。欧阳在这些细枝末节上显得特别聪明或者"狡猾"。

在一些城市建设问题上，政府机关的某些职能部门的大政方针没说的，可一到具体问题总让人摸不清。就说欧阳搞的这个“银湖山庄”那片已经由市政建设部门同意盖房子的小山丘，那不是荒山嘛？没错。可荒山上长了不少树，而且绿荫成片，已到了环保部门给予关注的程度。按规定，欧阳开发这样的地方必须送伐树砍林的报告。按规定这报告一定能批下来，但至于这个报告什么时候批下来，那是环保部门的事，一个月、三个月，甚至半年、一年的都有可能。欧阳玩不起呀！怎么办？这些“意外”的问题，是欧阳在买地之前想玩一把房地产时根本不曾想到的。但现在这些都成了问题，都可能成为彻底毁灭他事业和前途的大问题。

欧阳一上手工程后才发现，原来玩房地产实在不是好干的活，处处陷阱，令人防不胜防。

怎么办？你问谁呀？没人教欧阳怎样处理这类事，全靠他自己去想法子。

“那段时间，我仿佛一夜间便成了处事的行家里手。你问我奥妙在哪儿？啥都没有，全都是逼出来的！”成功后的欧阳笑言当年事。

“银湖山庄”如何伐树的事难住了欧阳。如果按正常程序报批，欧阳盘算的整个工程将遥遥无期，遥遥无期等于掏空他辛辛苦苦赚满的腰包逼他去上吊。欧阳再傻也不会干这样的事。

现在需要他调动“军事艺术”了。欧阳果然想出了一个损招——他知道在周一至周五的工作日里派人砍伐那么大一片山林，肯定会惊动附近的环保部门，那样他欧阳就死定了。夜里动手？不行，欧阳一算那么一大片山林一个夜晚怎么也干不完，如果干至半途时停停歇歇，这不更招来有关部门的“棒打”吗？欧阳如此一算，必须去掉周一至周五的时间。那么唯一可行的就是在周六和周日两个昼夜内结束行动！对，除此之外别无选择。

找谁来干？行动必须迅速，在有限时间内要干净利索、彻彻底底地伐尽树木！民工拖拖拉拉，有可能耽误“军机”。还有谁能干？部队！对，只有部队才有这样战无不胜的作风！

谁能调动部队？欧阳有办法：现在他是“民”了，部队又是他的“老家”，过去在部队里他经常带领队伍利用星期六、星期天为搞好“军民关系”而帮助地方出点力、流点汗，集体来点小收入，这样可以改善一下官兵们的日常生活。

对，去找老战友！

“你老大队长的事我们不帮谁帮？说吧，要多少人？”上老部队一趟找老部下，中队长陈浩泉的回话让欧阳备感亲切。说到底，还是他在部队时人缘好。

欧阳伸了伸手指。

“没问题，大队长。明天不是周六了吗？上午就让弟兄们到你那儿报到！”老部下很爽快。

“不，今晚我就想让他们去干活！”欧阳斩钉截铁。

“今晚就干？”

“对，今晚就干！”

“哈哈，大队长！好，听你的调动！”

说干就干！星期五傍晚，一群身着迷彩服的武警战士手持铁镐和锯子，在银湖路口的小山丘上挥汗战斗……“军事行动”一直持续到第二天、第三天。

第三天是周日。周日的中午时分，当初绿荫葱葱的小山丘，此刻仿佛变成了一个丑陋的秃小子！欧阳则在一旁咧着嘴欢笑……

“笑什么？快说，谁是这儿的头？谁让你们把山上的树伐掉的？啊！既然开发要砍总得报告一声嘛！简直是没有王法了！”第四天——也就是周一上午，几辆警车“呜呜”地直奔欧阳的“银湖山庄”工地，几个警察冲着一群正在打扫“战场”的民工吆喝着。

欧阳一见此景，赶忙对雇来的民工说：千万不要暴露我的身份！民工答应后，他便混在民工里对警察们说着一样的话：我们不知道，老板只让我们来干活，别的啥也不知道！警察们找不到惩罚的对象，有气没处出，最后搞了半天才弄明白：

“树是部队伐的？”

“走，找部队去！”

武警们说：“我们是帮人家干活。”

“帮谁？”

“这就不知道了。”战士们搪塞道。

警察最后无奈走出军营。

欧阳这一回声东击西，得到的是他最想得到的也是最重要的东西——工程时间。

第十五章　时间比命还重要！

世界上有一样东西可能最不被普通人重视，那就是时间。时间对没有生活目标和生活价值的人来说，是最廉价的东西。因为在浩渺的宇宙里时间太充裕，它不需要任何的本钱就已存在，并且自然而然地赐予每个生灵。但每一个人都知道生命是最宝贵的，因为生命对于每一个人而言，它只有一次。人们珍惜生命可以不惜一切代价，不管是平凡的人还是伟大的人，只要有一种方式能延续他的生命，他就会去倾力争取。但人们却并不爱惜时间，我们经常犯的一个最简单的错误——浪费时间，实际就是在浪费生命。

相比较而言，社会经济越发达，人们对时间重要性的认知度也越高。经商和从事经济工作的人通常情况下更懂得时间的重要性。他们有一个共同的认识，即时间比生命其实更重要。人的生命在你自知健康的情况下，你可以预计它。唯独时间若你不抓住它，将是不可回复和不可逆转的。时间因此比生命更重要。

欧阳开始创富之路后，对时间有了越发深刻的理解。而这之后的十余年间，他的成功几乎全在于他能珍惜每一刻时间和每一个时段内所产生的效益。

“银湖山庄”的设计已经结束，搭档吕华忙着各种审批手续，在一线工地的欧阳当务之急是开工。他选择了大年初八——这个深圳人喜欢的吉祥日子开工。欧阳太想发了，他干房地产就是想发，发财，发大财，获得与人的生命意义有关的所有财富。

开工了！欧阳用尽部队惯用的造声势手段，鞭炮比一般开发商用得更多，放的时间也更长——这之后欧阳一直沿用此套方法来提气壮声势。但大年初八并没有给欧阳带来任何“发”的迹象，相反霉气十足。

“快跑——下大雨啦！”鞭炮还未放完，忽听有工人指着天边黑压压的一片乌云喊叫，然后像兔子似的逃到一旁的树荫底下或山石底下避雨。

欧阳想喊，可谁也喊不住。他气得直骂，心想：如果是在部队，他身为大队长，一声令下谁敢逃一步？现在不行，干活的都是些见困难就跑的货色。

雨太大了，欧阳本想以自己的行动来影响那些给他干活的工人，可老天不买账，开始是雨点，后来干脆像用盆泼似的朝他头上浇。

“你傻呀？躲一躲再说嘛！”妻子见他像个落汤鸡似的，硬把他拉到一处避雨的地方。

“你干什么嘛！”欧阳生气地甩开妻子的手，他不想躲雨，并且心里很窝火，费尽心思好不容易张罗起来的“开工典礼”被这么一场雨浇得他心头好不懊恼。

开工不祥呵！欧阳脸色极其难看。

老天也是绝了，往年深圳阳历二月里一般是毛毛细雨，很少这么大雨。欧阳心想，难道老天成心跟我对着干？欧阳一边抹着流淌在脸颊上的雨水，一边不时瞅着天空，忧心忡忡。

雨停了，欧阳松了一口气。可当他走出避雨处，再看看工地时不由大惊：这哪像什么建房造楼的工地嘛！整个儿是一处穷山恶水——污浊的雨水从山坡上“哗哗”流淌而下，鞭炮残渣和七扭八斜的彩旗散落一地……人呢？车呢？最让欧阳着急的是整个工地上，除了他、妻子、吕华和内弟张长林之外，其余的人全都跑光了！

"挖土方的人和车子到哪儿去了？"欧阳直着嗓门喊了起来，瞪大眼睛四处寻找。

没有人答应。少顷，一个工头模样的人过来向他汇报：挖土方的人和车大部分都走了。

"为什么走了？"

"人家觉得你这个地方不像啥工地，有人还说看你也不像大老板……"

"这话什么意思？"欧阳火了，盯住那小工头责问。

"欧总你别生气，现在在深圳干活的人都很实际。你雇来的这些挖土方的车子，他们看你这儿不怎么像大工地，看你这老板也不像其他的老板那么有派头，所以他们怕干了活，你不能及时给钱，所以就……"

"所以就溜了不想给我干是不是？"欧阳气得脸都有些变形了，他把嗓门一下提高三倍，可出来的声音却十分沙哑，"你、你告诉他们，我有钱！我欧阳祥山没有钱搞什么工程？搞什么房地产嘛？明天！明天我就带着钱到工地来！谁拉走一车土，我就当场给现钱！"

"真的啊？"

"老子是当兵的出身，什么时候说过假话？"欧阳恨不得挥手打那小工头一巴掌。小工头听了这话，笑眯眯地背着手，走了……

第二天，工地上果真完全变了样。也不知从哪儿冒出来那么多卡车和挖土机，几乎把整个山坡全都占领了！那阵势，连欧阳都感到吃惊，这么大的工地是我欧阳的吗？他拧了一把眉心，嗯，我是在"银湖山庄"！他重新举目远眺，哇，好不热闹！那排着长队的装土车进进出出，那伸着长长臂膀的挖土机忽上忽下，那巨大的山坡则如一个被无数人啃咬的蛋糕，忽而这边缺了一角，忽而那边少了一片。欧阳顿时想起了年少时在家乡湖北看到的挖汉北河的水利工地场面，跟这差不多，差就差在现在这工地是我欧阳的！

欧阳有种自豪感，重新找到了在部队指挥千军万马的感觉。他不由自主地站起来，两手叉腰，傻傻地喊了一声："立正——"但当他看到妻子正在路口向运土的司机们发放一张张 10 元现钞时，他的脸色随即又忧愁起来，这么多人都来赚我的钱，要是我把工程搞赔了，这可咋办？

欧阳的心头又紧张起来——这是他的第一个工程，他心里没底。没底的他和善良的他面对如此人山人海的场面，有些胆怯，胆怯自己不可掌控的未来。一旦出现赔本，一旦出现出乎意料的事，一旦倒霉事轮到我身上时那可怎么办？在欧阳渴望人山人海、热火朝天的工地场面的同时，他的心头阵阵紧缩着……欧阳又一次登上山坡的最高处，把草帽往屁股底下一放，然后独自静坐下来久久地凝视着工地——这是打欧阳接手"银湖山庄"后养成的习惯性动作。

苍天，你可得保佑我欧阳啊！我一介草民，祖辈都是穷人，现在还是穷人，你可千万别给我出难题哟，你要不保佑我，我赔了也就赔了，可我一家人，我欧阳一大家族人那可怎么办呢？乞求苍天千万保佑我啊！

苍天无语，还是深不可测的幽蓝……

"你坐在这儿倒悠闲！快想想法子呀！"妻子满头大汗边走边冲欧阳叫喊着。

"怎么啦？"欧阳"噌"地从地上立起。

"电线！高压电线……"

"高压电线怎么啦？是不是电死人了？"欧阳惊出一身冷汗。

"比电死人还要命！"妻子的话让欧阳连滚带爬地从山坡下到挖土工地现场。

可不，真比电死人更要命的事摆在了欧阳面前：在规划的“银湖山庄”的坡顶上有条高压电线走廊，如同一把张着的剪刀，架在整个工地上……

“欧总，得想办法挪动高压线的位置，要不工程没法干！”工程承包商宝安建筑公司总经理卓振波和揭阳建筑公司总经理谢周亮都告诉欧阳，这样耽误时间，他们包工的人不承担责任，意思是说，赔了大本你欧阳可得自己兜着。这还用说嘛！几百号人在工地，耽误一天花的可都是哗哗脆响的票子啊！欧阳的心都在疼！

想移动高压电线可不像伐树那么简单。他欧阳纵然有指挥千军万马的本领，却无法搬掉搭在空中的两根轻盈的电线。谁动，谁就是犯法！欧阳有过在部队挖断地下电缆的惨痛教训，他深知“电老虎”的厉害。找部队去，让部队出面找有关方面解决。

部队的同志很重视，立即派人与供电部门联系。最后对方的回答是：高压电线又不是“拉面”，想怎么扯就怎么扯啦？部队同志从供电部门回来赶紧把情况告诉欧阳。

欧阳一边向部队同志道谢，一边又急得像无头苍蝇。等，等到什么时候？

有内行人告诉欧阳，移动高压线不是你想动的时候就能动得了，只有等停电的时候才能进行。

那这条线路什么时候停电呢？人家说，这段线是边防二线沿线各企业的专用线路，一个月只停一次，每次停电的时间是两小时。也就是说，只能等停电的时候移动，而且必须在两小时内完成整个线路移动。

欧阳万万没想到问题会这么难解决。这不遥遥无期、折腾人嘛！还是找供电局吧！

“听说供电局个个都是‘电老虎’，你不狠着‘出血’，门都没有！”妻子悄悄提醒欧阳。

欧阳摇头，反正我现在口袋空空，所有的钱都花在前期工程上了，他们真要让我“出血”，我就只能伸出胳膊让他们拉个口子吧！

第二天一大早，欧阳忐忑不安地来到供电局。他来得太早，供电局的大门还紧闭着。欧阳坐在门口的台阶上心急如焚，不时向来往的过路者张望。

“喂——同志，你怎么坐在门口呀？有什么事吗？”不知什么时候，一位干部模样的人站到了欧阳跟前询问他。

欧阳仍坐着未动：“我是来找供电局领导的。”

“找领导你也不要坐在大门口啊！”

“坐在大门口又怎么啦？关你什么事？”欧阳本来愁绪满怀，这下更没好气。

“你不要这么大的气嘛，有什么事可以跟我说一说。”

“跟你说有个屁用啊！”

“噢——”那人上下打量起欧阳，反而更客气地说：“那你跟我进去吧！”

这个时候欧阳才突然意识到刚才不该用这样的态度，于是老实巴交地跟着那人进了供电局，电梯到了八楼，看到一间挂着“副局长”牌子的办公室，再一看，他办公桌的牌子上写着“贾正旺”。

“您是局长吗？”欧阳心头顿时一股暖流涌出。

“是副局长。”贾副局长很幽默，说话间给欧阳倒上一杯水。“说吧，你7点钟就在大门口等，有什么要紧事吗？”

“我、我有件急事……”欧阳怎么也没想到会碰上这么个爽快、干脆的供电局领导。

贾副局长笑了：“你真以为我们都是‘电老虎’啊？”

“不不，供电部门是关系城市发展和国计民生的单位。可局长不瞒您，眼下我有一个工地正在施工……”欧阳一股脑把高压电线的事倒了出来。

贾副局长听完欧阳的话，思忖片刻，挥笔写了一张纸条递给欧阳。欧阳一看，上面写道："供电中心陈主任：请务必于本周六、日两天将"银湖山庄"工地高压线北移80米……"

欧阳拿着纸条，简直不敢相信自己的眼睛，而这一刻，他最想把这一喜讯告诉吕华："吕华，批了，批了，真的批了！"手机里，欧阳兴奋不已。

周六？一件在欧阳当时看来比天还要大的事，就这么顺当地办了下来？欧阳走出供电局大门时，感觉自己有点云里雾里似的。更令他意想不到的是，周六那天供电局果真派了60多名电工，稀里哗啦就把10万伏高压电线从"银湖山庄"的工地南侧一举移至北侧的山坡上。

"欧总，供电局那帮人能给你干出这么漂亮的活，你一定花了大钱了吧？"有人悄悄问欧阳。

"胡扯。我敢对天发誓，他们那儿我一支烟、一分钱都没花。"欧阳几乎是吼着回答别人的问话。

旁人笑笑，又摇摇头，似乎谁也不相信欧阳说的话。

"如果不是亲身经历，我也不会相信贾副局长他们供电局的领导如此清廉，而且办事效率如此之高。但这是一点不假的事，我一辈子记着贾副局长和他们供电局帮忙的同志们！"欧阳在以后的日子里经常提起这桩令他一生难忘的事，他因此也特别坚信共产党内确有一批优秀的干部是非常清正廉洁的。

地面上的一切障碍物全被清除了，现在就该盖楼房了。

刨坑挖土那一天，欧阳的情绪特别高涨，这是他渴望已久的一刻，以往的一切艰辛在此时全都化为青烟……让他最为得意和高兴的是，在建设"银湖山庄"5栋楼房的建筑施工中，他采取了部队惯用的同一战场两支竞争队伍共同作战的战术——这是他的一招高招：他可以坐在高高的山坡上乘凉，看下面的“两虎”因为比进度而展开的激烈竞争。

啊，真是热闹非凡。这边的队伍今天先起5米砖，那边的队伍明天准让你落后10米；你早上工一个小时，我晚下班两小时；你两班倒，我三班连轴转……哈哈哈，欧阳在办公室开着电扇乐得直想大笑。

照如此进度，嗯——可以提前一两个月完工，那就等于可以减少工程成本的十分之一，也就是说比预算额外赚进了百万……一时间，欧阳感觉胜券在握。

两支施工队不分日夜地挥汗战斗，欧阳天天左跑跑，右看看，脸上不时露出抑制不住的笑意。他的神色有些飘飘然……“哎哟！”突然，他的脚底一软，原来是踩空了。一股不祥之兆涌上他的心头。果不其然，一件他不曾预料到的突发事件正向他悄然走来。那天他正在与施工队商量着如何才能既不扰民又延长工地的施工时间时，“银湖山庄”的原土地归属单位——武警七支队领导给他打来一个电话，命令他立即停止施工，电话那头传来的语气不容置疑。

“这是命令，而且是总队首长亲自下达的命令。”

身上始终未改军人作风的欧阳听了此话后，马上意识到问题的严重性。但他不敢相信这是事实：“我跟你们是有合同的呀！知道吗？合同是双方签订的，不能由单方随便做出任何修改，即使有什么变动也应该双方共同协商解决啊！不信你们看看《合同法》嘛！”

“我不懂什么《合同法》，我们只知道执行上级首长的命令。”电话那头口气很硬，说完就挂了电话。

欧阳感到事态严重，立即放下手中的活，直奔他熟悉而亲切的武警七支队。但今天当他踏进熟悉的支队部时，内心充满了惶惑和不安。

“我们也是执行总队首长命令。没办法，看来我们的合同得作废了，你得马上停工……”支队领导与欧阳是老熟人了，一见战友，无奈地这样说。

“总队首长他、他怎么能随便这样做嘛！我们在签订这块地的合同之前不是支队专门给总队打过报告已经批准的吗？我手上还有这份文件呢！”欧阳急了，“‘银湖山庄’已经干到这个份上，扔进去的钱也已占总投资的五分之二了！噢，这么大的事，说不干就不干啦？”

“欧阳，不是我们不想让你干，是总队领导的指示！你在部队待了这么长时间还不知道部队的规矩？领导定的事，我们能怎么着？只有两个字——执行！”

“执行也不能不讲理呀！”

“理？嘿嘿，首长的命令就是理！欧阳你在部队十几年白待了啊？”支队领导见欧阳直喘粗气，便缓和口气道：“这事我看你得直接找总队领导……”

“我找他们去！”欧阳气呼呼地出了支队部。

“哎欧阳，工地那边你还必须停工啊！”身后，支队领导这样喊道。

“停工！扯淡！”欧阳现在的头脑里一团糨糊，如果不停工，说不准隔天部队会派出官兵到工地上来强行让你停；执行吧，这不等于让我欧阳上吊嘛！天哪！怎么会有这样的事？欧阳怒了，可怒有什么用？部队他太熟悉了，首长说了话，下面的人理解的要执行，不理解的也要执行！就这么简单，也没什么理好讲。欧阳虽然不能理解总队领导的想法，但17年的军旅生涯让他还是不得不服从上级命令。

“停工？停工算什么事？我们已经干到三层楼了！就这样半途而废？”施工队和承包商愣了，他们搞不清开发商欧阳在搞什么名堂。

“你们以为是我想停工啊？”欧阳面色凝重，心如刀绞。

没有人再敢多说一句。夜深了，简陋的办公室里只剩下欧阳一个人，这么刚强的一条汉子再也忍不住了，辛酸的泪水如江河决堤……

没有人敢去惊动和劝说他。天亮了，欧阳像换了个人似的从办公室走出来，只见他拎着一顶破草帽，双眼无神呆呆地扫了一眼停工的施工现场，然后有气无力地对现场的人说了声“我去找他们”，便拖着沉重无比的双腿，离开了工地……欧阳走了，武警支队的人来了。他们是来执行命令的，监督工地不许再开工。

方才还是你追我赶、热闹非凡的工地，转眼悄然无声。施工场地几百人横七竖八地躺在那些脚手架的木板上，那些没有躺下的人则凑上几对甩着扑克牌，这情景让监督停工的武警官兵看得松了一口气，而欧阳和妻子则看得阵阵心如刀绞。

“走！回营房去！”太阳落山夜幕降临时，几个监督的武警官兵上车走了。

欧阳“噌”地从地上站起，然后扯着嗓门在工地上边走边喊：“好兄弟们，求求你们动手干活吧！”

那些明白过来的施工工人一听可以干活了，就像看到老板又在向他们发薪似的，或从脚手架上跳起来，或甩掉手里的扑克牌，立即龙腾虎跃地干了起来。啊，工地上顿时又喧闹和繁忙起来……

第二天，武警官兵又来了，发现楼层经历一夜露水后怎么“长”了许多？这时欧阳走过来，无奈地微笑着，官兵们看到是老领导的事，你睁一只眼，我闭一只眼，心照不宣！

“老领导，你真是不容易啊！”

“战友们辛苦了！”

“嗨，你夜里干我们只当不知道，白天我们在时你们可千万不能动工啊！”

“一言为定，一定不会让你们为难。”

欧阳不想为难执行命令的战友，更感谢对方的积极配合。

双方配合默契，平静的一天又过去了，热闹的一夜随即而来。结果是，楼层不停地在往上“长”……可这总非解决办法！欧阳尽管觉得这样对施工进度尚构不成太大影响，但毕竟不是个事儿。根本问题不解决，即使房子造好了，敢卖吗？再说你敢卖谁敢买？再往深里想，欧阳心里更发毛：你辛辛苦苦、耗尽财力物力建起山庄，部队领导再来一道命令：房子全部归部队！真到那时，欧阳你上吊十回也没有用！

不敢想，实在不敢想这后果！欧阳白天忙碌着到处购材料的同时，压在心头最重要的事，仍是如何想法子让部队领导同意继续履行他和七支队签订的合同。那些日子里，欧阳感到一天不处理完此事，他离绝望的深渊就更近了一步。3 天、4 天、5 天、6 天……最后欧阳感到自己的脖子已经被上吊的绳子套得几近窒息。

“什么？林总队长来啦？”第九天，宋副支队长向欧阳通报消息。

“太好了！我一定要见见总队长！”欧阳一下来了精神，因为欧阳认识总队长，而且总队长对七支队与欧阳的合作也是支持的。

总队长被欧阳请到施工现场，欧阳如实汇报施工情况和所面临的停工困境。有人告诉我，当时的欧阳几乎是“声泪俱下”。欧阳自己只承认是“比较恳切”。总而言之，总队长是受了感动，然后十分肯定道：这个项目没有问题，程序上没错，在执行军产的买卖上也符合上级有关文件规定，可以继续干嘛！

“谢谢总队长！”欧阳一听这话，激动得连向总队长敬了三个无帽的军礼。

总队长看着自己往日的这名营级部下很满意：“你继续干吧！”

“哎哎哎！起来，起来！给我甩开膀子干！把耽误的 9 天时间统统夺回来！”总队长的车子还没有消失在视野中，欧阳就健步如飞地在工地每个角落蹿动，那老板的架势像是头一回展现。

干！干干！大干快干！这回白天可以干了，晚上也不停地干——反正“银湖山庄”四周距居民区远，不存在扰民问题。欧阳望着忙碌的工地，那心头的畅快劲甭提有多爽！他在心里不停地盘算：照这样的速度下去，整个工程仍然可以比预期的提前至少若干天……

“吕华，我们现在可以预售房子了吧？”欧阳找来助手商量这件大事。

哪知吕华脸色阴沉道：“你还是先给武警支队那边回个电话吧！刚才他们又打电话来了。”

欧阳不明白，忙问：“什么事？”

“我不知道，他们只说找你。”

欧阳疑惑地掏出手机，喂喂几声后听到武警支队那边的声音，是营房科黄广兴科长无奈地打来的电话：“欧阳呀，我奉命传达总队首长的意见，命令你必须立即停工！”

“什么？我才恢复开工一个来月，怎么又要我停工了？”欧阳就差没跳起来吼。他颤抖着手这样大声地责问对方。

“你跟我们吼没用，我们也是执行总队首长的命令。你也不要着急，慢慢想办法，把情况搞清楚再说。”黄科长安慰他说。

“总队长不是总队首长了？是他同意我这工程施工的，你们难道不知道？”欧阳真急了，说话也不客气了。

“很可能上面的情况有些变化，原来是总队后勤部批准我们合作的，总队首长不一定都知道此事，还是先停工吧！”

这是欧阳万万不曾想到的。完了，完了！这下彻底要完了！欧阳一听这话，顿时瘫在椅子上，半晌没有说话。

“欧总，不能这样待着呀！工程都已到了这个份上，这再要不让搞的话，咱们可就真的要上吊、跳海了呀！”吕华轻声地提醒绝望中的欧阳。

欧阳长叹一声，有气无力地歪着个头，说：“我有啥法子？总队最高领导发话了，他要封杀我，我纵然有三头六臂，也只能任其宰割！”

“你再找总队长，既然他已经批了这个项目了，我们怕什么？”吕华很不服气。

欧阳听后摇头，说：“你没当过兵，不知道部队的情况。”

“部队咋啦？部队也是共产党领导的嘛！他总该遵守法律吧？我们是签订了合同的，凭什么说停工就得停工了？岂有此理！”

欧阳朝吕华摆摆手说：“你不懂。”

“你懂你就赶紧想办法嘛！”吕华发脾气了，这位跟着欧阳整天不分昼夜摸爬滚打在“银湖山庄”的深圳地产界的精英，实在看不下去欧阳竟然会遇上这等麻烦事。他冒火，其实是在为欧阳抱不平。

这回轮到欧阳反过来安慰自己的好友了：“别急，我欧阳没有干过伤天害理的事，我想老天总不会非灭我不可吧。我明天就上广州去找总队首长。”

欧阳其实不是第二天去的广州，而是当晚就到了总队驻地。大半夜的不好进营房，他便在马路上游逛，等着天亮。那几小时非常难过，欧阳想找个小旅店眯一会儿，又怕睡过头了找不到总队首长，只好坐在宾馆附近的天桥上，两眼像猫头鹰似的死死盯着总队大门……每一分钟对于欧阳都像一个世纪那么漫长……也不知等了多久，“哐当——”一声后总队的大门在“吱吱嘎嘎”声中敞开。欧阳见状立即蹿到一个自来水龙头那儿，捧起几捧冷水在自己的脸划拉了几下，然后直奔总队办公大楼内。

“首长有急事在开会呢！你等一等。”欧阳一打听，其实总队长在家，可秘书挡住了他。

等就等吧。一上午，欧阳耐着性子干等。可总队长日理万机，哪会儿才有空？一直等到傍晚，欧阳也没见到林总队长。秘书告诉他，总队长有急事已经赶到湛江去了，孙政委又不在广州，而是在千里之外的河北廊坊武警学院学习。

当天晚上，欧阳赶上了广州飞往北京的最后一班飞机。下飞机后东南西北都弄不清的欧阳在机场打了一辆“的士”直奔廊坊。到了廊坊欧阳更是不知武警学院在何处，午夜时分的小城廊坊连辆出租车都难找。最后欧阳叫了一辆摩托，七拐八绕地把他送到了武警学院门口。

“站住！”哨兵的手电“拦住”欧阳，厉声责问他是干什么的？

欧阳太熟悉部队了，应付几个小兵还不是小菜一碟，最后的结果是哨兵客客气气地将“首长”欧阳领到了正在参加集训的广东总队孙政委住的楼房走廊里。

“谢谢兄弟。”欧阳谢过哨兵，一看手表：凌晨两点。

怎么办？等到天亮再说？不行，欧阳一分钟也等不得了。昨天从深圳出门到现在，他已经有近30个小时没好好吃饭、没好好喝口水了，身上的白衬衣也变成了黑乎乎的灰衬衣了，由于大热天没有洗澡，他闻闻身上，自己都感觉浑身上下散发着臭味……在部队养成的衣着整洁的习惯，此刻早已被他丢至脑后。现在当他站在一位能决定他命运的首长房门口时，欧阳才意识到应该注意自己的形象。可半夜来敲人家的门，本身就够呛了，还有啥形象不形象的？

敲门吧！欧阳几次想抬手敲门，又将手停在半空：半夜三更，首长睡得正香时你敲醒人家，肯定不合适。你欧阳现在是社会流子！说得好听一点是生意人！是资本家！你凭什么半夜去敲一个武警总队最高领导的门？

欧阳啊欧阳，你不是疯了也差不多是神经错乱了！怎么办？到底敲还是不敲呢？欧阳站在门口的走廊里来回地走动着，又不敢双脚落地出声，那难受劲，简直就像脑袋要裂开了。敲！管他呢，反正工程不能上只能是死路一条。得罪了这位首长，大不了也是死路一条。敲，欧阳再次抬手——就在抬手的那一瞬，他改变了战术，缓和了自己冲动的情绪：千万千万，一会儿首长怎么骂自己、怎么发火，都必须忍着，只要他同意我能继续开工上马，就是让我跪下，磕一百个头都行……

“咚咚咚！”欧阳由轻至重地敲了三遍门。里面没反应，日理万机的首长睡得太沉了。

“咚咚！咚咚咚！”这回声音重了不少。只听里面有翻身的“吱嘎”声，随即又风平浪静。

“咚——咚——！”这回欧阳使劲了。“谁？谁在敲门？”首长大声问道。

“我、是我——”欧阳的声音倒显得十分温和。

“你是谁？”首长提高嗓音。

“欧阳祥山。”欧阳说得很轻，但能叫人听得清楚。

门终于开了，孙政委一见是欧阳，问道：“你怎么这么晚找到这里来？有什么要紧事吗？”

“我当时一见他，自己也想不到心头怎么会有那么大的委屈，像是一个走失许久的孤儿见了自己的亲人似的，那眼泪怎么忍也忍不住……我一边哽咽一边向政委诉说自己这几个月来工程停停开开的愁事，又诉说自己转业两年多来经受的种种困难，又把自己为什么无奈离开部队，独自一人下海从商的心里话，稀里哗啦地倒了个够。我真是像一个在外饱受了磨难和委屈的孩子见了大人那样，忘了面子，忘了一切，总之一股脑把肚子里想说的话全都倒了出来。

老实说，我是准备挨骂挨批，准备豁出去了。让我料想不到的是，政委听完我一通泣不成声的诉说后，他连忙给我端茶倒水，然后告诉我：‘后勤部批的“银湖山庄”离二线太近，没有留缓冲区，这是让你停工的主要原因。总队长和我已经知道此事，你先回去，明天一早我们回复你，已经建到这个程度了，估计问题不大。’”

第二天一早9点整，正在北京机场准备回深圳的欧阳就接到了支队黄科长的电话，“欧阳，你可以开工了，总队来了正式通知，你可以放心干到底啦！”哈，成功了！他欧阳又一次死里逃生。

“老实说，没有总队两位首长的开恩和支持，我干不成‘银湖山庄’，再往长说，没有七支队领导们当年对我的帮助和支持，就不会有今天的欧阳！”欧阳无法形容他内心对部队首长们的感激之情。

之后，“银湖山庄”的销售并未大动干戈。房子建造得差不多时，聪明的欧阳并没有进行常规的零销活动，而是找了实力雄厚且有购房需求的石化集团和证券公司，采取集团购买措施，加上代理公司买走几套，五栋楼房很轻松地出手了。

“同志，你再帮我看看，那、那钱入进去了没有？”石化和证券公司交购房订金用的是支票，而且一下打来2000万。那天欧阳和妻子一起来到建设银行的营业柜台前入账。他诚惶诚恐地拿着支票交给营业员后，一连三次问女营业员：“钱进账了没有？”

“这不正在进账吗？真是的……”营业员有些不耐烦地白了欧阳一眼。欧阳则一直笑嘻嘻地看着她，仿佛那女营业员就是为他护送财神爷的菩萨。

穷人时代的欧阳很率真，有着与所有没见过大钱的人一样的心态。

“银湖山庄”，仅用7个月就圆满完成。

从此，这个不断追求梦想并一步步向梦想靠近的军营汉子成为了千万富翁——一个在物质和精神层面上都拥有了巨额财富的人。

第十六章　当了千万富翁，还嫌太嫩……

商界有句行话：钱多钱少不能论英雄，是英雄是狗熊得看他能否经得起风浪折腾，只有那些能在风浪中稳坐钓鱼台的人才是真正的英雄好汉。

欧阳与所有普通人一样，他并非生来就是经商高手，也不是生来就有大钱而能自控的人。“银湖山庄”的成功，使他在走出军营后的两年多时间里，由一个骑着破摩托车到处奔波的穷光蛋变成了千万富翁，这700多个日日夜夜在漫长的人生道路上也只能算“一夜工夫”吧！做第一笔房地产生意加上之前折腾十几个行业赚进的几百万元，现在欧阳手里已经有了近2000万元的财富了。两年的时间，这对普通人来说，绝对是暴富。可两千万对有钱人来说，仍是区区小数，不值一提。

初涉商海，欧阳老弟尚不知财富世界的深浅。做完“银湖山庄”后，欧阳一时没有找到合适的土地继续搞房地产开发，而口袋里又有那么多钱撑着，此时的他内心有些躁动，或者说两眼在张望外面的世界时总有一种跃跃欲试的心态。接下去该玩什么呢？欧阳盘算来盘算去，一时找不到机遇。这与他两年前口袋里只有几千、几万元的光景大不一样了。此刻的他，既不会看中在泡沫厂和铝锭铸造作坊靠苦力和汗水挣的几个血汗钱，更不会满足于靠摩托车奔波来去打时差所换的那点赚头，现在的他一心想的是挣大钱。大钱在哪儿？自从“银湖山庄”成功后，欧阳认为大钱是与大风险紧密连在一起的。

想想“银湖山庄”初始时，他手头只有500万元本钱，却去玩了桩总投入超过他持有本钱三倍以上的风险生意。结果当然是他也赚进了超过他原有家底三倍多的大钱。眼下的大钱在哪儿？欧阳的目光不停地在深圳的那些财富领域的聚焦点扫描着……有了，股票！中国的股市让不少投机分子赚足了钱，也诱惑了无数想挣大钱的人掉入陷阱赔光了本。欧阳经过两年多的从商经历，对自身的能力和判断力越来越自信，随着他的钱包越来越鼓，他试图冒险赚大钱的欲望也随之膨胀——这一阶段的他并没有脱离普通经商者的心态和欲念。选择股票，选择不靠辛苦和汗水通过股票在一夜之间挣得大钱，这是那些一心想发大财的人的共同想法。

一些在股市上获得成功的投机者，为了掩饰自己当初的那份赚钱的原始心态，会将自己的行为与资本运营扯在一起，其实经济学的资本运营概念与此完全不是一回事。欧阳吃准两只股票，一下买进500万元。不用他打听也知道，在深圳股市最火的时候，有人仅拿几千、几万元入市搏杀，过上一年半载成为千万富翁、亿万富翁的有的是！欧阳内心就没有这种“投入500万，赚它5000万”的想法吗？绝对有，无论他承认不承认，我敢断定他有。这种积聚财富的速度和省劲程度简直太令人吃惊了！不像玩房地产那么辛苦、那么麻烦、那么没主动权，股票买进由你自己定，卖出还是由你定，你所要做的就是盯着上涨下落的K线图就行。这么简单的事，这么省心的赚钱机会，想发财的人都会将自己的灵魂和欲望搭进去。欧阳也不例外，他买进500万元的股票，期待着能轻轻松松翻几番！

哈哈，不流汗，不操心，银子“哗哗”地滚进自己的口袋里……欧阳祥山那一阵不太出去了，天天在家注意看新闻、看电视。当然出门也是更多地关心股票行情，还有政治风向——中国的股票与政策面贴得太紧，故而有人言，中国的股民是最关心中国政治的群体。欧阳当过兵，在部队里就有关心时事政治的习惯。

现在玩股票了，那种对政治动向的热情与钻研劲也比一般人更强烈和刻苦。

“你咋还没有睡？”子夜已过多时，梦中被扰醒的妻子揉揉眼睛，翻过身推推一边的欧阳问。

欧阳抽着烟，帮妻子扯扯被子，说：“我还在看新闻，你睡吧……”

妻子已经习惯，于是侧身蒙头又睡。可她刚要进入梦乡，忽听丈夫大叫一声：“哎呀，不好了！”

“什么不好了？你那么大的声音把孩子都吵醒了！”妻子有些生气。

“我的天哪——！这可咋办呀？”欧阳的反应非同寻常，妻子抬头一看，丈夫两眼泪水，强压着悲痛在那儿泣不成声……

“你、你到底怎么啦？”妻子又关切地问。

“他、他走了……”

“谁走了？”

欧阳下床擦着泪水，瘫倒在沙发上：“他走了！永远地走了！我敬爱的邓小平……”

妻子张青玲愣住了，赶紧盯着电视新闻……不错，电视新闻里正在播放中共中央、全国人大、国务院、中央军委关于邓小平同志逝世的讣告。

“唉，又一个让我们过好日子的人走了！”妻子长叹一声，抬手抹起眼泪。

“这下可得引起大地震了！”欧阳在屋子里来回走动起来，一会儿又坐下来思绪万千，暗自流泪……欧阳虽然与这位中国历史上的伟人从未谋面，但他的命运却与这位伟人紧密相连。

欧阳对着妻子回忆说：“1978 年邓小平上台摘掉了‘地富反坏右’的帽子，我才有机会从农村参军到部队，从而实现命运的第一个转折；到了部队后，也是邓小平的政策好，我才得以提干；转业那年也是因为有了市场经济的浪潮，我才有勇气放弃公职“下海”。可以说没有邓小平就没有我欧阳的今天，也没有今天这个国家……可现在他老人家走了，往后中国不知会出现什么事。唉！”欧阳觉得心里憋得慌。

“他一走，我手头500万股票弄不好明天就成一堆废纸了！”

“啊！不会吧？”妻子一听，吓得慌乱不堪，两眼直盯着丈夫。

邓小平的离去，对许多中国人来说，就像是天要塌了。

妻子赶紧穿上衣服下床走到丈夫身边，顺手给他递上一支烟，无奈地劝说道：“人总有一死，邓小平是你心目中最伟大的领袖，但你流再多的眼泪，他老人家也不能复活啊！至于我们家的500万股票，明天我陪你赶紧抛出去就是了，能抛多少就算多少！”

欧阳虽然没当过财务，可经济账他比妻子清楚一百倍：邓小平去世，中国的政局没准会发生变化，国内外形势还不知朝哪个方向发展，反应最敏感的就是深圳。而在深圳，股市又是第一敏感的。“吕华，我是欧阳。你也知道啦？”欧阳操起手机，电话打到了好友吕华那里，他前些日子是和吕华一起吃进的股票，他想告诉他邓小平去世的消息，并想征求他对股票的处理意见。

“现在只有一个救急办法，就是越早把手里的股票抛出去越好！能抛多少是多少呗！”吕华在电话那头这么说。

“我也这么想。”欧阳连连点头，他庆幸吕华与自己的想法一致。“天一亮，肯定证券交易所门口大伙都疯了，你说咋办吧？”

“还有啥办法？走吧！”

“现在就去？”

“你以为还早？说不准那里已经挤满了人。”

欧阳同意吕华的分析和判断，便起身穿衣服，说：“那行，我们一会儿在证券交易所门口碰头……”

不出所料，等欧阳风风火火地赶到证券交易所门口一看，那里已经黑压压的一片人群了，他们都同欧阳一样，是在听到邓小平去世的消息后，准备等交易所开市就抛掉手中股票的股民们。

欧阳和吕华一碰面就直摇头：完了完了，彻底地完了。两人好不容易在君安证券大门口的一块水泥台阶上坐下来，便一个劲地抽闷烟……与所有等待开市的股民一样，此时的欧阳无比苦恼，暗暗自责“没有一点眼光”。心里万分懊悔：别人买股票都是赚大钱，自己刚玩一把，就套死在这么个节骨眼上！唉，老天就是不让我欧阳发大财啊！得，今天能早点抛出去，换回几个是几个吧。

等待的每一分钟都是最难熬的。好不容易等到上午九时许，证券交易门市在固定时间开门营业了。清一色期待抛股的股民们像发疯似的冲进交易所大厅，欧阳与吕华夹在人群中奋力往操作台挤去，渺小得像大潮中泛起的一滴水花……一向先人后己的欧阳此时也顾不上形象风度，使尽全身力气往前挤，可汹涌的人潮形成巨大的阻力，他再用力也只能随波逐流。

那些冲在前面的人为自己首先抛出股票而庆幸和欢呼着，等待在其后的人，则一个个露出焦急和恐惧的神色准备着出击。终于，欧阳满头大汗地完成了500万股票的抛售——由于不是头一批进入大厅的，欧阳的两只股票股价竟然在抛售时比原股价还高出了一些。

“哈哈……走走，我们喝酒去！”欧阳和吕华挤出交易大厅后，俩人兴高采烈地开怀大笑起来，他们为自己没有赔掉股票而庆幸欢呼。这一天，欧阳和吕华在酒店里喝的洋酒比两人为庆祝合作“银湖山庄”成功时喝的还要多。

“干！为今天抛售成功！”

“干！为我们死里逃生！”

欧阳的酒量不怎么样，可今天他没少喝，脸上泛着红光，那是得意的光芒、胜利的光芒、自豪和庆幸的光芒。

“喝！喝——！”玻璃杯子碰得叮当乱响。

俩人醉醺醺地不知喝了多少洋酒，他们只感觉自己在“历史的重要关头”是个胜利者。这胜利者应该受到敬重和褒奖。

“哈哈，我们是胜利者！”

“干！”

当欧阳和吕华再次举杯时，又一个黎明降临了。酒店的电视在播放早间新闻，女播音员用清脆的嗓音播报着当日的一则消息：邓小平去世后的深圳证券交易第一日不仅没有出现崩盘，而且全线上扬，这充分说明以江泽民为首的第三代领导人已经深得全国人民的拥戴和世界的广泛认同……

“今天的股票有 90% 都是涨停板。”这明明是女播音员的声音。

上涨？不可能！这是绝对不可能的事！女播音员的话如同晴天再次响起的霹雳，使欧阳一下从醉酒中清醒过来。他怕自己误听了消息，用手使劲地捏了下吕华的胳膊——“哎哟哟，轻点嘛！”吕华疼痛不已。

“你说，我们怎么可能判断有误嘛？啊！你说，你说说！你到底醒了没有啊？”欧阳一会儿敲吕华的脑袋，一会儿敲自己的脑袋，到后来干脆又端起酒瓶“咕嘟咕嘟”往自己嘴里灌，一直灌到又哭又笑，不能自已……以为自己很聪明的欧阳，因为判断失误而抛出的 500 万元股票，仅仅在几天时间内就白白丧失了上百万元的赚头。

用欧阳后来自我评价的话说：那个时候他虽然身揣千万元资产，其实还很嫩，尤其对整个国家的政治、经济形势的发展判断还是有很大的局限性。

而紧接下来的“钢铁事件”更可以说明欧阳祥山虽然是个创造财富的奇才，但在商海里失足，也是他从一个跌跌撞撞的勇士到战无不胜的常胜将军之间所要经历的一种必不可少的磨炼。

许多没有经历残酷战场摔打的人，是无法了解市场和商海战场的血腥的。欧阳的体会太深了，在他越认为自己“成熟”时，这种经历和感受就越深刻。在部队时，欧阳就熟读过《孙子兵法》《三十六计》。从商后，他又经常把《孙子兵法》放在枕头旁翻阅，甚至可以熟练地背诵。结果他却发现，在商海中行进的路程越长，所知的兵法之道越多，在实际的商战中却显得越乏力和无奈。随着香港的回归和亚洲金融风暴渐渐过去，深圳特区作为中国特色的社会主义现代化桥头堡的作用更加凸显。从 1998 年下半年开始，这里的各项建设呈现一片勃勃生机的景象，无论是耍嘴皮子的“经济学家”，还是干实业的老总们，无一例外地认为深圳建设又将迎来一个新的高潮期。

深圳确实不负众望。此后的那些日子里，人们看到这个毗邻香港、澳门的中国特区，再次成为万众瞩目、热浪灼人的建设大工地。建筑快速上马，水泥钢材便行情大涨。已退出股市的欧阳，此时瞅着别人大把大把地赚钱，心头欲念早已按捺不住，可一时又不知如何下手。碰巧，此时欧阳不期而遇了以前在部队里的一位姓刘的老部下，他说认识唐山钢铁厂的老总，可以低价买到钢材。

“太好了！你引见一下，我去趟唐山！”欧阳信心百倍，随即飞抵唐山。

欧阳当时了解到的深圳钢材的行情是市场价每吨 2550 元，所打听到的唐山钢铁厂的出厂价在每吨 2450 元。一吨赚 100 元，一万吨就是 100 万元。10 万吨呢？不就是 1000 万元嘛！哈，干！这转手生意，不就是那头把货联系过来，这头再找个客户卖出去就是了！深圳此时缺的不是买家，而是卖家。

唐山钢铁厂远在华北，这个老厂这些年的日子不好过，经常出现职工工资待发的景况。1999 年春节前，欧阳来到唐钢，他详细参观了该厂的整个生产线，心头暗喜：可得把好这个“钢铁财源”。

“深圳来了个大老板！”唐钢领导听说欧阳是位深圳大亨，那热情劲甭提多高了，所能动用的最高招待规格全都搬了出来——从未享受过“部长级待遇”的欧阳，第一次感受到“前呼后拥”的滋味，实在是舒服。他更感到意外的是，他这个“大亨”刚从唐山回到深圳，唐钢销售公司的一把手、61 岁的总经理带着办公室主任竟然后脚也赶到了深圳。

“欧总啊，我在唐钢干了几十年，现在也没几天就要离休了。你老弟不知老哥我的苦处啊！这不，没几天就要过春节了，可厂里的工资还不知道从哪儿弄呢！都说钢铁老大，这话不假，但老大日子也太难过了，我们是国有企业，过去生产出的钢，国家统一拿走了，我们不用操心买卖。市场经济了，买卖全靠自己解决。哪知人家来提钢铁很容易，可我们回头上他们那儿要货款那个费劲啊——我怕老弟你没时间听，要有时间我可以给你倒三天三夜的苦水……看得出欧总你年轻有为，又是部队出来的，办事利索讲义气，我代表几万唐钢职工今天来求你一件事：借 500 万元钱，帮我们唐钢度过春节这个难关。如果事成，一方面你欧总就是我们唐钢几万职工的大恩人，二是我们唐钢也不能亏了你，我们保证以 2400 元一吨的价格向你提供 10 万吨的钢材，以谢你的救急之恩。”老总说上面这番话时，其恳切和诚意令人感动。

欧阳从小出身贫穷，他知道一个饥饿者向别人行乞时的那种感受。但他没有想到，现在竟然有一个国有老钢铁厂的老总，来向他——一个个体经营者求助。欧阳是共产党员，又是部队锻炼出来的血性男儿，他无法拒绝这样的盛情和恳求。

“好了好了，老总，我欧阳还是一个党员，一个有热血和良知的人。既然你们这样看得起我欧阳，我同意预付 800 万的钢材订金，尽自己一份微薄之力为你们唐钢做点小事……”

“欧总啊，我以自己的这把老骨头，代表唐钢全体干部职工感谢你……”唐钢销售公司老总说着起身向欧阳鞠躬，被欧阳赶紧阻止。

“这哪能使得！”

“那行，咱们其他的客套话就不说了。正月十五前，我们一定把你要的货运送到这边。”唐钢老总拍着胸脯向欧阳保证。

欧阳还有什么可说的，对方是国有大企业，他又在他们为难之时慷慨借款，这是板上钉钉的事！

过个好年，等正月十五货一来，赚它个痛快！1999年的春节，欧阳轻松愉快，与家人同享合家团圆欢乐也格外尽兴。春节过后十五天，欧阳从过节的喜庆中收回心思，来到蛇口码头等待按合同规定的时间从唐山至此的运钢货船……但是，从太阳初照到日落西山，欧阳仍不见码头上有他想要的钢材。这是怎么回事？他心头一急，电话即刻打到唐山那边。人家告诉他，货根本没有发过来。

“你、你们不能不讲信誉啊！”欧阳一听就后背发凉。

“实在对不住欧总。你不太知道咱们国有企业的情况，职工一到过节，就没多少心思好好干活，又遇上春节放长假，你要的钢材怎么也赶不出来……”那边唐钢的老总这样说。

这样的国有企业能干好才怪！欧阳在心里狠狠地骂了一句。可现在他知道，钱被他们拿走了，货却在人家手里，自己只能当孙子，人家主动自己被动，千万不能硬取硬拼，还得先稳住对方再想办法。哎呀这事，发火也没有用，只能跟人家好言好语说，“那、那你们说什么时候能把货运到这边嘛？”

“再等20天。20天后我拿老命向你保证货送到！”这回唐钢的老总发誓了，听起来像是真的。

是真是假20天后见分晓。这20天欧阳白了半个头——风云莫测的建筑市场上，钢材的价格因春天雨水多，工程上马少，每吨整整跌了近200元，这意味着原来欧阳想赚的差价和唐钢的“感恩优惠价”全部泡汤了。

盼星星、盼月亮，20天终于在欧阳每天变白的一缕缕青丝中熬过去了。那一天雨下得特别大，欧阳终于冒雨盼到了属于他的货。货到了蛇口码头，“来了就赶紧下货吧！”欧阳说。“不行，厂里说了，得等你把余下的货款交齐了我们才能起货。”唐钢的两名代表态度非常坚决地对欧阳说。

“合同条款不是规定卖了以后再交钱给你们吗？”欧阳急了。

“合同是合同，哪能找到那么好的事！”唐钢的代表没什么好商量的余地。

欧阳暗暗叫苦。他知道这回遇到的是个不守信用的对手。怎么办？能有啥办法嘛！货仍然在人家手上。一向精明的欧阳笑嘻嘻地请唐钢代表到附近的酒楼，热情中不乏“大老板”的气度：“这点小钱算什么？吃完了咱们就上银行汇支票到你们那边。来来，一路辛苦了！干！多干几杯！”几杯下肚，唐钢代表的警惕性完全消失了，并且不时夸欧阳现在是唐钢香得不得了的人物，“一提深圳的欧总，我们的老板就得掉眼泪！”欧阳听了只管笑，心想：见鬼去吧！真掉眼泪的是我欧阳！

酒酣耳热后，欧阳安顿好唐钢代表的住宿，便直奔蛇口码头，带着合同拿着提单，找到堆场经理、航吊经理和财务经理，恳请救急。深圳人跟深圳人，交情自然不一样，加上欧阳在部队十几年，以前多少与这些码头上的头面人物有过交往，把真相全都向他们说了个透。现在他来求人家，也就是一句话加两支烟的事。

说干就干！当夜，倾盆大雨之中，欧阳亲自指挥两台航吊车，冒着阵阵刺骨的海风，将船上的钢材如数吊至岸头，并立即运到他欧阳可以控制和方便销售的福田东山头堆场。

“你！你们怎么可以这样干呢？”等第二天唐钢的代表再到码头时，他们望着船空货飞的现场，气得浑身颤抖。

欧阳只对他们说了一句：“我仁至义尽，失信誉的首先是你们，你们应该回去看看合同条款，现在究竟是你们在搞鬼还是总经理在搞鬼？”

可不？唐钢人无话反驳，只得默认这种结果。

钢材是到手了，然而一路跌落的行情，是欧阳无法控制的。加上当时在深圳做钢材生意的几乎清一色都是潮汕人，像欧阳这样从来没有尝过钢材“腥味”的行外人，想在钢材市场上分得一杯羹是难上加难的事。心急如焚的欧阳每天跑到堆场上凝望着一大堆钢材直发愁。好不容易盼来了几个客户吧，人家都是要先拿货再付款。这样风险太大，欧阳不干。你要货，咱们一手交钱一手交货。

“那你自己留着慢慢用好了。”客户不屑一顾地走了。

时间一天一天过去，钢材还是那么堆积如山地占着大块货场。占货场不是白占的，欧阳每天得给人家付巨额租金。这里外赔钱，欧阳的心比流血还痛……一个多月过去了，钢材仍旧躺在货场一点也没卖出去。不行，跳楼也要扔出去了！无奈之下，欧阳开始以低价抛出……欧阳四处奔波、心力交瘁，结果费尽力气仍余下约价值 340 万元的钢材没处出手。

天无绝人之路。在焦急的等待中，一日欧阳遇到了一个准备把剩下钢材全部买下的“大客户”。此人姓黄，挂靠在龙岗平湖物业公司经营一家建材门市部。黄似乎很有诚意买下全部钢材，但条件也是先拿货，再付款。欧阳本来绝不会做这种高风险的生意，但因黄找来平湖物业公司做担保单位，这让他动了心。听说平湖物业公司的总经理是从部队团政委岗位上转业的人，与欧阳又是湖北老乡，有这样的担保单位，欧阳觉得“万无一失”。

“朋友归朋友，路归路，合同还是要订的。”欧阳说。

对方比欧阳还高调：“那是当然，亲兄弟，明算账，赚钱也得赚在明处。”

于是三方在合同上签字盖章。合同条款对付款时间、期限及违约责任都做了明确规定。虽然如此，欧阳心头仍有些七上八下，这种感觉是因为在与唐钢交往的过程中让他心有余悸。果不其然，虽然欧阳步步设防，但在与姓黄的签订合同之后的当晚，货场还是发生了让他出了一身冷汗的意外：姓黄的一夜之间将340万元的钢材不知拉往了何处……

货拉走，该付钱呀！合同条款上明明白白这样写的。可拉走货的黄某，似一股青烟般地在世上蒸发掉了，怎么找也找不着。那些日子，欧阳几乎不分昼夜地在所有可能找得见的深圳建筑工地上寻找他，但就是不见此人，也不见这批唐钢钢材的去向。

姓黄的不见了，他的平湖物业公司还应该在吧？欧阳火速到了那儿，结果得知人家做事从来独往独来，公司管不了他。欧阳得到的唯一一点信息是：黄某在从欧阳处拿到2700元一吨的钢材后，为了尽快兑现现金，早就以2300元一吨的价格全部转手卖给了别人。

混蛋一个！平湖物业公司还在，合同是与这个公司签订的。欧阳一纸诉状递到深圳市中级人民法院。判决下达的很快，可结果却令欧阳大为意外：法院认定欧阳起诉证据不足，因收据是姓黄的开具的，而平湖物业未开收货收据，无法要求对方还款。

岂有此理！欧阳虽然又气又急，但历经过风雨的他知道此刻千万不能乱了方寸，唯有以智取胜。于是他又追到平湖物业公司找到总经理。

“哟，欧总来了。”对方很客气并佯作知趣地说：“钱我们肯定会还，不过我们现在很困难……”

“你们现在既然有困难，人也找不到，那你们就给我一个还款计划吧。”欧阳将早已设想好的还款计划从口袋里拿出来一式四份。欧阳这一招出击准而出其不意，也很得要害。当时，对方总经理的办公桌上就放着大公章，那总经理还正在看还款计划时，欧阳拿起公章就在剩下的几份“还款计划书”上“啪啪啪”地盖上了章……对方的总经理被欧阳的这一招惊得目瞪口呆，两眼圆睁怒吼道：“我来给你盖嘛，你何必这么着急自己动手呢？”欧阳则笑嘻嘻地说：“我盖你盖都是一样盖。好了，你必须按照这个计划还款给我！”说完，他拿起盖好章的合同书扬长而去。

即日，欧阳把“还款计划书”递交法院后，法院立即下令查封平湖物业公司所属的财产。但欧阳又一次失算了：平湖物业公司只是一个空壳，什么值钱的东西都没有。当法院告知欧阳这一情况时，他气得又是摇头又是叹气。他不甘心就此失败，凭着军人特有的锐利眼力，一天之内他侦察到平湖物业公司虽然是空壳，却在银行开有 8 个账户。遗憾的是当这 8 个账户全冻结时，账面上加起来一共才 6438 元钱！怎么办？官司打赢了，可 340 万元欠款却找不到人还，这与水中捞月有什么区别？欧阳不被人气死也只能干瞪眼。什么叫商海险恶？什么叫陷阱重重？这就是！

事已至此，如果换一个人很可能有两个选择：一是蛮干找人算账；二是就此无奈地罢休，彻底默认了这桩晦气事。但欧阳选择了绝不放弃。340 万不是小数，即便现在他已经是千万富翁，但在深圳他仍然算不上是个有钱人。“小时候为了一块钱，我受到刻骨铭心的惊吓和母亲一顿无奈的毒打，即使以后我的钱都多得用几千万、几亿来算，但我永远珍惜自己用血汗挣来的每分钱。”欧阳在与员工一起闲聊时，经常说这类的话。他说这既是提醒自己不要忘了本，也是激励别人奋发图强。

珍惜劳动所得，珍惜血汗与辛苦换来的每一分收益，其实珍惜的不是简单的金钱概念，而是自身劳动和智慧的价值，以及人的基本尊严。

欧阳在“钢铁风波”中历经一波三折，使他深刻意识到一点：自己过去在商海自以为已经很老练和老到，其实还是太嫩、太幼稚。而正是因为认识到了这一点，他才锲而不舍地追踪黄某引出的这个似乎像是无底的黑洞……

功夫不负有心人。欧阳在四处查探中发现，地处平湖的“龙湖花园”原来是由平湖物业公司开发的一个房地产项目，这里还有相当一部分房子没卖出去。也就是说，空壳的平湖物业公司还有“钱”。欧阳摸清来龙去脉后，立即请求法院将“龙湖花园”的剩余房子按市场价格封了18套。哈哈，有了房子，就等于还款有了着落，欧阳终于可以高枕无忧了。从部队出来近4年，欧阳没有一天不在为生意和挣钱操心，跌宕起伏的商海让他身心备感疲倦，尤其是经历了好心好意为“唐钢”而弄出的这么一大串烦心事后，欧阳需要调整心态和休息。在法院封存平湖物业公司的18套房子后，欧阳已觉稳操胜券。正在此时恰有个出国考察的机会，于是他放下手头的事，西装革履、领带墨镜，一身阔绰打扮，雄赳赳、气昂昂地到美国、澳大利亚等地学习考察去了……

异国风情和全球经济浪潮，让这位中国军人出身的商界新人倍感新奇和受益匪浅。当他重新踏上祖国的土地时，法院查封平湖物业房子的时间已过半年。按照法律规定，查封财产超过半年未得到解决的就将自动解封。于是欧阳又赶紧重新请求法院查封了“龙湖花园”。这回他学精了：光查封房子不及时换成现钱，一切都等于零。

赶紧卖房吧！欧阳马不停蹄地去国土部门办理售房手续，办事人员一见“龙湖花园”的人来了，兴奋地说：好啊，等你们几年了，先把地价款补交了！

什么地价款？欧阳一下愣了。

亏你还搞房地产呢？不知道盖房要交地价款？办事员白了他一眼说：“龙湖花园”房子都建好了，地价款却赖了几年一直没交……

活见鬼！欧阳心想：这个平湖物业，整个儿是个烫手的山芋！扔也不是，捡也不行。怎么办呢？补交，等于又让欧阳白亏了一大笔钱。不交，18 套查封的房子卖不了几个钱——因为房产手续不齐全，房价将比市场价低出一大截。欧阳思考再三，最后只得再次请求法院，又一次查封了平湖物业在“龙湖花园”的其他一部分房产。最终，为了追回钢材款，欧阳先后 4 次请求法院查封对方的房产，通过出售所查封的房子追回了那 340 万元的钢材款。

聪明过人的欧阳依靠自己销售房产的能力，最后还赚进了 80 多万元。但是这一仗他打得太苦，光车胎就跑坏了几条——这是欧阳在从商初期花费精力最多、拖延时间最长的一次转败为胜，但也是最劳心伤财的一次。在这次事件中，欧阳明白和学习到了许多东西，即谋求财富和真正获得财富之间的距离不是直线的，而是弯弯曲曲、反反复复，甚至有时是倒退的。从商必定有风险，风险来临之后，如何化险为夷有时比直接赚钱更重要。化险的过程其实既是挽回损失的过程，同时又在创造经验和智慧方面的财富。遇到困难时需要有耐心，得有协调本领，同时必须有处事的技巧和方法。硬仗随时可能出现，当正面冲锋无法实现时，迂回战术在此时会显得特别重要。

欧阳总结“钢铁风波”的前后结果时这样说道：干什么事，首先得有一个想争取成功的态度。世界上任何事情都是有可能发生的，成功与否，这中间重要的是你想取胜的态度和理性的处事方法。通常条件下，谁都渴望成功。但成功只是对那些善于运用智慧和方法的人，才会开启财富的大门。困难是走向成功的基本过程，没有困难得来的成功那不叫成功。面对困难，最好的办法是继续相信自己，相信自己是创造一切可能性的力量源泉。自己有什么样的期望，自然也就会选择什么样的信念。有什么样的信念，也就会有什么样的行动与结果。永远保持一种积极的心态与追求，再高的山、再陡的坡总会过得去。

正如一位哲人所说：播种一种心态，收获一种思想；播种一种思想，收获一种行为；播种一种行为，收获一种习惯；播种一种习惯，收获一种性格；播种一种性格，收获一种命运。

“钢铁风波”之后的欧阳开始日趋成熟，他的创富命运也变得更加清晰和灿烂……

第十七章 男人的美丽金不换

男人不美丽则已，一旦男人美丽，便必定是壮丽之美、绚丽之美，或是洋溢激情的华丽之美和排山倒海的动感之美。

男人的美丽金不换。

欧阳的美丽人生，恰巧在这个年龄。

是的，欧阳把男人的美丽绽放于他对人生的大胆选择、勇于挑战，以及不懈地追求完美之中。后来欧阳建立的集团公司也取名为“美丽集团”。

40岁前的欧阳干了些什么？虽说数起来也干了不少事，但似乎这些事没有一件能够在深圳这块火热的中国特区土地上，留下有影响的美丽痕迹。充其量他也只是一个无名小卒，没人把他放在眼里。

然而2000年之后的欧阳，当他再度闯入地产业时，便搅得深圳经济界和整个地产市场风起云涌。

是怎么样一件事呢?

当时，欧阳卖了几个工厂以后，就想继续做房地产生意。但他看了几块地，都觉得地太大或价格太高。

有一天，欧阳听曾向他买过钢材、做建筑工程的朋友何玉聪说，在深圳龙华镇有块地可以开发房地产。这对一直在等待机会想干出点名堂的欧阳来说可谓是好消息。

土地权属方的龙华经济发展总公司的总经理黎朝安、副总经理梁猛好心地说：“欧总你多请几个人帮你参考一下，买还是不买赶紧回复，清远房地产公司要求3天给答复，你可要拿准主意啊！”

由于买地心切，加上自以为对房地产了如指掌，欧阳盲目地想买这块地。但是没想到土地的购买过程是极其复杂的。龙华这块荒地，别看七八年没人动它，到了真有人想买下时，错综复杂的手续就全都来了。

首先是这块地只能挂靠在龙华经济发展总公司之下，而不能将项目更名到自己的公司。其次是现在这块地早在七八年前权属龙华经济发展总公司，实属清远市房地产开发公司所有。它们都是国有企业，这国有企业办事痛快的时候只需某某领导一句话，可遇到折腾时，费九牛二虎之力也推动不了一步路。当欧阳确定要买下这块地后，他就在计算每一分钟内所要产生的效益。可人家才不管他这些，该什么时候上班，该走哪些程序，该领导与领导之间“商量商量”的程序一个都不能落下。欧阳为此几乎天天在龙华和清远之间来回奔波几次。合同洽谈到最后时刻，有一夜，欧阳为了协调三方的意见，竟然冒着大雨在龙华和清远之间驾车来回了三次，知道有多远的路吗？近1200公里行程啊！而且又是大雨滂沱……疲惫不堪的欧阳，听着雨水敲打在车窗上的单调声音，望着车灯穿过雨雾的光束，一曲《好人一生平安》勾起他无限思索和遐想——人生到底为什么？一生追求的是什么？

“那块地啊，哈哈哈，谁接谁就是傻帽一个！”有位深圳的地产业“老大”不屑一顾地对前来通风报信的人好一顿嘲讽。

其实这位“老大”并没有说错。这块地处深圳市龙华镇东环二路与建设路交会处的地产，权属龙华经济发展总公司，是清远市房地产开发公司在深圳房地产最热的1992年购买的，之后由于房地产业不断滑坡而一直没有动工开发。时间一长，土地所有者越发觉得这块土地丧失了开发价值，先后卖了七八年也没把这块地转让出去。一次卖不出去可能还说明不了问题；两次三次还卖不出去，问题可能就大了；四次五次再没人买，这块地恐怕谁都要打个问号；六次七次仍然卖不出去，这块土地已被人们认定为“根本不可能开发”。

兜兜转转七八年的这块土地，在欧阳接手时早已面目全非，根本不像是一块可以正经开发的土地。

欧阳接手这样一块二线关外的土地，并非出于别的原因，只因为像他这样毫无背景的人，也只能捡些别人牙缝里漏下的或者在别人看来根本不可能有什么开发价值的土地。关内的地价高，他也没有资金实力去竞争那些黄金宝地。但欧阳的选择也着实令同行们无法理解，“连傻子都不会要的土地”，他欧阳却想在此“大展宏图”。

5 月的深圳已经烈日炎炎。

那天准备当“新地主”的欧阳带着清华设计院的一级注册建筑师林彬海、马敏等人一同驾车来到龙华现场看地。因为没有路可走，车子只能停得远远的。下车后，欧阳头戴草帽，深一脚浅一脚地走向那片杂草丛生、杳无人迹的荒地。当他穿行在这块待开发的土地上细细看完一遍后，心头不由倒抽了几口冷气——这地比他想象的还要差很多。

首先这是块南北向狭长形的坡地，落差高度竟达十几米。更要命的是，在这样一个狭长地段中间，竟还被一条名叫“龙华河”（实则是彻头彻尾的污水沟）的小河拦腰截断，这是小区开发的第一大忌。二是这块地的中央地段有个全镇倒余土泥渣的巨大垃圾场，旁边紧挨着龙华人民医院的太平间和焚烧炉，这种晦气的地方一旦传出去谁还愿意要这样的房？三是周边无任何近距离的商业、学校和其他公共服务社区配套，孤零零的一个小区即使建得花团锦簇，也会使人们觉得生活在这既行不得又娱不得，上学和商务都不得的地方，与关在监狱有什么两样？

欧阳走完一圈，再坐定一堆荒草丛中静静想着这些问题，不觉额上直冒冷汗！

“这就是你要买下的地？”跟着跑得满头大汗的林彬海说，“我从来没有设计过这样的地块。”

欧阳请来自己的一位房地产界资深朋友来此掌掌眼。

“那你说说这里盖房有什么卖点可以让想买你房子的人睁大眼珠子呢？”

“卖点？啥叫卖点？”欧阳有些听不懂。

朋友上下打量着欧阳，好几分钟没说话，把欧阳看得心里直发毛，只能尴尬地苦笑着。“老天爷，你真是疯了！”那朋友仰天长叹一声，然后回头大步流星地登上自己的车子，临走时他转过脑袋冲欧阳说了一句：“你啊你啊，连啥是卖点都没弄清，竟然想搞房地产！兄弟，你可一定要小心啊！”奔驰车“呜——”地带起一溜烟尘消失在视野之中。

卖点？卖点这玩意儿是什么呀？欧阳这一天为这“卖点”二字，特意找了世方代理公司的总经理张红卫和副总经理汪春林二位请教。

他们听完哈哈大笑道：“卖点，就是你那地让人家特感兴趣、一听就想买你房子的地方呗！比如那房子价格比同类地方低，比如你的小区有什么特色，比如你的小区周边未来有什么潜力……这些都属于卖点的涵义，而真正的卖点是靠有能耐的人给抠出来的。”

“噢——原来如此！不就是让人家相信你这块土地以后有什么什么好处嘛！”欧阳茅塞顿开。

“对对，就是这个意思。”汪总友善地相劝，“欧总，听说你准备买下的那块地的地价已经每平方米600多元了，加上以后的建筑成本，如果房子不能找到特别闪耀的卖点让买房子的客户感兴趣，可千万别轻易投入啊！搞房地产是能赚大钱，但也不乏赔尽老本跳楼的人。万万慎重！”

“谢谢你！我明白。”欧阳知道朋友们都是为他好。他心里又想，自己运气真不好，买完地才知道还有“卖点”这个鬼东西。

卖点究竟在何处？那时的欧阳，还仅是个小老板，他时常摸摸自己的口袋，不时掂量掂量自己到底有没有能力啃房地产这块骨头。有背景、有实力的地产商都去啃肥肉了，唯独他欧阳是个又想吃肉、又没本钱的主。像他这样的人，也就只能捡别人谁都不愿去捡的骨头啃，于是他现在唯一的希望是尽可能地找出这块地的卖点——这是引领他达到保证不赔钱底线的一缕光明。否则欧阳知道一旦栽在这块地里，等于自掘坟墓。

欧阳觉得这卖点不能凭自己的感觉和想象找，必须了解清楚与这块土地紧密相关的当地现状和政府在这里的整个发展规划，这样才有可能找到、找准自己想要的这块地的真正卖点。

为此，他来到了龙华镇国土所，没想到卖点竟然不费吹灰之力就找到了。据了解，欧阳准备买下的那块待开发的土地近邻，就是龙华镇未来城市规划中一个非常宏伟的待建项目——龙华中心广场。该广场总占地面积达10多万平方米，规划中有音乐喷泉、龙马精神雕塑等公共设施。如此中心地带的商业住宅小区，还用问有多少卖点吗？这何止是卖点的问题，而是将成为龙华的“太阳”了！再说，周边已建成的新华中学、人民医院等已投入使用，用不了多久，此处肯定人气兴旺，别有景象。欧阳认为，只要政府搬过来，就会成功——“共产党像太阳，照到哪里哪里亮”。房地产商如果不懂得这一点，那他就是白痴一个！

当欧阳再次把汪春林和刘中华两位房地产代理专家请到现场，将自己所掌握的卖点向他们这么一讲，作为内行的他们立马将自己直觉的判断告诉了欧阳：“欧总，这块地你可能有得干！”

对欧阳来说，干还是不干，仅一字之差，可他却需要苦苦寻思无数个不眠之夜……

人一生的机遇和挑战无数，但一次选择如果导致毁灭性的失败，那将永世不得翻身。这样的事并不少见，商海惊涛，能将人推至巅峰，也可将你覆至谷底。

一瓶白酒、一包花生米、一顶破草帽，欧阳在每一次的痛苦抉择时，总爱带上这三样东西。这回他仍然如此。

第一天，欧阳带着花生米和白酒，独自坐在荒地的草丛中，凝视着这块被分割成两截的狭长地块发了整整 13 个小时呆，最后因为天太黑而不得不返回家去。

第二天，他又头戴草帽，带着两包花生米和一瓶白酒来到荒地。这一天他没有静坐，而是用脚来回丈量了 3 遍土地，最后坐在荒地上用树枝不停地画了无数个谁也看不懂、只有他自己心里清楚的笔画。

第三天，欧阳带了 3 包花生米，没带白酒，却带了洋酒。来到荒地，他自嘲道："房地产搞不成，老子自己先喝个够再说。"最后，他在太阳尚未下山时做了一个夸张的动作——张开双臂，并拢双腿，然后全身伏地倒下……许久，他从地上站起来，仰头对天号了一声："苍天保佑我欧阳啊！"

回声很响，据说当时周围有几个路过此处的人以为有人寻短见，便纷纷跑了过来。当他们看见欧阳独自躺在荒地上，便好奇地问他在干什么？

欧阳朝他们笑笑，说："我要在这儿盖龙华最好的房子。"

那些人瞥了他一眼，嘴里蹦出一句"神经病"后，便笑笑离开了。

这回欧阳没有生气，他笑得很坦然，心想：看来我确实该在这块土地上做件谁都不相信能做好的事了！欧阳站起身，挺直腰板，自言自语地冲着仿佛沉睡着的龙华热土大喊了一声："我欧阳来啦——”

欧阳自己承认，在这之前他所有的从商经历只能算是“小学”水平。自从购得龙华这块地后，他欧阳才真正开始“上路”，才开始被深圳人认识和被同行认可。

进入21世纪，特区深圳的房地产业较历史前期，已开始呈现明显的下滑趋势。那些好楼盘、好地段几乎全被开发光了，而且像他曾经搞的“银湖山庄”那一类集团购买形式也基本没有了。国家的房改政策完全改变了买房者的消费结构形态，散户和个人购买占了99%以上。这就意味着开发商所开发的一个楼盘，假如建了1000套房子，其销售对象至少是在990个。面对如此众多的散户，房子的质量变得异常重要。那些成熟的“老房地产商”纷纷出奇招、绝招，看一看现在报纸电视上所刊出的那些房产广告，你就知道什么叫“宣传”和“造势”了！

欧阳知道现在他要把这块荒地变成“卖得动、能赚钱”的房子，最需要在房子设计和质量上下功夫。为此，他特邀了清华设计院、承建商中建四局、物业管理万厦居业等多家甲级单位参与这个项目，为的就是要使未来所有入住的业主们没有遗憾。这样一来等于开发商做了件完美工程，完美工程所带来的效益仅仅是赚钱吗？不，肯定是长期的品牌效应。一个企业、一个楼盘的品牌效应产生后，紧接下来的就是经济效益。欧阳十分清楚这中间的相互依存关系。

清华设计院，欧阳的生死之交关系户。我曾经3次随欧阳去过那里，发现欧阳与那里的所有设计师关系都特别亲密。而且当欧阳一进入这个设计院时，从主设计师到普通员工，都会亲切地站起身跟这位房地产大亨打招呼。而欧阳来到设计院，甚至比他进自己的办公室都显得自由和随便。

“你可不知道，欧总这人了不得！”清华设计院的设计师林主任一听我提问有关欧阳的事时，双手直摆，“我们见了他都是又怕又敬畏……”

“为什么？”我感到好奇。

“他本事大啊！”林主任一边笑着指指欧阳，一边回答我的问话。

我笑问：“你是指他的赚钱本领大，还是逼你们出活的本事大？”

“赚钱方面的事我不知道，可我们都知道他最能磨人，最能出招，最能让我们认真再认真和耗尽精力……记得他开发龙华第一个项目时，仅设计户型这一项，就前前后后组织了不下 200 人次的反复讨论，一个细节都不放过。他连住宅楼里的工人房都考虑到采光通风的问题，其他就更不用说了……当然通过欧总我们也提高很快，也非常受感动。”

“请具体道来。”

“最好欧总走开了我们再谈。”主设计师冲欧阳笑笑，对我说。

欧阳连声“好好”，摆摆手走到另一间设计室。

“欧总竟然带着他公司的人和我们几个参与他项目的设计师、代理公司和销售部跑遍了深圳及珠江三角洲大大小小的上百个楼盘……后来确定下的设计方案前后修改了几十次！他很能熬夜，一熬就是一个晚上，没有一个老板像他这样的。我们反复跟他建议要节约一点成本，但他坚决不允许我们偷工减料，我们真是哭笑不得，但最后大家从心底里是非常敬佩他的。”

“两个多月，他天天都吃住在我们设计院，把我们的建筑设计知识几乎都偷学去了，他现在不仅是建筑专家，而且是个很富有社会责任感的企业家呢！”

“欧总是个不能不佩服的人。他上我们这儿跟谁都熟，而且谁都拿他没办法。”设计院的林主任一直跟随欧阳，欧阳自“美丽家园”之后的所有项目都是由他担纲主要设计，因此他特别能理解欧阳的设计意图。当着欧阳的面，林主任给我揭欧阳的“短”：“每次他拿来的活又急又多，你对他说放一放我们再干，他也不跟你嚷嚷，大老板中数他态度最好，最有亲和力。但他也最难对付——他看你不忙着给他干活，他就在旁边有事没事跟你聊，最后聊得你情不自禁地放下手中的活为他去干了。干就干吧！可他倒好，你一干起来就没完了。只要活没干完、没干好，他就会笑着缠着你非为他干完干好为止。你说可以甩手不干？不行，你走不了！比如到下班时间了你不是想夹着包走人吗？嗨，他可有办法，你还没有起身，他就已经把晚餐送到你的面前，你说干还是不干？干吧！你不想加班加点？不行，你稍感觉有点饿了，也不知道他什么时候又把香喷喷的夜宵放到你的手边。继续干吧！我们一干说不准一个通宵，回头一看：嘿，他个欧阳老总，竟然陪着你独自倒在墙角打盹……我敢说，在深圳几百、几千个大老板中，没有一个人能像欧总这样对待工作的！”

“有时他对房子的要求太苛刻了，总改来改去，我们也会有烦他的时候，你听他怎么说？他说，老百姓辛辛苦苦买一套房子不容易，花了几十年积攒的血汗钱买了房子，住后觉得亏了，整天骂骂咧咧，我当开发商的就是赚了钱，良心也不会安宁的。他欧总是房地产商，能说出这样的话，我们搞设计的还有啥理由不想想法子把最优的方案搞出来？”

都说房地产业是最黑的行业，但我没有想到竟然在这里、在深圳的房地产业里还有一块令人感动的净土！我无法不相信清华设计院里这些年轻憨厚又充满智慧的知识分子们所说的话。

战场已经拉开，虽说这是一片荒地，但对投资者欧阳来说，压力显而易见。单说土地购买这一块就是3200多万，而开工建设所需的投入至少是这个数的两倍。近5000万元的前期投入，如同一座泰山每天重重地压在欧阳头上。此时的欧阳，已是开了弓的箭，不想勇往直前是不可能的了。现在他最需要做的是什么？当然是尽快盖房子。可房子容易盖，但盖了房子如果卖不出去这对投资开发的欧阳来说无疑是吃不了就得兜着走。

销售楼盘是一切投资盖房者最为关注的一件大事。而一个楼盘的价值有时很难用简单的地势、市场趋势及价格高低来衡量，因为购买者通常对五花八门的市场情况是盲目的。而此刻的欧阳，老实说对房地产市场同样有许多盲点。

“来来，今天我们的任务就是请你们这些精英一起帮我们这个项目重新取个名字。”欧阳来到世方代理公司这样说。

“欧总你不是已经将它命名为‘龙鼎花园’了吗？”有人奇怪地问。

“不行，那是个既没有什么实际意义，又毫无创意的楼盘名。欧总希望我们的楼盘与我们的公司和我们的团队一样，一出来就给人一种新意，能让人记得住，特别是能让市民们感到一种温馨和向往……大家都开动脑筋吧！”汪总组织公司一帮精英开展“头脑风暴会”，为欧阳的项目取名。

40多位年轻人立即进入深思状态，一时间，各种能够表达豪放、浪漫、温馨打眼的名字都从众人口中喷涌而出。借着“神仙会”的气氛，欧阳笑得很欢实，但他仍在摇头，不停地摇头。

“这么多好名字，老板你还不满意呀？”年轻人为自己江郎才尽仍不被老板欣赏而叫苦不迭。

“别小看名字。我们军人打仗知道师出无名是打不好仗的，深圳房地产市场竞争如此激烈，我们建房卖房就是见不着硝烟的战争。大家再开动脑筋想……”欧阳为追求楼盘名字尽善尽美可谓不惜代价。用他自己的话说，你就得像给自己的儿女起名一样下功夫才行。儿女的名字起不好，以后还有机会改过来，可楼盘的名字没起好，就会影响你一生的事业。

“头脑风暴会”又过了几个小时，大家七嘴八舌，又蹦出几十个奇思妙想来。欧阳随即挥起大笔，“唰唰唰”剔去一大堆“垃圾楼名”，并最终从上百个名字中选定了十个较具代表性和风格迥异的候选楼名，然后对众干将们说：“只留下汪总和罗芳，其余的散会。”

欧阳布置道：“代理公司要对即将出台的新楼名的宣传做出计划。你们的任务是现在马上把这十个楼名打印出来，再复印上几十份，我明天一早就要用。”

“是。”

罗芳有些不解地问欧总：“欧总你印那么多楼名材料干吗用？”

欧阳笑笑，说：“明早我请你喝早茶。”

这人，都到火烧眉毛的时候了，还有心思悠闲地喝早茶！罗芳弄不明白这个老板又有什么新花招。

第二天一早，罗芳随欧阳一起进了早茶店。广东人爱吃早茶，深圳的早茶店遍地都是。罗芳跟老板一进早茶店就明白了欧阳要干什么——只见欧阳从包里掏出昨晚复印的楼名，挨个在早茶桌上向市民们征求意见。“谢谢大家，我们公司想搞个有奖咨询，请各位踊跃参与……”欧阳一边发单子，一边这么说着。罗芳的任务是给每位接受咨询的市民赠送一份精美的小礼品。

“有意思，我来看看……”

“嗯，我看这个名字好！”

“对对，这样的家园我爱住。”

经过调查，92% 的市民都选择了“美丽家园”这个名字。

“美丽家园！”

“对，我们就用‘美丽家园’！”

欧阳的脸上顿时绽放出灿烂的光辉，他默默地将“美丽家园”四个字念了无数遍……

第十八章　那一刻，天崩地裂

“好，这个名字好！”当欧阳确定用“美丽家园”这个楼盘名字时，在公司内外普遍获得好评。那些咬文嚼字的人仔细想想也确实再没有比“美丽家园”这四个字更亲近市民的楼盘名字了。在深圳，即便是有钱的或者是那些不是很有钱的人，他们多数是从内地移民至特区的，辛劳奋斗数载后打算安居落户，谁不希望有个美丽温馨的家园？而许多购房者其实在买房时并不太清楚到底哪样的房子好，铺天盖地的房产宣传广告和华丽炫目的形容词，又让多半购房者不知该选择何处何样的房子作为自己的理想居室。一个符合心意、让全家老少皆能接受和满意的楼盘名字关乎购房者对楼盘的“第一印象”。世界上千万个楼盘都宣传自己是美丽家园，却没有一个真正命名为“美丽家园”的楼盘。

欧阳钟情“美丽家园”，也就把自己的事业定位在为自己的开发对象们建设美丽家园的目标上，这也为他日后的辉煌写下了重重的一笔。

美丽可以使人产生联想，而美丽其实不用联想就足以让人向往了！

其实，欧阳祥山对“美丽家园”这一名字还有自己的理解和奋斗目标：最初来到深圳时，欧阳身为一名农村娃，当他穿上军装走进部队的那天，他为自己能住上楼房兴奋和激动过。后来成家了，因为不符合随军条件和职务低的原因，他和妻子带着孩子只能住仓库，那时他渴望有个哪怕只有几平方米的家，即使全家人挤在一张床上，那也是十分美丽的事。再后来他升为能够将妻子和孩子随军的军官，部队分配了住房，当他搬进属于自己的房子时，他用了整整一个月时间不停地对房子内外进行整理修饰，直到他认为美丽为止。之后他亲眼看见了深圳一栋栋大楼拔地而起并成为楼的海洋，他常常借巡逻的机会，漫步在街头不停地欣赏着各式各样的楼宇，尤其是当他看到错落有致、装潢华丽的家居时，心中不免涌起“我也想有个美丽家园”的宏愿。后来他自己干起了建房子的买卖，他发现他这个人竟然也能盖美丽的家园了！这使他兴奋和激动，同时也促使他把“下海”的未来发展方向定在建设美丽家园的事业上。现在他真的可以放手去努力实现这个理想了！

“美丽家园……”欧阳品着这四个字时，越发感觉其中有想象不完的意境，这意境使百姓感到温馨和希望，这意境还包括了人们对幸福生活的诸多追求。总之，“美丽”二字可以让所有的人感觉亮眼，感觉心动。哪怕是色盲也知道美丽为何物，即使盲人也知道平整一下自己的衣饰……美丽在每个人的心间。

为“美丽家园”的诞生，欧阳兴奋得每天睡不着觉。他是公司的老板，又是公司的总管，更是公司看大门的，所有一切大大小小的事他都得担着——因为他是靠汗水挣得的每一分钱，所以他也格外珍惜正在花费的每一分钱。几千万元的投入，庞大的工地就是一个将成捆成捆的钱往里扔的战场，让他每时每刻惦记着每一个细节。为盖“美丽家园”，欧阳已经不记得自己家里的床单是什么颜色了，更忘了哪些衣衫是洗过还是没有洗过。除了已经上马的工程，欧阳早已经把其余的一切都抛到了九霄云外。

那一天，他一大清早出家门，前脚刚赶到工地，妻子后脚就气喘吁吁地赶来了：“跑、跑了她……”

欧阳正忙着跟工程部的人开会，头也不回只轻描淡写地问了一句：“跑什么？谁呀？”

“婷婷跑了。”

“今天考试她早该跑了嘛！你别啰嗦了，赶紧给我跑一趟银行吧，这儿等着用钱呢！”欧阳想着上午还有几批材料需要采购，于是朝妻子挥挥手。

“她跑了！跑得没影了！”妻子急得直跺脚，眼泪已经挂满脸颊。

“跑了？跑哪儿去了？”欧阳这才清醒过来，“你说她跑得没影了？没上学去？”

妻子再也说不出话了，双腿一软，坐在工地办公桌前号啕大哭起来。

“她没上学？啊？她自己跑哪儿去了？你还不去找她？”欧阳急了，很少冲妻子发脾气的他突然变得粗暴起来。

“我、我找得到她还来跟你说呀？呜呜……孩子要没了，我就不活了，呜呜……”妻子哭得声嘶力竭。

“跑了她？！”欧阳的脑袋“嗡”的一下如听见晴天霹雳。

“欧总！欧总——”身边的员工们急忙扶住摇晃的欧阳。“别着急，欧总，我们一起去找婷婷！”

欧阳定定神，又摇摇头，有气无力地说：“我、我自己去找。你们忙你们的。”

那一刻，公司上下的员工们第一次见顶天立地的欧阳像座顷刻倒塌的大厦——他的心已成为一片废墟……踉跄的步子，呆愣的目光。人们从没有见过欧阳祥山这个样子。

婷婷，你这个小东西，咋就这样让我操心啊！欧阳的眼里泛起了泪水，视线渐渐变得模糊……

此时正是初中生的婷婷，是欧阳的宝贝女儿，说她是“掌上明珠”，一点不过分。所有的独生子女在父母眼里都是如此，而从小天资聪颖的婷婷在欧阳夫妇眼里更是这样。大凡不一般的人在他（她）来到这世上的那一刻起就有不同寻常的地方。小婷婷也有些独特之处。

小婷婷出生时，欧阳就被她搅得晕头转向。那一天是大年三十，怀胎十月的妻子根本不知道预产期是哪天，当天下午还到沙头角去买年货。八九点钟做好的年夜饭都冰凉了，欧阳还没有回家。11点了欧阳才从梅林十三中队踩着单车回到猪仓门外，此时大院门已关门上锁了，欧阳只好翻越大门回到家里，小两口就开始吃年夜饭。

欧阳居住的猪仓只剩下面的几十头猪，一起居住在此的所有邻居都回老家过年去了。12点05分，欧阳夫妇喜迎新春图个吉利，拿着事先买好的鞭炮上到二楼平台，四周漆黑一团，寂静无声，两人点燃了鞭炮，“噼里啪啦”的鞭炮声打破了节日夜晚的宁静……妻子这时突然感到腹部疼，欧阳赶紧扶她回到住处，不知如何是好，往医院送已是他唯一能意识到的一件事。除夕之夜的全中国人差不多都在电视机前观看“春节联欢晚会”，20世纪80年代的深圳一到春节大家都回老家过年，平时热闹非凡的深圳大街上既不见几个行人，也没有车辆行驶。欧阳的住处连电话也没有一部，无奈他只得到离家七八百米远的解放路上拦车。可惜拦了半天偶尔驶过一两辆车，只见司机把玻璃窗摇下来，气势汹汹地骂：“疯了，大初一的你想死啊！”回到家里见妻子已经疼得满头大汗，欧阳只得抱起妻子从家里往街上跑。一路想拦车的欧阳发现大街上既没有出租车，也没有什么私家车。这可怎么办？

“哎哟——疼死我啦！”妻子一个劲地喊着，脸上汗水直淌。

“你今天怎么生病了呢？”欧阳抱着妻子想奔跑又怕俩人一起摔倒，只得小步快走。

“我、我刚才有点饿，就、就吃了几个西红柿”妻子说。

“吃西红柿也不至于疼成这个样嘛！”

“可我一下吃、吃了8个。”

“啊？ 8个？！你、你……”欧阳一听就想骂出口，可见怀孕的妻子大汗淋漓，她也是为了等他从部队赶回来吃年夜饭才饿得吃西红柿垫肚子，也就把话咽了回去。“坚持！再坚持几分钟就好了！一会儿肯定会有车的。”

“突突突——”一束耀眼的光刺着欧阳的双眼。“哟，这不是欧阳中队长吗？”三辆三轮摩托车在欧阳面前戛然而止，原来是七支队特务连副连长吴东辉带队执行巡逻任务。

欧阳定神一看，惊喜万分：“是你们呀！快快，快送我们上医院！”

“是！中队长！”只见几位军人迅速将欧阳和他的妻子扶上摩托车斗，直奔人民医院……

医生一看，立即朝欧阳挥挥手：“你妻子要分娩了！”

产房外欧阳神情紧张不安，身边又围了几个全副武装的武警，不知情的医生和住院的病人走过来走过去地瞅着欧阳，瞪着眼睛惊诧不已地问：“你们咋又抓了一个贼啊？”

战友不解：“哪来的贼呀？”

“嗨，这人不是你们抓的贼吗？”有人竟然用手指着欧阳。

“瞎扯！”战友怒言，等人家走后大家冲着欧阳大笑起来。

“哇！哇哇——”不到10分钟，一声清脆的婴儿啼哭声，突然从产房里传出。

“恭喜！先生你得了个‘千金’……”医生过来笑眯眯地向欧阳道喜。

“真的太谢谢你们几位了，要不然今天我妻子差点在路边生产……”欧阳满怀感激地对战友们说。

“哈哈，欧阳中队长要请客喽——！”战友们簇拥着欧阳欢呼起来。

不消停的婷婷在大年初一的清晨来到这个世界，便注定了欧阳家的这位公主日后的躁动性格和不俗命运。

医院里，刚才那些以为欧阳是“贼”的人很不好意思起来，站在一旁窃窃私语道：“这人福气真大！”

欧阳福气确实大，大年初一添个“千金”。或许是因为“千金”在大年初一出世，所以这小家伙也就显得格外珍贵。如今都是独生子女，哪家父母不把孩子视为掌上明珠？然而军旅生涯中的欧阳无法顾及孩子的感受和成长的环境需要。女儿出生后因为母亲还是个临时工，身为父亲的欧阳又在不断地追求职务升迁，所以孩子在幼年和童年时代没有得到过安定的生活。仅幼儿园就转了3个，小学也读了好几所，为什么？因为欧阳那些年里干一两年就被提拔一次，每一次提拔他就得换个部队。虽说武警七支队都在深圳，但却分布在各不相同的城区驻防，孩子因此不停地换幼儿园、不停地换小学。那时孩子还小，虽然无法跟大人抗争，但她幼小的心灵无意间受到了很多伤害。这种伤害首先体现在她对周围环境的陌生感上，每次与周围的小朋友刚刚混熟，她又被重新抛入另一个陌生的环境中。

幼儿园的时候，对这种陌生环境小婷婷还能以沉默来忍受，可上学后这种陌生就变成了对她幼小心灵的一种严重摧残——孩子们也会欺生怕熟，喜欢学习好的伙伴。小婷婷虽然天资聪慧，可也经不起一次次频繁的折腾。每一次换学校，她总要经过几个月的适应期，而当她刚刚在课堂上能自信地面对众多同学们熟练地回答老师的各种提问时，父亲或母亲又在为她办理转校手续……婷婷其实很可怜。也许正是因为这样，欧阳在“下海”后自己手头有了钱就把婷婷放在了一所“贵族学校”——石岩公学，既可以吃住都在学校，又可以让欧阳夫妻安心干事业。欧阳以为这样可以让女儿安下心来好好学习，但他忽视了一个非常重要的问题——环境对未成年孩子的影响有多么大。

小婷婷在10岁前几乎是在父亲欧阳的不断升迁中颠沛流离地生活，现在“贵族学校”使她生活和学习的环境一下安定了下来，当她不再需要与那些时常更换的新伙伴搞熟关系时，小家伙的那双眼睛就开始盯在了同学们的衣着和奢侈的生活方式上——身着名牌衣服和鞋帽，出手就是几百、几千的零花钱，这些都让婷婷好奇和羡慕，尤其是每逢周末放学和回校时，同学家长们开着各式各样的高级轿车出现在校门口的那些壮观景象，都让以往封闭的小婷婷感到了什么是“外面的世界”。

“外面的世界很精彩……”小婷婷渐渐开始学会了哼着这样的歌并去体味着这样的世界。孩子其实对“外面的世界”理解很有限，因而婷婷聪慧的注意力开始渐渐离开学习，转移到好奇同学和同学们那些“丰富多彩”的生活方式上。

她变了。欧阳以自己苦出身的生活审美目光，敏锐地察觉孩子的衣着和言行自进入“贵族学校”后发生了巨变。“这样要不得！”欧阳紧张和警惕起来，以一句“为了你好”作为理由，随即又将小婷婷弄到深圳红岭中学。这是一所公立学校，在欧阳传统的意识中认为只有公立学校才可能教育好孩子。为这，他还特意在红岭中学的附近出高价买了一套房子，以此想给孩子更多关照或者说更多监督吧。然而孩子此时的心境已很难宁静，“外面精彩的世界”的诱惑使她无法抗拒，学习成绩日趋下降，直至最后连考试都不想参加。

欧阳无法接受这样的孩子。“为什么不愿考试？”站在一个10来岁的孩子面前，欧阳拿出当营长的威严这样责问她。

“我不舒服。”女儿用不屑一顾的目光瞥了父亲一眼说。

欧阳一下血冲脑门，拳头握得紧紧的，可随即又勉强地放开了。他余怒未息道：“你不考试，回来我就打你！”工地上忙得不可开交，就在他与女儿说这几句话时，手机已经响过几遍了。欧阳瞪了一眼女儿便匆匆出了家门，他无论如何也想不到小小年纪的女儿就在他出门不久后，竟然收拾起自己的东西，独自离家出走了……

“这个孩子！她会到哪儿去呀？”欧阳一听说女儿离家出走了，一颗心立即悬在嗓子眼——他在武警部队时就知道，每年深圳走失的孩子和老人都会有几十个，而被坏人劫持或者伤害的无辜者人数更是令人触目惊心的数字！

“傻！这傻孩子怎么会想得出离家出走呢？”欧阳仿佛大难临头。

“要是婷婷有个三长两短，我就不活了！呜呜……”妻子在一旁哭天喊地，让欧阳更是心急如焚。

“哭有啥用？赶紧去找吧！”欧阳扶起妻子，发动车子，开始在茫茫人海中寻找他们的“千金”……

一整天下来，毫无音信。

一夜又过，仍无线索。

欧阳和妻子急得快要崩溃了。好不容易打听到有两个平时与婷婷经常在一起玩的小同学名字，可只知道那两个同学在梅林某个花园公寓区住着，但又不知她们家的具体楼号房号。欧阳只好一家一家地去敲门询问……

“什么时候了，你们这么敲门？”凌晨四五点钟，正是深圳人熟睡的时间，欧阳每一次敲门，就被人家骂得狗血淋头。无论他怎么和颜悦色地解释，“疯子”“神经病”的骂名，甚至“找公安局报警”的话，都只能忍着，还要一个劲地说“对不起”“谢谢”。终于，在费尽力气找到这两个同学家时，人家说根本不知道婷婷在哪儿。

“这个孩子……”欧阳听后，双腿顿时一软，身子不由自主地瘫倒在地上……

“欧总，今天工地上必须进一批材料了，你是不是赶紧来一趟，如果定不下来会耽误施工的。”公司的助手一遍遍打来电话催促道。

“耽误就耽误！我不想干了！”欧阳“啪”地关上手机，胸脯起伏得连他自己都感到吃惊。“女儿突然出走，对我的打击远远超过世界上任何事。那一刻我想，什么事业、什么财富，都是空的。唯有孩子是我的天、我的生命、我的精神和事业的全部支柱！”欧阳在回忆此事时这样对我说。

孩子会到哪儿去呢？凡是能想到的地方，欧阳夫妇都找遍了，可女儿仍杳无音信。欧阳一边向公安部门报警，一边继续在寻找线索。

对，会不会跑到她以前的同学那儿去了？欧阳突然想起女儿有个电话号码小本本，那上面记录了她的一些要好同学的电话。这个电话号码本在他手上，是一个多月前被欧阳收起来的。当时就因为看到女儿回到家不是在自己的小房间里看书，而总拿着小本本没完没了地给同学打电话，一气之下欧阳收走了孩子的电话本。这会儿欧阳想起了它，可一时想不起放在哪里，在家里翻箱倒柜地找，终于在书架上的一本书里找到了夹在里面的小电话本。额头冒着冷汗的欧阳照着上面的号码一个个地打，一次次地失望。

完了！欧阳开始绝望了。他颓然坐在沙发上，眼泪忍不住像决堤的潮水从他眼眶里奔涌而出……

已经两天过去了。公安局方面没有任何消息，所有询问到的同学那儿也没有任何回音。欧阳在向那些同学和他们的家长打电话询问时都留过一句话：要是婷婷打电话给你们，就马上通知我。但现在同样杳无音信。这怎能不让欧阳急出病来？

孩子尚小，又是女孩子。过去欧阳在部队时，每周都要看深圳公安局相关的警情通报，各种各样的女孩子被害事件他都了如指掌。这类恶性事件，欧阳看多了也就有些麻木。可现在轮到的是自己女儿，他的脑海里情不自禁地涌现出过去曾经所见所闻的各种女性和孩子的恶性被害事件，那一桩桩惨不忍睹的血腥案件，仿佛都在刺痛着他……

“美丽家园”的施工已经进入最紧张的阶段，过去每天20多小时都在工地上的欧阳，眼下已有两天多没有出现在工地现场。工程部和公司总部的人急得团团转，但谁也不敢轻易去打扰他们的老总，而此刻对工地和公司来的电话，欧阳一律拒接，或者即使接了，对方不仅得不到任何指令，反而会吃一顿不明不白的怒斥。

欧阳陷入了痛苦的深渊。

时间在一分一秒地过去，那种灼心的感觉只有欧阳和他的妻子才能感觉到。

“你是婷婷的爸爸吗？”第三天，欧阳的手机骤然响起，对方是一个女孩子的声音。毫无疑问是婷婷的同学。

“是我呀，你是婷婷的同学吧？有婷婷的消息吗？”欧阳几乎是双手紧握着手机，生怕漏掉一个字。

“是的叔叔。婷婷她刚刚给我打电话，说她现在一个人在外面，她说不要父母管了……”同学说。

“你知道她在哪儿吗？她还好吗？”欧阳想知道每个微小的细节，他要从中获得女儿在何处、有没有危险等信息。

但女儿同学的回答让他失望：“没有。其他的她都没说，也没有告诉我她在哪儿……”

“谢谢啊！如果她再打电话来，请你马上告诉我。”欧阳虽然没有获得更多情况，但有这一点消息已经让他悬在半空的心踏实了许多——孩子到目前为止还没有危险。

她在哪儿呢？欧阳立即重新拿起手机，他拨通了公安局的一位战友的电话……很快，他知道了女儿所在的方位。公安系统的监控设备立即确定了欧阳女儿是在坪山镇打的电话。

“她一个人上那儿干什么去嘛？”妻子急得又在哭了。

“先别急，只要有她的音信就说明她还安全着。你在家等候进一步情况，我马上开车上坪山镇……”

“不，我要同你一起去！”

“你身体都快垮了，还是在家里歇着等电话吧。”丈夫关切道。

“不，我就要去！”还没等欧阳说完，妻子已经抢先出门了。

夫妇俩登上车子，直奔距深圳市区几十公里的地方。目视车来人往的坪山镇，欧阳极力地寻思着：这孩子会在哪儿呢？

对，她一定在某饭店！欧阳这样判断，是因为这孩子在与他争吵时，曾冷不丁冒出句“我出去上饭店打工挣钱，自己养活自己”这样的话。现在她出走，身上又没带几个钱，只能维持3天时间，要吃要住，也只可能在饭店打工。抱定这个想法，欧阳又迅速请公安局的朋友查寻女儿打出的电话所在地址。可坪山镇小店小摊多如牛毛，一条街的门牌根本不能确定是谁家的。更何况，欧阳不能惊动女儿，他怕万一孩子见他后再逃跑，那将可能再也找不到她了……怎么办？没有别的好办法，只有小心翼翼地找，一旦找到就“逮”住再不让她消失在视线之外！

就这样，欧阳顺着一排餐厅找……终于他找到了与电话号码相符的那家餐厅。可孩子呢？根本没有呀！欧阳冲进餐厅里外寻找一遍，没有发现自己的宝贝女儿。回头问餐厅的老板，老板说他们店里从来没有雇过欧阳所描述的女孩子。

“不过，倒是有个和你说的差不多的女孩子来这儿打过电话。”店老板的这句话让欧阳悬起的心又落了几丈。

“快说，她在哪儿？”欧阳的心怦怦直跳。

“喏，过几家店面的那一家……”小餐厅老板给欧阳指指前面的一家小饭店。

“谢谢。”欧阳顺手塞给那老板几百元钱，便悄然闪身朝那家小饭店接近……此时正值黄昏7时许，也是就餐高峰期，灯火闪烁，人影晃动，这使欧阳更不容易被暴露。

看到了！看到女儿婷婷的身影了！欧阳在那一刻无法忍住自己那颗怦怦直跳的心，一声“婷婷”，将正在小饭店里忙碌着的“童工”婷婷唤醒……

“爸爸——”小婷婷没有跑，也没有丝毫的犹豫，甩下手中的餐具，像一只迷途的羔羊突然回归到自己母亲的怀抱一样，张开双臂，向父亲这边奔跑过来——几乎是同时，欧阳快步迎上前去……父女俩紧紧地抱在一起。站在一旁的母亲跟着飞奔过去紧紧抱住女儿，不停地哭喊着：“婷婷！婷婷……我终于找到你了！”

那一刻，孩子哭得两只小肩膀直战抖，欧阳和妻子也早已泪流满面。

失落的世界重新回来了。此时虽然已是深夜，可欧阳觉得前面一片阳光……他没有责备女儿一句，三人打开车门一起坐到车上。

车子启动了，欧阳夫妇不时转头看看身边的女儿，一股股怜惜、疼爱又很无奈的情感如激荡的海潮冲击着他。

女儿告诉他，在她外出的这几天中，有过想死的念头，有过永远不想回家的念头，更不想再认父母了。最后因为太饿，饿得她说话的力气都没有，于是只好找个地方想打工弄口饭吃。她之所以没有在深圳市内找工，就是想离家、离父母远远的。她对那些商店、小铺的招工应聘动过心，可老板们都要等你干了一个月甚至3个月才发工钱。不发工钱肚子怎么办？于是最后只好找小饭店。

“他们真黑，一天只给两顿饭吃，还只让我睡黑乎乎的小阁楼，连毛巾被都没有。老板娘心眼不算太坏，可她要我背菜谱，背完后又让抄写，我、我觉得又跟学校念书似的……打工的第一天早晨起来就让我炸油条，我不会，面团放进去就烫了我胳膊，爸妈你们看……”女儿伸出红肿的细嫩胳膊给父母看。欧阳夫妇的眼眶里立即溢满了泪花。

“昨天，老板娘又让我学切肉，那刀可锋利呢！我一下手没切到肉，却切在我的手指上，你们看这儿还在流血呢。”女儿伸出另一只手，轻轻揭开的创可贴下渗出的鲜血滴在欧阳的掌中，却如同痛在他的心尖……“傻婷婷，以后再不许离开家了！啊，听到没有？”欧阳心疼地一把搂住女儿。

“嗯。”女儿乖巧地依偎在父亲身体的右侧，不一会儿就甘甜地睡着了……望着熟睡的女儿，欧阳心中涌起的是一种难言的愧疚之情。是的，孩子长这么大，欧阳还从来没有像今天这样注视过女儿，也从来没有像今天这样重视过女儿。他第一次感到女儿在自己心中原来竟有如此重的分量！多年来，他忙于打拼，确实少了对女儿的关爱，忽视了对女儿的教育，与女儿在心灵上缺少一种真正的沟通。可女儿毕竟还是个孩子啊。是孩子，谁没有这样那样缺点？是孩子，又有什么缺点不可原谅呢？其实，女儿在欧阳心里，是个有许多优点的好孩子，比如聪明、机灵、善良，天真无邪，表达能力强；还有，女儿毕竟从小在部队大院长大，尽管脾气倔强，却好学上进，骨子里有一股争强好胜、永不服输的劲头，即便做错了事，也敢做敢当。于是他忍不住伸手抚摸着女儿的额头，在心里默默地说：小婷婷，我的好女儿，你是爸爸妈妈的骄傲，爸爸妈妈相信你！相信你长大后一定会成为一个对社会有用的人！

红肿着眼睛的欧阳突然驾车返回那个小饭店，大声问道：“谁是这里的老板啊？”受到一阵惊吓的罗姓夫妇二人连连说：“我就是，我就是。”饭店老板没想到欧阳是来谢他们的：“谢谢你们收留了我的女儿。”欧阳顺手掏出腰包给了老板 800 元钱。

这真让人意想不到，一般的人心里这时只有“恨”，怎么还可能想到“感恩”呢，从这点看，欧阳着实让人敬佩。

这桩离家出走的事对欧阳内心震动不小。为了工程和女儿两不误，他与妻子商量决定将女儿送到老家，他们想这样一则可以让女儿静心学习，二则老家亲戚多，好照顾。最主要的是，欧阳想湖北云梦老家是个穷地方，孩子在那儿不会学坏。在那样一个偏僻、贫困的环境里生活学习，对她是一种磨炼，同时也是一种鞭策和激励。于是一番苦心安排后，女儿婷婷被送回到云梦县隔蒲镇金潭中学就读。

“婷婷到那儿念书，是在一所农村学校里。小家伙受教育不少，挺安定的。可因为农村的教育条件有限，孩子的成绩还是上不去。我很着急，后来又把女儿弄回了深圳，通过关系转到了深大附中。这是所好中学，经过一年农村生活的体验，婷婷的心也不那么浮躁了，学习成绩有了明显提高，一直到初三。可到升学时候，这孩子又怕了，像得了考试恐惧症，我又被孩子的事弄得焦头烂额……”

第十九章　撕心裂肺之后的慰藉

由于内地和深圳的教材内容不一样，再加上婷婷一回到深圳就成了重点中学的插班生，基础不是很好，造成学习成绩有点跟不上。而婷婷又是个自尊心和上进心很强的孩子，她怕在父亲面前不好交代，不能为父亲争口气，心想：既然不能满足父亲的高要求，不如不参加考试。如果不考试，那就不知道成绩是好是坏了。

所以第二次突如其来的“出逃”事件又发生了。

欧阳在回忆时对我说：“升学考试的时间到了，这孩子的老毛病又犯了，说什么都不想参加考试。不考试行吗？不等于白学了吗？哪个学校会收没考过试的孩子升级嘛。所以我看到小家伙赖着装病不想参加考试，就发火了，对她说：‘你不想考，就干脆死掉！’”

“这回真是了不得啦，她发誓要永远地离开我们，离开我们的家……”欧阳又一次陷入绝望和天塌地陷的境地。

女儿这次出走不同于上次，从她所带走的物品可以看出是要与自己的家彻底分手了，她还随身带走了母亲的手机。

一夜之间，欧阳原本半白的头发，这回竟然不剩一根黑发（现在我们看到欧阳的一头乌发，其实都是染的）！足见欧阳为女儿的事愁得连命都快想舍去了——欧阳知道这回女儿的出走与上次很不相同，一是孩子大了许多，如果说第一次出走她还基本是盲目的，而这回则是非常有独立意识的选择。二是从所带的物品看，孩子决意要走一条永不回头的路。

她能有什么“永不回头的路”呀？除了手机，又没拿什么钱，连换洗的衣服也基本没带。这就意味着孩子并不像上次准备出走打工去，那还会有其他什么想法呢？

“爸爸干脆让我死掉，我死掉了你们就可以省心了！”孩子留在家里的一张纸条上，清清楚楚、明明白白地这样写着。天下父母哪个不爱自己的心肝骨肉？做父亲的欧阳本来是一句气话，可孩子当真了。你们当爸妈的让我死掉，我还有什么可活的！女儿的话就是这个意思。

“女儿要有个三长两短，我就不活了！呜呜……”妻子赶到工地，还没拉住丈夫的衣襟就已经哭得晕倒在地上……欧阳痛苦地摇头皱眉，他想在众人面前表现得坚强些，可当他再抬头时，大伙儿看到的“欧总”已经满脸泪水纵横。

什么事业！什么财富！女儿没了，这事业、这财富还有什么用呀？这回欧阳的心不是用“如遭火焚”能形容的，他只感觉整个世界在崩溃……

欧阳的第一反应是到公安局报案并找朋友通过电信监控，以求得女儿的踪迹——他想得直接：既然她带了手机，只要发出信号，就可以获取她的去向和行踪。但这回欧阳失算了，一连三天，女儿带出的手机根本没有任何信号。

再没有比这更要命的事！

“无论如何，求求你们再想想还有什么办法可以找到我女儿？”欧阳在电话里一次次地请求深圳公安局和省公安厅的领导，但人家的回答几乎只有一个：她手机不出现信号，我们就无法寻找她的行踪。剩下的只有一种可能，就是等候地勤搜索人员的寻访，或者看看新发生的恶性案件中有没有一些线索。

这是什么意思？欧阳嘴里问着，其实他心里十分清楚，当了十几年的武警，公安局同志的话显然是说：如果什么线索都得不到的话，只有把目光放在那些每天出现的各种“意外死亡”或凶杀案件上。

不！不不！我的女儿不会的！她绝对不会的……欧阳拒绝任何这样的猜测和臆想。他认定女儿一定会在什么时候打手机的，一定会……

那他们只有等待。欧阳在部队时，在市公安局和省公安厅就有不少朋友，许多领导也都熟悉这位曾经带领部队在全军和武警系统赢得过无数荣誉的“模范中队长”。而他女儿意外失踪的事，也使得大伙儿全力以赴出面帮助寻找。深圳、广州乃至珠江三角洲的整个公安系统有无数人在与欧阳一起担忧，在紧张地寻觅着每一条可能相关的线索……

这简直就是一种对心灵和生命的摧残与损耗。那三天里，欧阳只做一件事：等！等电话和手机响起，等响起的电话和手机能告诉他关于女儿的任何蛛丝马迹。再就是打电话和打手机，所有打出的电话说的内容也都是一件事——求求你们帮助我看看有没有我女儿的线索。“只要你们能帮我找到她，我肯出任何酬金。”向来在生意场上给自己留有余地的欧阳，此时的每一句承诺都如铁铸的塔基，明了而不可更改。

庞大的地产工程早已摆开了千头万绪的战场，但此时的欧阳拒绝有人向他讲项目上的事。“女儿，女儿是我的一切你们知道吗？”欧阳向自己公司的助手们这样喊。如果再有人在耳边继续喋喋不休地啰唆，他会突然发疯似的跳起来吼道：“我什么都不想要了，只要我女儿！我要女儿——！”

欧阳失控了。在那消逝的每一分钟时间里，欧阳的所有思维只围着一处旋转——他的女儿。宝贝心肝，你现在在哪里呀？欧阳觉得让他坐在屋子里等消息，就仿佛让他看着自己的女儿被人一刀刀地残害……

于是他跑到街头，两眼紧盯着那些来去匆匆的人群，尤其是与女儿差不多大的女孩子。他感觉她们都有些像婷婷，有好几次他嘴里叫着“婷婷”的名字追过去拉住她们，但那些女孩莫名其妙地瞅瞅他，扭头就逃走了。欧阳感觉自己有些失态，于是他改变方式，想向所有过往的人群询问“有没有见过我家的婷婷”，而这显然又是枉然。

“老天那——你就这么跟我欧阳过不去呀！”欧阳仰面朝天，责问天公。天公无言回应，只有云霞在他头顶无声地掠过……

三天过去了，所有欧阳能想到的和能动员到的渠道都没有一点关于他女儿的音信。“那种天塌似的感觉没有亲身感受的人是无法体验到的，它比用刀尖挑在心口上还叫人难以承受……”欧阳在接受采访时对我说。

孩子会上哪儿去呢？三天不打一个电话意味着什么呢？而照小婷婷平时那种不安分的性格不可能保持如此长时间的沉默。这情况说明了什么？公安部门的朋友不敢把自己根据平时的经验得出的判断告诉欧阳，但他们的心悬了起来。广东是什么地方？一个女孩子三天时间内没一点音信，能有什么好兆头？

“欧总，你得做最坏打算……”公安部门的战友和朋友对欧阳说。

欧阳听后，两眼一下瞪得溜圆，可随即又紧闭……“我家婷婷不会有事的！”之后，只听欧阳如同受伤的雄狮嚎叫了一声，那声音令人心碎胆裂。

小婷婷，你在哪儿？

你可以不说话，哪怕你只用手机发出一个信号也行。可是这孩子什么都没有做，只有让欧阳夫妇和所有为她焦急的亲朋好友与公安干警们无法接受的无望的沉默……

孩子是真出事了？出什么事了？还是她故意不给家人留下任何可以寻找的线索和音信？唉，现在这孩子！知道欧阳女儿出走的所有人都这样叹息和发问。好端端的孩子，好端端的家庭，为什么他们不能亲密共处而非要选择生死诀别呢？欧阳纵能在商界叱咤风云，却没有能力破解这一难题。

好婷婷，只要你平安，只要你在我们身边……爸爸再不要求你做任何事了！对，学习也不会那么要求你了。考试？考试爱考多少就多少，只要你健康快乐，爸爸和妈妈就依你。对，像小时候你没有上学那会儿，你想要什么就给你买什么，爸爸的钱够你花几辈子的。对，刚生你那会儿，爸和妈没钱，爸拿几百元的工资不仅要照顾我们全家，还要给你爷爷奶奶和姑姑婶婶他们。那会儿为了给你每天订瓶牛奶喝，你爸妈只能省了又省、抠了又抠，甚至连油盐酱醋买的都是最便宜的。对，现在爸爸有钱了，你想要什么爸爸就给你买什么！房子、汽车、名牌衣服、海滨别墅……你婷婷只要说得出的，爸都给你买。是的，有钱人家的孩子有的东西，爸也都可以给你。生意？爸爸可以为了你把所有生意全扔掉。保证！爸爸不会再骗你了。相信爸爸。婷婷在爸爸妈妈的心里何止是“千金”！是“万金”！是“亿金”！是世界上任何东西都换不来的！爸爸可以丢生意、可以丢事业，甚至在需要时可以舍去自己的生命换回女儿你的生命也不会眨一眨眼的！对，爸爸可以发誓：上面说的话都能向我的宝贝女儿——婷婷保证，如果有一点点儿假，爸任你处罚、任你发落！

在那些等待、焦虑和无望的每一分、每一秒时间里，欧阳的心，在一千次、一万次地与女儿婷婷对话。而每一次这样的对话结束回到现实后，当他发现仍然得不到女儿的音信时，欧阳的心便一次又一次地滴着鲜血……

孩子，你就这么狠心，不言语一声扔下家，彻底不要爸妈了？你就这么恨爸爸妈妈？难道这个你生活了十几年的家没有一点值得你留恋吗？难道外面根本不可能给予你一点温暖的世界就比你父母更关心和爱你？回来吧，好女儿，爸爸妈妈为你快要急死了！

你就愿意爸爸妈妈整天为你流泪和伤心吗？难道你非得逼爸爸妈妈为你而忧心地死去？

一千次拷问，一千次没有回音。那一千次的拷问，仿佛一千次重锤撞击在欧阳的心尖上；而那一千次的没有回音，更如一千次撕心裂肺的绝望。

“欧阳，手机有信号了！”迷茫中的欧阳突然听到曾一起当兵的战友、时任区公安局副局长的刘树华兴奋地告诉他。真的吗？不会是做梦吗？欧阳揉揉双眼，像是在问别人，更像在问自己。

“是真的。不过才出现30秒就没了。”刘局长站在监控室告诉他。

“你们没搞错吧？”欧阳不相信。

“不会有错。而且是在广州东山的小饮食街……”

“再说一遍！”

“广州东山小饮食街，无线监控无法确定具体位置，你还得在这范围去找。”对此事颇为费心的刘副局长给欧阳提供了这一重大线索。

“马司机，走！”欧阳听了这消息，立即像打了一针强心剂，只见他拉开车门，“噌”地跳上车子，甚至连发动机都帮司机启动了——看得出，这回他是做好了进行一场艰苦战斗的准备，要不不会随身带着跟随多年的司机的。

像是电影情节一般，倾盆大雨浇在车窗上，也浇在欧阳的心头。待车开到广州时，已近深夜10时，此刻，雨依然下个不停……

雨中的欧阳，迫不及待地想找到公安部门提供的街名。

“广州东山小饮食街！”欧阳和司机几乎同时喊出这条街名。这是一条狭窄而又嘈杂的小街，连辆汽车都进不了。侦察员出身的欧阳断定：如果不出意外，女儿肯定住在这条街的某个小旅店。至于为什么住这样的地方，结论只有一个：便宜。但女儿为什么能摸进这样的街，则不得而知。

小街虽小，但纵深很长，几条小巷纵横交错，在此地找人，犹如大海捞针。欧阳为了快速捕捉“目标”，特意租了辆摩托车。可他又不敢大摇大摆，因为假如女儿真的在这儿，她在暗处，容易发现明处的他。他一边小心翼翼，一边乔装打扮，戴上头盔骑着摩托来回在小街上寻找，可始终没见女儿的身影……这孩子到底是怎么回事嘛？

时至凌晨3点，天上的雨依然下个不停，而且越下越大。全身被淋个透湿的欧阳拖着疲倦的身躯，回到自己的汽车上，又伤心又失望，同时又万分担心，所有情绪一起交织在他的心头：一个女孩子，几天时间独自在人生地不熟的广州游荡，做父亲的欧阳越想越感到惧怕和紧张。在他看来，黑夜对一个无依无助的女孩子来说，就是罪恶，就是陷阱，甚至就是死亡。欧阳恨不得把一家家紧闭着门户的房子和闪动着五彩灯光的店面统统敲开，可他做不到。在小旅店里，他可以名正言顺地去查房，但那些地方没有女儿住宿的登记记录。居民出租住宿和黑户住宿显然在这样的小街里有无数家，而这是欧阳所无法进入的，这也是他最担忧之处：黑出租房里，是藏污纳垢的最危险的地方。欧阳能不担心吗？

终于等到天亮，可广州人偏偏喜欢睡懒觉，而这一天又似乎起得比平时更晚。欧阳一看日历：可不，那天是周日！

早晨的街头没几个人，欧阳因此更不能像昨晚一样骑着摩托来回寻找。一支接一支点燃的烟卷，映红了他的鼻尖，他仿佛一头不知所措又焦躁不安的受伤狮子，绕着自己的车子来回转动，消磨着每一分钟……

10点了，街头行人开始渐渐多了些，正在欧阳准备重新步入小街寻找时，他的手机突然“嘀嘀”响了——太惊喜和意外了，当欧阳听到对方发出的第一声声音时，就已热泪盈眶：“婷婷！婷婷你现在在哪里？”

没错，是女儿婷婷打给他的。再没有比这更令欧阳兴奋的消息了！有了婷婷的声音，就可以排除她有生命危险的担忧了。

但女儿的话又让刚才欣喜万分的欧阳坠入万丈深渊："爸，你们不要我了，我要去死了……"

"婷婷，好婷婷，你是我和你妈妈的心肝宝贝，怎么可能不要你呢？你千万别胡思乱想，千万……"欧阳一听，顿时浑身冒冷汗。他想抓住机会多说几句，以缓和女儿的情绪，但这回女儿似乎根本不给他机会。

"你们不要找我了！我现在已经在珠江边上……"手机那边女儿这么说。但女儿并不是用手机拨来电话的，而是用固定电话。

欧阳的心头"咯噔"一下：这孩子！千万千万别做傻事呀！我的宝贝女儿。欧阳恨不能插翅飞至珠江边，但这又是不可能的事。稳住！稳住她就是成功！

"婷婷，你听爸爸说，你那么做证明你忘了自己有很坚强、很了不起的一面……"欧阳的脑海里飞旋出一万个方案，但最后他选择的是激励。

"我？你说我还有很坚强、很了不起的一面？"

"对啊，我们家婷婷本来就是非常了不起、非常坚强的孩子嘛！一个男孩也不敢这样出门呢。"

"爸你是一直这样看我的吗？不会骗我哄我吧？"

欧阳心里一喜："战术"已经奏效。"爸爸是当兵的出身，啥时骗过自己的女儿嘛！"欧阳迅速抓住时机，步步为营："婷婷你自己可能不知道，其实你真的非常坚强。你听爸爸说得对不对啊——首先婷婷你虽然出生在深圳，可你骨子里跟爸妈一样，我们是从湖北农村来到深圳的人，这个地方很繁华、很现代化，但过去我们一家人都不属于这里。现在我们来到了这儿，我跟你妈来了差不多20多年了，可我们还是不太适应这里的现代化城市生活。你则不一样，你非常适应，而且我看在许多方面，比如衣食言行等，你一点不比别的女孩子差，更不用说跟你妈和我比了。在深圳这样的地方，不是一般人都能待得下去的。可婷婷你就不一样，你不仅能待得下去，而且非常适应这里的生活，这就说明你非常坚强了。你肯定也听说，有的内地大学生跑到深圳来，干一段时间就再也待不下去了，这方面你就根本不存在问题。这是一种能力。就说现在吧，你一个人到广州，而且很有经济头脑。你不找大宾馆，找的是一家小旅店。这说明什么？说明……”

“爸你不要瞎猜，我没有住小旅店……我口袋里根本没有钱，而且我知道爸……爸你挣钱也不容易，天天起早摸黑，我舍不得随便花你用心血挣每一分钱呀！”女儿忍不住插话。

“对呀！我就是为有你这样的女儿骄傲，要换了人家的孩子就根本没法与你比。他们根本想不到父母挣钱有多么不容易，想怎么挥霍就怎么挥霍。可婷婷你不一样，你懂父母的辛劳，你疼爱父母，你有良心……”

“爸爸，我现在没有钱了，想到你这儿借点……”女儿在电话那边乞求着，语气与开始相比完全变了。

欧阳那颗悬在半空的心终于放下了一半。现在他必须争取时间，让情绪已有所缓和的女儿摆脱寻短见的念头。怎么办？拖延时间，尽量说服，这当然是最好的，然后再想办法迅速接近她，不接触、见不着孩子，危险随时存在。于是欧阳很爽朗地答应了女儿“借钱”的要求。

“婷婷，那你说什么时候我把钱给你？”女儿并不知道父亲已经在广州，而且就在她附近，欧阳想借女儿要钱的机会，出其不意地“逮”住她。当他正以为女儿能顺着他的思路走时，突然电话断了……

“婷婷！婷婷——！”欧阳额上的冷汗一下又冒了出来：这孩

子，我已经答应了给钱，她又想干什么，怎么把电话挂了？是没钱了？似乎有这种可能，要不然孩子也不会等到第四天后才忍不住打电话“借钱”。而从另一个方面说明，孩子既然想“借钱”，就还没有到一定要寻短见的绝路。但无论如何，欧阳觉得不能有半点闪失，只要看不到孩子的身影，她的生命危险随时存在。

“广州这么大，到哪儿去找人呀？”一旁站着的马司机跟着着急起来。

“快快，拿笔帮我记下刚才的电话号码。”欧阳让司机记下女儿留在他手机上的电话号码。

“喂，喂喂，请问先生你这个电话是什么单位？在什么地方呀？麻烦你告诉我一声好吗？”欧阳按照电话号码打了过去。

对方操着粤语回答说是公用电话，地址也没说清楚。

“师傅你能告诉我一下离我现在待的东山大街有多远吗？”欧阳继续追问。

“我是公用电话，你别占我时间好不好？”对方很不乐意。

“实在对不起，师傅，刚才我女儿就在你那儿打的电话。我现在要找到她，一会儿我马上过去，给你十倍的钱……”

听说要给十倍的钱，对方口气好了不少：“钱不钱倒是另一回事，你一占线我这儿就没法做生意了嘛！”

“先生你放心，我绝对是讲信用的人，一会儿我马上到你那儿付钱。现在我想请你帮个忙，你帮我把刚才打电话的女孩盯住，别让她跑了……”欧阳恨不得将所有的好话都倒给那个守公用电话的人，但人家最后对他说：“那女孩子走远了，我不能丢下店摊去追吧？你要着急，就赶紧过来，我这儿是南方大厦左侧珠江边上……”说完电话挂了。

欧阳记下街名，朝司机一声令下“走！”汽车飞速驶向刚刚获悉的那个地址……婷婷用过的公用电话店摊很快找到。

店主在接受欧阳的酬谢后客气地说："估计你女儿离这儿不算太远，刚才打电话本来好像可以多打一会儿，可是她摸了摸口袋，又一下挂了，可能是身上没带多少钱……"

欧阳点头称是，并与店主说："估计孩子今天还会来打电话，等她一来，你立即帮我稳住她。"

"行，一言为定。"

欧阳说完，让司机将车停在距公用电话店摊百米之外的地方，然后自己装着买东西的样子，躲在一个店面内随时盯着那个公用电话……

一小时，两小时……已经远离侦察员生活十几年的欧阳，感觉今天的"侦察任务"异常艰巨。他的双眼不敢轻易移开，"怦怦"跳动的心率也比平时快了许多。

婷婷！婷婷出现了！快过午饭时分，欧阳的眼睛一下亮了起来：几十米外的公用电话小店处，一个熟悉的女孩身影跃入他的眼帘，正是离家出走四天多的女儿婷婷。

那一刻，欧阳的双脚可以用飞奔来形容。他以不到20秒的速度完成了近百米的冲刺，用意想不到的形式出现在正要操起电话的女儿面前……

"婷婷！"

"爸爸——你怎么会在这儿？"女儿惊讶万分。

欧阳朝女儿灿烂地笑着，然后过去一把将她搂入自己怀中，说："跟我回去吧！"

女儿顿时哽咽地点点头，一把挽住父亲那只有力的胳膊，哽咽着，手指着南方大厦后面的一个丰收美食餐厅说："我在餐厅里做了四天工，今天要不是餐厅的老板娘要我交100元的押金，我、我就不会再打电话了，我、我准备过几天给你们写封信，今后你们就、就不会见到我了……"

这一幕在欧阳父女的内心无疑激荡出万丈巨浪……女儿在绝望的困境中见到了父亲，就像断了线的风筝重新获得方向，做父亲的更不用说，如同生命得以复活！

回来的路上，女儿说："对不起，爸爸，这次我真的认识到自己错了，给你们找了天大的麻烦。我知道，你们都是为我好，我还是要读书，读好书，我会理解你们和老师的，以后通过努力学习，一定会让自己真正地自立和强大起来。"

欧阳听到此处，也深深反思，自己平时把时间都放在了工作和事业上，忽视了对女儿的观察和教育，自己如果能够多花点时间，哪怕是百分之一的时间也好，观察孩子的一举一动，关注孩子的思想动态，甚至自己也多学习一些心理学知识，就不会有今天这样的事发生了。

万幸，孩子还是平安地回来了。

我相信，这个经历了两次"巨浪"的孩子，最后说的话是发自内心的、真实的，而欧阳也从中得到了无限慰藉。

第二十章　美丽果实，如此甘甜畅怀

女儿回到身边后的欧阳，似乎又回到了什么都不缺，只缺时间和三头六臂的状态。

“美丽家园”的施工如火如荼，深圳龙华地区因“美丽家园”的出现而变得多彩。当昔日的荒丘上出现一片崭新楼宇时，周围的市民时常怀着好奇而羡慕的心情远远地眺望着那片整日整夜机器声隆隆的工地……

“美丽家园”作为欧阳运作的第一个真正走向市场的大项目，由于地理位置处在不被人认识的深圳新开发区——龙华，能否一战成名，这将决定欧阳一生的命运。

2001 年 4 月初，欧阳召开公司各部门负责人会议，决定在五一节推出楼盘。

这是深圳最好的时节，气温适宜，市民们的经济活跃期也在此时。所有地产商都想利用五一这一黄金时节，打赢这场一年中销售房子最大的战役。欧阳更是对此不敢有丝毫怠慢。

销售楼房，不比卖其他产品，其宣传和造势是重头戏——铺天盖地的广告、豪华精美的宣传品，没有哪个行业能超过房地产业。造价一个亿的楼盘，用于销售的宣传与造势费用就达二三百万元。

业内人有业内人的规矩，欧阳也不例外。但欧阳的才能和智慧，恰恰体现在他既熟谙业内人士通常熟练操作的那些游戏规则，同时又不拘泥于他们的一律二规，而更难能可贵之处在于他干什么事，就对什么事异常专注和细致。许多人老板当大了，就不太注意一些具体的细节。也有人认为交给某些专业部门和专门人士去做就是了，可欧阳不这样认为。他在处理公司大大小小的事务时，往往把最重大的决策权交给那些专业部门和公司骨干们进行民主讨论研究，当定下规矩后他反倒拍拍屁股，甩手不管了。但对细节他绝不放过。

销售楼盘的战役打响之前，欧阳的神经一直绷得异常紧张。军人的素质清清楚楚地告诉他：任何大战，能否获胜全在于之前准备的环节是否到位。要临阵不乱，又同时在出现变化时迅速作出正确的判断和调整。欧阳在后来谈及自己成功的经商之道时，一直念念不忘部队的培育之恩。

“除了具有军人独特的作风，他还是个‘舞台老板’。”认识欧阳的人都这么说。

当决定五一推出“美丽家园”楼盘后，欧阳的注意力首先是放在对外的宣传上。广告无疑是最常用、最直接的宣传手段。

许多企业老板对广告的认识过于简单，认为只要有钱，只要对方是大报，要上大版面就可以，至于内容则并不太关注。欧阳则认为，买大版面、买大报其实只完成了宣传的一种形式，真正起作用的是形式确定后的内容。

为了解决这一问题，欧阳竟然能把广告专业设计人员的本领全都学到自己手中，甚至最后连用什么样的字号、报纸整体版面、在什么日期发表，都必须由他确定。他认为，广告上使用的每一个字，常常体现你想给消费者传递何种视觉标志、何种精神意识、何种服务思想，甚至是产品未来所能达到的终极意义。总之，一个广告必须具备三点才算成功的广告，即看得见、看得完、记得住。毫无疑问，在什么时间推出广告，这就更直接影响你所要销售的产品是否被公众了解和是否能吸引公众的注意力。“时间差”的意义和广告的本质，正是在这个时候得以实现。

在深圳做生意，离不开《深圳特区报》《深圳商报》这样的主流媒体。一版特殊版面的广告价格是普通版面的两倍以上，而选择特殊版面常常是地产商们不得已的选择。这个版面能否让“扔出去的钱”，实实在在地发挥有效作用，一般的老板极少想到和管理到这一层面。欧阳则紧紧地盯在这个层面上，并且总是把它做到极致，做到胜人一筹。

“在深圳报界做广告，什么人都能对付，可唯独欧总最难对付，谁想糊弄他，真的门都没有。”深圳报社广告部的郝好、王培诗都这么说。

关于这一点，凡与欧阳针对广告业务打过交道的人，都会感受到。

“我们办报是讲究时间概念的，什么时候截稿都有严格的要求。可欧总的广告常常会打乱我们铁一般的常规。我们报纸截稿都在夜间，有时欧总为了把他的广告做得尽善尽美，会在我们老总签字发排的最后一分钟还在揣摩他要刊登的广告内容。”深圳报业集团的蔡照明、胡晓俊两位主任也这样说。

欧阳就是这样一个追求完美的人。因为追求完美，所以每一次做广告时手下的专员会被他搞得精疲力竭。“而他则会越干越来劲……”罗芳负责楼盘的市场销售，她体会最深：“老板那么挑毛病，是因他的改进方案叫我们属下感到不容置疑，所以你不得不对他俯首听命。”

“搞定”媒体广告宣传后，欧阳并没有放下心，他在寻思着作为龙华的第一个房产销售项目，如何让深圳市民认识它的运营概念。

那一天他从市中心的报社回到工地，正值上下班高峰，至龙华的必经之路——梅林关口出入处排着长长的车队，那些驾驶员和车上的人无奈中透着诸多烦躁，许多人不得不打开车窗，或者有的人干脆蹲到路边抽烟聊天。欧阳是等待出关的车队中的一员，他环顾四周，本也只想透一口气，可当他的眼睛无意间扫了一眼关口左右的几块空白的广告牌时，心头不由一阵惊喜：OK，“美丽家园”将名扬全深圳！

几天之后，梅林关口处突然热闹起来。那些排长队的车子竟然在关口并不拥挤之时依旧行进得十分缓慢。检查站人员有些不知所措，不得不出来察看情况。

“不能怪我嘛！你们看看，那个小风车真的太吸引人了！”开车人笑呵呵地用手指着那块新屹立在路边格外醒目的大广告牌。

“金石是怎么炼成的——‘美丽家园’！哎，小风车设计得还真够绝的啊！”检查站人员望着那块巨型广告牌上面一只“滴溜溜”转得正欢的小风车，忍俊不禁地笑了。“这个好，要不我们这儿一堵车，开车的人都冲我们骂骂咧咧，这会儿有‘小风车’在，正好调节一下大家的情绪，哈哈。”另一位检查站人员说。

关口的那个“小风车”真是出了彩。欧阳跟我说了一件有关它的更有趣的事：小风车开始在广告牌上转动那天，也许因为它实在太可爱了，人们突然发现竟然有人爬到高高的广告牌上去，要摘那小风车。这下可把检查站的工作人员急坏了，也把过路的行车人乐坏了，大家都说，欧阳的“美丽家园”肯定会卖疯！

于是越来越多的人都在议论“美丽家园”卖疯的消息……

五一是国家规定的法定长假，五一也是深圳地区最佳的售房时机。但五一会有大量人员外出旅游，因此地产商们把4月28日看作“开盘”的最好时间。这一天，搞大！搞气派！搞豪华！搞超级大！搞超级气派！搞超级豪华！地产商们玩的就是让购房者一看广告和宣传场面就心率加速的把戏，那把戏非常管用、非常奏效，于是所有地产商都勇于将大把大把的钱扔在“开盘”上。

“4·28”，深圳人已经习惯了这个日子涌动的波澜起伏的商潮。商人们则比观潮的市民们更善于利用这天的商潮，搅动起资本的轮回。

有钱的人和想赚钱的人都盯着“4·28”！

“不行，我们得改变战术。”距“4·28”仅有9天时间的那个深夜，欧阳把手下的几名干将叫到办公室，突兀地宣布。

“要推迟开盘了？”

推迟开盘是有道理的。“美丽家园”自去年开工之后，由于受整治陡坡、在那条污水河上建桥，以及婷婷出走等事情的影响，目前的楼盘建设速度想赶上在五一开盘本来就有些勉强。

欧阳做出决定后，当初工程等部门就有人反对，可考虑到五一在深圳的特殊性，最后大家还是统一了意见。现在老板欧阳出面说要“改变战术”，部下们自然朝这个思路去想。

“不，我们不仅不能推迟，而且要提前一个星期，即4月21日开盘销售！”欧阳的话掷地有声。

21日？不可能！

绝对不可能！众干将惊得目瞪口呆，随即是一片“嘘嘘”的反对声。

“算上现在我们开会的时间，还有不足30小时。”欧阳平静地抬手看看手表说。

“就算有30小时，可现在连样板房都没准备好，拿什么开盘？”

“当然得把楼盘模型和样板房统统做好后才能开盘！”欧阳说得斩钉截铁。

“欧总，你得说出个理由，让大家信服吧！”

“那好，我说一说为什么选择提前一个星期开盘的理由。”欧阳点上一支烟，然后侃侃而谈：“长话短说，我还想多给做样板房和其他准备工作留点时间。第一，从消费者的角度考虑：假如客户想买房，结果到“4·28”有那么多楼盘推出来，那么多楼盘，各家都说自己的房子如何如何好，最后客户会脑子里一锅粥，想买又不敢轻易掏钱。第二，从我们销售者的角度看：深圳假如有一万个购房意向者，可同一天同时推出多个楼盘，按这样平均下来，能到一个楼盘来参观的，可能也只有几十、几百号人。但如果我们提前一个星期销售，那就可能只有我们一家楼盘面市。第三，我们‘美丽家园’是个新项目，公司实力也无法与万科、中海、金地、招商、鸿荣源等老大哥相比，我们加入4月28日的开盘之战，等于像淹没在大海之中的一滴水一样，怕连个水花也泛不起来。”

这个理由开始让干将们频频点头，但反对声仍旧不小。

“欧总，你的判断虽然有理，可我们总不能空手或拿个半拉子的楼盘给购房者看吧？”

“对啊，那样非搞砸了不可。”

“可不，开盘一旦首战失利，后面你再怎么吹嘘，那买房子的人也不会上你这儿来！”

“谁说我们是拿个半拉子的楼盘展示给业主？”欧阳目光炯炯地扫了一眼众干将，重重地说：“大家听好了，现场包装至关重要，所以从现在开始，大家必须抓紧每一分每一秒去为我们在21日正式开盘冲刺。我们的‘美丽家园’不鸣则已，一鸣就要惊人！”

老板的决心已定，不服从也得服从。可员工们仍不相信能在所剩的一天一夜里完成整个开盘的准备工作。

广告版面的宣传要提前刊出。有人去联系报社，报社的人直骂：你们公司搞什么名堂？报纸是你们家办的吗？最后不得不由欧阳亲自出面。公司员工也不知道老板赶到报社后是怎么跟人家说的，居然把原先准备一星期后刊出的开盘广告在当日的《深圳特区报》和《深圳商报》上全都刊登了出来。

模型很关键。去联系的人同样被制作方挡了回来："没你们公司这么干的！加班费？就是给几倍的加班费我也赶不出来呀！"最后又是欧阳出面，核算每个环节需要的人手、时间，几乎全部人马 24 小时不停地分工制作，油漆不干，用七八个电扇来吹。可不，20 日的最后一小时，山之田公司的郑辉老总真的把"美丽家园"金光灿灿的模型送到了楼盘销售现场。

再看现场：什么还都是一片杂乱无章的砖、板、花、架……刚从外面回来的欧阳把白衬衫一脱，露出一件汗涔涔的背心，然后操起家伙，"上蹿下跳"地带着十几个公司职员蛮干了起来。当 21 日清晨的第一缕曙光照向深圳龙华时，那用千枝花朵簇拥而成的"美丽家园"四个巨大的字流光溢彩，绚丽夺目。

最后是样板房，策划师罗芳无论怎样四处奔忙，也不相信在 21 日上午正式开盘时能够按照设计的要求，将样板房展示给购房者。

一个普通的二三居室样板房，需要一星期才能布置完毕，而现在只剩不足十个小时，房间内墙面乳胶漆仍未干，欧阳强行要求装修公司买来二三十个太阳灯来烤。罗芳觉得她现在的老板欧阳简直就是"精神不正常"！只有不正常的精神病患者才有可能把一件正儿八经的事扭曲成根本不可能完成的任务。

"程经理、徐部长，你们快去看看！有什么地方还需要修修补补，我们还有一个小时时间！"清晨 6 时左右，一个满头是油漆和木屑的人，挥着双手，冲着销售经理和工程部长说。

"你、你是谁呀？"两人有些迟疑地望了对方一眼，继而抿嘴直乐："欧总啊！"说完径直进了样板房。

不一会儿他们折身回来，对正蹲在地上啃面包的欧总说："十全十美，不需要任何修补了！"

21 日上午 9 时许，"美丽家园"终于横空出世！隆重而热烈的开盘仪式开始。龙华居民从来没有见过这样的阵势：震天的鞭炮声、锣鼓声、高音喇叭里传出的歌曲声……这一切汇成清晨最强烈和悦耳的交响曲在空中四处荡漾。

欧阳这招很灵，他把深圳广播、电视台著名节目主持人也请到了现场进行直播，在宣布“美丽家园”正式开盘的掌声中，整洁庄重的欧阳身着黑裤白衬衣，脖子上系一条鲜红的领带，精神抖擞、神采奕奕地走向前台，开始了他作为深圳地产商形象的第一次公开亮相。

“谁都想有个家，那个家一定是非常美丽温馨的家。我也一样，拥有美丽温馨的家园一直是我的梦想。现在我想把自己已经实现的梦想献给大家，献给所有想有个美丽家园的市民朋友们！”

正在主席台中央讲话的欧阳突然感觉自己的脸上掉落一粒水珠。他赶紧用纸巾抹一抹，当他再往台下看时，不由大吃一惊：咋人都跑了？而且跑得那么快、那么狼狈……“不好，要下暴雨啦！”不知谁喊了一声，欧阳的头“嗡”的炸开了，抬头一看，天啊，头顶真的刹那间已乌云密布！

顷刻间台上台下、墙上墙下的花盆和彩旗，刮倒的刮倒，吹翻的吹翻，方才还是一片锦绣美丽耀眼夺目的花牌，此时一片狼藉……“苍天，你真的要灭我欧阳呀？”欧阳呆呆地仰脸朝天眨着眼，雨水倾盆而下打落在他脸上。他抬手往脸上一抹，发现那“雨水”竟然是热的……

完了！欧阳清醒过来后的第一反应就是这两个字。几百个昼夜的辛辛苦苦，现在就因一场雨水而冲个精光。

完了！苍天就不让我欧阳好过！大雨中的主席台上只剩下欧阳一人，那雨水如注倾泻到他身上，全身很快里外湿透。几位员工过来将他强拉回销售厅内，七手八脚地帮他换衣服。“别着急欧总，还有人等在这儿准备买我们的房呢！”有员工悄悄对欧阳说。

“还有人？他们没有都走？”欧阳像在自言自语。

“有，有几十号人。”员工继续报告。

可不，布置得华丽而不失温馨的销售厅内，零零散散地站着几十号人，他们或在向外张望，或在心不在焉地瞅着样板房和那个摆放在中央位置的“美丽家园”模型……欧阳彻底失望了：在留下的几十号人里，年长者占了三分之二。而这占三分之二的长者，看上去都是些平时在家拎篮子买菜的大妈大婶。

“大妈，这房子价格便宜，在深圳您找不到第二家。要是您现在交够订金，我们还可以给您优惠价。”

“大婶不瞒您说，明天的龙华将是深圳最有发展前景的片区，我们‘美丽家园’是这儿的第一个现代化小区，等对面的广场一建起来，保证咱们这房子能升值……”

在汪总的指挥下，程经理、罗芳带着其他售楼小姐们，此刻正抓住机会，缠住这些与其说是看房、倒不如说是在躲雨的大婶大妈们，向她们展开销售攻势。可令欧阳焦急的是，任凭她们说得再娓娓动听、口干舌燥，这些人中根本没一个掏口袋和动笔签约的。

怎么办？就这样砸啦？欧阳在人群中来回地走动和观察，他的脸上始终不能露出一丝焦虑，相反他还要装出一副笑脸，一会儿搬个凳子给这位大婶说您老别总站着，先歇歇脚吧；一会儿又用纸杯端上矿泉水给那位大妈说您老往里走，别让外面的雨淋着了……“这位老总真好！”大妈大婶们对和蔼可亲的欧阳抱有好感，但就是不买他的房子。

欧阳不能再在销售大厅里待着了，他灵机一动把财务部的朱会计悄悄叫到内室，焦急地询问道：“有钱吗？”

朱会计不明白老板的意思，摇摇头：“没有。还没有一个客户交预订金的。”

欧阳的嗓门一下提高了：“我问的是我们自己有没有钱！”

“我们自己的钱在公司保险柜里……”

“快！快去取几万块来！越快越好！”欧阳闭着眼睛，连半个字都不想多说。等欧阳再睁开眼睛的时候，朱会计已经把三沓整整齐齐的现钞放在了他面前。

“叫张会计进来。”欧阳又命令道。

“你有什么事？”妻子张青玲跑过来了。

“有人落订吗？”

“还没有一个。”

“把这三万元拿去！”欧阳将钱塞到她的手里，悄悄地说。

“这……？”

“愣着干什么？快去呀！”欧阳真急了，眼珠子瞪得溜圆。

“噢！”妻子拿起钱就往外走，来到售楼中心的收款处在点钞机上开始数钱。

看到财务拿钱出来数，罗芳立即明白了老板的用意，在销售现场拿着麦克风大声宣布：恭喜李先生成为南区3栋302的业主，恭喜刘小姐成为南区4栋103的业主……经罗芳这么一宣布，销售现场立刻呈现一派热烈又紧张的气氛……

知道欧阳要朱会计拿钱的用意吗？不用我多解释，当时欧阳是急中生智，商道上的“托”就是这么回事。据我了解，后来“美丽家园”的房子一年就升值了20%，所有业主都赚了一笔。

“我先登记一套！”

“两套，我要两套！”

程经理和几位售楼小姐忽而忙碌着在样板房里指指点点，忽而又领着“客户”到前台不停地点着“订金”……

哇，火爆！连续几套房子被订购出去。

哇，火爆！前台的财务人员欧阳的妻子张青玲正满头大汗不停地点着钱，而且那钱像是永远也点不完……

大厅内那些“亲眼所见”的购房者有些坐不住了，一清早大老远地跑来不就是为了买一套理想的房子嘛！再等下去，好房子被人家买走了不亏了吗？买吧。于是有人开始签约……

还看什么嘛！既然已经有那么多人买在前面，这房子肯定是好处多多，晚买不如早买。交钱吧！有的人开始掏口袋，有的人急着打电话叫家人送钱来……

当签约和交款处有了真正购房者的身影时，欧阳总算长长地舒了一口气：欧阳呀欧阳，看来你和“美丽家园”都不会死了。

是的，欧阳在万般无奈的情况下，用自己公司的人扮成“托儿”促成了死棋活走。局面被打开后，当天“美丽家园”的销售实现了“零”的突破，总预售26套。这个记录虽然比欧阳预想的要少了许多，但毕竟实现了零的突破。

暴雨过后，一道彩虹挂在了龙华上空，欧阳顿感一阵清新的空气扑面而来……

接下去的22、23、24日，深圳的天气格外好，而“美丽家园”的销售厅内则连续三天“爆棚”！什么叫“爆棚”知道吗？那就是购房的人挤破了卖房子人的柜台，生意好啊！程经理每天向欧阳报告“特大喜讯”，欧阳则要求程经理让一线的销售人员“注意休息，养精蓄锐，再创佳绩”。

“4·28”尚未到来，欧阳他们的“美丽家园”已经在深圳市民中广为传播，并已销售了52%，化解了风险，资金有一半已经揣在兜里了。这与欧阳决策提前一星期开盘的做法有着直接的关系，因为欧阳在轰轰烈烈地运作自己的楼盘销售时，几乎没有遇到任何对手出现。

而另一方面，他这个“舞台老板”天天利用“美丽家园”售楼现场搭起的一个大舞台，通过深圳广播、电视台进行现场直播，请来著名的主持人、演员，外加老板欧阳本人，不断地又唱又说。好家伙，这简直就是连续几天免费的精彩节目荟萃。龙华周围的居民有事没事就过来看戏看表演，那些离龙华比较远的人则通过广播电视一次又一次地听到“美丽家园”这个名字，你说欧阳成功不成功？

五一长假的几天时间，是深圳官方举办一年一度“房地产春季交易会”的日子。这个春交会既是地产商们展示自己产品的最好舞台，同时也是港澳和除本地购房者外的内地购房者踊跃介入的大市场。在这春交会上的亮相无疑是一场比拼与较量。各路地产大鳄尽显其威风与实力，有能耐、有心计的商家挖空心思制造各种“效应”：美女、美酒、梦幻、奇幻……有人为显现自己产品与公司的实力，可以垄断整个大展厅；有人为拉拢购房者，可以在几百米外展览会门前的出入口处，组织上百人的宣传队伍向参观者发放材料和礼品……那阵势既热闹又好玩，顾客在这时的“上帝”感受最能得以体现。

“美丽家园”与地产界的新兵欧阳怎么办？大家都在拭目以待。

春交会的开场锣鼓鸣响，如梦如幻的展览大厅让观展者仿佛进入了另一个世界，一双双透着新奇和激动的眼珠不知该往哪儿看——但一圈转完后，那些观展者似乎又不知所措，于是他们不得不拖着疲惫的双脚和干得冒烟的嗓子，退至展厅的出入口处。

“先生，我们这儿有免费咖啡，您请用。”一位和蔼可亲的小姐过来招呼。

“小姐，您一定很累了，我们这儿有小凳子可以来坐坐。”一位彬彬有礼的小伙子过去接应。

一个又一个春交会的观展者聚集过来。

当他们品尝着免费咖啡和坐在小凳上歇歇腿脚时，发现就在他们身边有一块用霓虹灯和喷彩绘制成的“美丽家园”广告牌。

它不大，却特别醒目，尤其是行书体的那四个字，让人看后感觉既有文化内涵，又有一种跃跃欲试的动感之美。

“哎，你们这个楼盘在哪儿呀？我们想去看看。”

“对呀，如果有车的话，我现在就想去。”

许多客户纷纷提出要去参观。

“各位，我们的‘美丽家园’在深圳新区龙华镇，那儿风景宜人、天高云淡、环境优美，最主要的是龙华是未来五年深圳最具前景的新区之一，目前我们的‘美丽家园’是那儿的第一个开发项目。如果你们想获得一套既舒适又价格便宜的房子，我们的‘美丽家园’将是你们最理想的选择。还可以告诉大家，我们公司的董事长也在这儿，他会给所有有意购买我们‘美丽家园’的业主签名，我们的董事长欧阳先生在部队里任军官时就是全军的先进连队连长。‘美丽家园’是他用一个曾经的军人的名义向广大业主庄严承诺的新产品，如果大家愿意，可以拿着我们的楼书请欧总签名……”四方代理公司的汪总在展位前宣传。

这是欧阳第一次给客户签名，他以前从来没有经历过，所以他红着脸给围上来的一大群人签名。

不一会儿，展位前聚集了几百位等候签名的客户，“好啊！请老板给我签一个”。

“给我也签一个。老板你签了字，房子要是出了什么问题，我可找你啊！”

“没问题。我欧阳做事首先要对得起自己，更要对得起大家，你们说是不是？”

“哈哈，这老板让我们放心。”

“走，看楼去！”

“走——”

于是，“美丽家园”的看房专车一辆又一辆地离开展览会，驶向“美丽家园”……

“这‘美丽家园’是从哪儿冒出来的嘛！他们把我们的客源全都抢走了呀！”

“欧阳？哪个欧阳？”

“听说是个部队转业军人，这家伙干什么成什么。现在他来搅和我们房地产了！”

“你瞧瞧，我们花了上百万的本钱搞展销，却没有他花几万元小钱做的宣传效果好。”

“龙华那破地方，他竟然也能折腾得沸沸扬扬！”

“闲话”此起彼伏，不管好坏，“美丽家园”在此次的深圳春交会上一夜之间成了深圳地产界的“黑马”，成了最大赢家。

趁热打铁，在之后的“美丽家园”竣工仪式上，欧阳运用“舞台艺术”，又一次吸引了成千上万的人前来观看。他请来深圳电台《夜空不寂寞》的著名女主持人、金话筒奖得主胡晓梅来主持竣工现场的表演活动。那一天创下了龙华历史上前所未有的热闹纪录——欧阳的大活动总碰上下雨，那天又是个下雨日。台下观看者穿着雨衣、打着伞看节目，台上的演员穿着雨衣表演，热闹非比寻常。

这都是欧阳一手导演的好戏——他把那些本与“美丽家园”有关与无关的人，全都拉到了他身边。

“美丽家园”获得空前成功。欧阳没有失信于买他房子的业主，这一点人们从那些进进出出跟他亲切打招呼的业主们眼里和语气中就能感受到。房子和大量临街铺位的销售率高达99%。

欧阳通过两次开发楼盘，在他的创富之路上完成了重要的资本积累。而“美丽家园”作为龙华标志性建筑，对龙华今天的发展起到了不可替代的作用——它的出现与成功拉动了整个龙华地区的人才聚集，促进了龙华的经济发展。

第二十一章　带资当“老总”，是福还是祸?

2001年8月，当“美丽家园”各项工作正有条不紊地进行时，一场更大、更惊心动魄的挑战又将降临。这场充满艰辛、充满险恶的商场之战可以说将欧阳的大智大勇发挥得淋漓尽致，也上演了一曲感天动地的商海英雄之歌……

2001年，“皇朝”集团的老板——广东省某知名企业家因病去世，在香港和内地留下一大笔有纠纷的资产，其中最集中的是深圳的几处产业，它们都是赫赫有名的房地产和酒店。酒店比较简单，可房地产项目就复杂得多，尤其是那些尚在开发又没有完成的项目，由于他一走，正在建设中的项目成了一堆踩进去也不是、拔腿想溜也难的“烂尾项目”。最可惜的是这位老板故去后，家族里还没有能取代他的，能真正撑起家业的人。公司高层开始寻觅优秀人才来打理亿万产业，托人辗转找到了欧阳，在充分考察了欧阳的背景、为人、经营能力和实力后，决定请他到“皇朝”集团（请读者谅解，允许我使用这个代名），为其产业重振雄风。

欧阳受人之托难以推辞，于是盘算了一下自己口袋的钞票，然后决定全面接管“皇朝”集团在深圳的一切经营业务。在“皇朝”集团，欧阳的老总不是虚职，他是带资来此当老板的。所谓带资任职，就是你得拿着自己的钱来接管这个新单位的业务，才能当这儿的总经理。欧阳与“皇朝”的唯一合法继承人——已故老板的女儿，在她的几位大律师的护驾下签订了一份带资2500万元的合同，公司经营出现盈利后按六四分成也成为合同的内容条款，随后他坐上了赫赫有名的“皇朝”集团的第一把交椅。

与以前欧阳所做过的包括“美丽家园”在内的全部生意相比，“皇朝”集团那才叫家大业大的大企业。但当欧阳真正接管这一庞大企业时，才发现“皇朝”集团其实已似崩塌的大厦，到处是无法填补的漏洞和倾斜下落的梁柱……

雷厉风行的欧阳在接管“皇朝”后，却找不到一间办公室。听老“皇朝”的员工说，公司自老板去世后就不敢再有办公室。欧阳问：“为什么？”人家告诉他：“要债的人太多。”因为老板去世后，整个公司元气大伤，造成了很多债务。原来在“皇朝”干活的人都不敢上班了，有的干脆离开了公司，因为那些要债的人一旦得知哪个地方还有“皇朝”的办公室，他们就上哪儿去闹！闹得堂堂“皇朝”集团连个起码的办公地点都没有。

“不行，没个办公室怎么行？”欧阳当兵出身，多年历练早就不怕什么明枪暗箭，他在没有找到合适的办公地点时就先在一家酒店里租住了几天，把“皇朝”集团的牌子重新捡起来竖在门口。

这可让债主们好不高兴：给深圳地产业翻了个新花样的“美丽家园”开发商欧阳祥山老板来“皇朝”，这回我们要债的希望就有了！不少债主打听到欧阳所在的那个酒店后便成群结队地赶来，结果酒店的保安根本不让进。一番争执后，欧阳派人告诉债主：“过不了几天，‘皇朝’集团将有自己的办公地点，那时你们来找我要债不迟。我欧阳说话算数，你们等几天。”

这个欧阳祥山的话真能听吗？债主们议论起来。有人说不能听他的，这欧阳肯定也是个奸商，不奸他干不了那么大的买卖！有人说欧阳是部队里出来的，说话算数，再者他到“皇朝”来是自己带资来的，他能不负责到底吗？最后债主们商定：跟“皇朝”的债务也不是一天两天的事了，且给新老板一个面子再说。

欧阳这会儿在忙什么呢？原来他在收拾“皇朝”集团内部的

残局时，得知“皇朝”集团还有相当数额的固定资产，其中有一个工业区还算不错，那工业区门口有栋二层小楼闲置着，可以装修一下做公司办公室。于是他批下10万元，用了六天六夜24小时施工将小楼里里外外进行了简单的装修。说简单也不简单，十个部门的办公室及会议室、接待室等应有尽有，功能俱全。随后他命令所有“皇朝”员工全部搬到新的办公地点上班——“皇朝”集团的员工其实人并不多，能派得上用场的统统都用上了。

作为“皇朝”集团的新老总，那天欧阳穿得特别整齐，西服革履，早已斑白的头发也染得乌黑油亮。可当车子开至小楼处，欧阳推开车门的那一瞬，如果胆子小一点的话可能就缩回去了——原来早已等候在那里的要债人围成一圈，把整个办公小楼堵得水泄不通。不得了，那要债的队伍排出足有百米之长！再瞧瞧那些人，个个横眉冷目，摩拳擦掌，仿佛要跟欧阳誓不罢休。

欧阳调动物业公司的20多名保安，颇费一番周折，方才挤进那间所谓的“总经理”办公室。欧阳现在到“皇朝”来是一名合作者，既不是老板，也不是真正意义上的董事长，难就难在他名不正言不顺，已故老板的继承人才是真正的老板和董事长啊！欧阳是什么？眼下欠债还钱，天经地义，不还钱可以，还实物、扣房产酒店也行，可这些都得老板来敲定。“你就是老板”，那些早已等着急了的债主们个个眼睛发红，恨不得将欧阳撕成碎片，抓一块填进自己嘴里。

“你们不都是来要债的吗？好啊，我今儿个头天来上班，第一件要做的事，就是处理大家的债务事宜。老实说，我比你们还着急。为什么？简单得很，我不处理好这些债务，不等于白白扔了我带进来的几千万元资本呀！所以你们排好队不要拥挤，一个一个来。我向大家保证：所有债主的事我都要处理，不会漏掉哪一家的，更不会赖哪一家的账。你们看这样行不行？”欧阳心平气和地对那些等候许久的债主们说。

“好，有你这话，我们就按秩序排队……大伙排好了，谁也不许插队加塞儿！”竟然有人在欧阳一番真情实感表白之后，主动担当起现场维持秩序的“义工”。

不打理不知道，一打理欧阳的内心涌起阵阵惊涛骇浪：“皇朝”集团由于经营范围广，项目繁多，那些欠债合同和账目，有的还算清楚，有的根本就是一笔糊涂账。欧阳和原老板在他生前没有见过面，所以那些写有原老板签名的借据或欠款合同到底是真是假，一时很难认定。可人家要债的没有谁说哪一笔款是假的呀！而现场的欧阳又无法轻易肯定或否定那些债务该不该支出或赔付。

“错不了！我们是从山东坐了一天一夜的火车才赶过来的。光来回路费就是好几千，我们能来讨一笔假款吗？”

听起来不假，合同上也明明白白写着：货到付款。如拖延付款，乙方（“皇朝”集团）将每天赔偿本金的2%利息……这笔款要支付。欧阳大笔一挥，几十万元就这么出去了。

“老板太忙了，平时很少能见到他，我们的债务也就一拖再拖，等到地球绕太阳转了365圈，他还是没有把款付给我们。后来他不幸去世了，那我们只有找你了。”

还真是冤，可下笔就是100万哪！欧阳长叹一声，最后签字的笔还是落在了纸上……这一天，他共与58个债主达成了还债协议。也不知开了多少张支票，划出了多少钱，一会儿从大班台走下来委曲求全，一会儿又坐回到自己威严的老总椅上据理力争，来来回回，软磨硬泡，各种手段用尽，三十六计全部使出，还没个下文……

“皇朝”到底有多少欠债？傍晚，被吵闹得眼冒金星的欧阳躺在床上辗转难眠，他越想越有些后怕，难道自己带着2000多万辛辛苦苦挣来的血汗钱，是来为一个根本与自己不搭界的人填无底洞吗？而这个无底洞到底有多深？深到什么程度呢？

欧阳不得而知。他隐约感觉真正向“皇朝”要债的主还没有来，那些堵在他办公室门口的债主虽然人多，但毕竟都是几十万、几万，甚至还有几千的小债主。大债主是谁？大债主大到什么程度？欧阳在等待，这种等待有种说不出的恐惧。这个公司摊子铺得有多大，与人家合作单位做的是什么交易，公司向人家许诺了什么，为什么要债的情况在老板去世前没出现呢？欧阳的第六感也完全失灵了，心里实在没底。而从已知的那些大大小小的债务看，有些事情实在不可思议。比如有宗房产纠纷，“皇朝”作为开发商，因为没有及时补交税费、推迟办证、少退面积款等事宜一直未解决，上百户居民每家每户提出三个诉讼理由与“皇朝”打官司。欧阳接手“皇朝”之前总以为它毕竟是个著名大企业，公司暂时无法运转，生意滑坡，但再怎么着，也是瘦死的骆驼比马大。哪知“皇朝”这只“瘦骆驼”不仅不比马大，关键是它还掉在蜘蛛网一样密布的官司黑穴里……

上班第一个星期里，欧阳的全部工作是处理和应酬各种找上门的债主，共计 182 家。

欧阳一想，这 182 家债务纠纷，如果都上法院，怕我这个“老总”至少得用 5 年以上的时间才能摆平这些官司。“5 年，5 年要我什么都不干专跟人家打官司？不行，我最多只能用上 36 天的时间来处理债务纠纷问题，否则“皇朝”就永无出头之日！”欧阳发下这样的狠心。

但欠人家的钱，主动权不在你手上。什么时候人家烦了，或上门或到法院想怎么着折腾你，你就得老老实实像孙子一样去听人家的训斥甚至谩骂。欧阳从小吃苦，后来在部队当兵又提干，再后来他一直是生活中的佼佼者，老实说即使是牵着瞎眼姐夫在外流浪，也不是任何人都能随意污辱谩骂的。用欧阳的话说，你们不是嫌我穷嘛，好啊，我饿了就忍着，你还能拿我怎么着？可现在不行，作为“皇朝”的新老总，公司欠了人家的钱，俗话说，冤家有头，债务有主。“你欧阳如果想昂着头走路，那你就把钱还了，我们照旧毕恭毕敬对待您。”那些债主这样对欧阳说。欧阳呢，不敢怠慢这些人，他们现在是老爷，上你办公室坐一坐，拿起你桌上的茶杯就喝，这都是客气的了。

“你翻什么白眼？我还不想赖在你们这个破地方呢！”债主趾高气扬地说。

有几次欧阳与人讲好了要去谈点业务，可债主缠住他就是不让走。没辙，欧阳只能耐着性子听人家劈头盖脸地骂。欠的钱不算多，十几万元，可欧阳口袋里已经没多少钱了。“皇朝”不能只是为还债才重新挂牌的，欧阳的战略是：“皇朝”需要从债务纠纷中脱身，更需要在发展中求得生存。即使是还债，也得发展和重新整合好已有的资产并让它们良好地运营起来，这样才能从根本上解决沉重的债务问题。

那天欧阳发火了，一个香港的小债主死活缠住欧阳非要他在两天之内还了他的几十万元钱，“否则我就在你办公室死磕”。人家跟他要绝的，并且不让他离开办公室一步。

几个保安人员看不下去，上来要揪他出去。欧阳摆摆手，对保安人员说：“你们想干什么？人家是我的朋友！他们能到这儿来，是出于对我欧阳的信任知不知道？“皇朝”欠人家的钱，我要是他们，说不准比他们做得还绝。老实说，我心里十分同情他们。我欧阳这些日子干吗不分日夜地忙乎呀？就是千方百计地想帮助我的这些朋友尽快把钱弄到手。能早一天弄到手，我就早一天对得起这些朋友。生意场上的路还长着呢，风水也是转来转去的。谁能保证明天我们不有求于别人呢？所以你们这些小年轻别给我胡来，好生伺候我的朋友！中午多给我弄几个好菜，我要招待他们。”

欧阳的这番入情入理的话，让那几个要债的人颇为感动，说：“欧总啊，我们要债也到过好几家公司，可没有一个老总能像你这样好地对待我们。“皇朝”是欠我们的钱，可那不是你欧总的责任，但你欧总能像自己的钱丢了一样帮我们到处弄钱回来，我们再纠缠你，不让你好好工作，实在过意不去。我们走了，不能再耽误你的宝贵时间了。”说着，起身就要走，欧阳怎么拦也拦不住。

这样的友好债主不在少数，他们开始都是怒气冲冲地找来准备给“皇朝”的新老总“颜色”看的，后来与欧阳一接触，就再没有脾气了。“不错，‘皇朝’是欠了你们的债，可你们的目的不就是希望早点把欠你们的钱拿回来嘛？‘皇朝’集团的情况你们不是不知道，我来这儿听起来好像是来做大老板的，可其实我心里清楚，我哪是来当老板嘛！我是给你们这些债主打工的！”

“哈哈哈，欧总开玩笑，谁不知道你是大老板！你干啥啥兴旺，搞房地产，你‘美丽家园’一出手就把整个深圳震得天翻地覆！你咋能给我们打工嘛！”

欧阳笑着摆摆手说：“刚才的话绝不是玩笑。你们想通一个道理没有：如果‘皇朝’没有人来打理，没有人去赚钱回来，你们在‘皇朝’的钱不等于打水漂了吗？所以从这个意义上讲，你们得保护我这个高级打工仔，我好一天，你们的钱就可能早一天回到你们手里。大家想想是不是这个理？”

债主们不得不承认欧阳讲的是大实话。从此欧阳不用再横眉冷对，不用再东躲西藏，堂堂正正上班，潇潇洒洒下班，该干什么照干什么。欧阳的大实话起了根本作用，而最主要的是他确实也在诚心诚意地忙乎着，把“皇朝”集团过去欠人家的每一笔债务进行整理，并且通过各种努力，一笔笔化解和处理好。

“那些日子，我一天最多只能睡上三四个小时，经常彻夜不眠。有时是去核实债务的细节，更多的则是去与债主商量如何处理债务更合适，更有利于双方利益。‘双赢’这概念，在我那段工作期间就开始成为我的经商理念。”欧阳日后这样说。

有一点债主和欧阳都没有想到的是：原先他与这近200个债主不曾相识，也不曾有任何业务关系，而且最初认识时彼此还相互敌视，可几个月后，他们彼此成了好朋友，甚至有几位如今还是欧阳生意上最好的合作伙伴和生活中的亲朋密友。“皇朝”官司多，但每次法院来查封公司财务部大门时，都是债主们偷偷地给欧阳提供消息。

人世间的事就是这样奇妙，也许今天彼此是敌人，明天可能就是并肩战斗甚至一生相助的战友和同仁。多一点理解，多一点诚意，多一点友善，什么恩怨都会化解。我们本来一起来到这个星球就不易，在芸芸众生中，既然彼此还能相识相见，有事同谋，那么我们就彼此宽容和大度些。在利益面前，我们宁愿自己往后退一步；在困难面前，我们则为别人先迈一步，这样我们的世界和我们的周围便会多一些欢乐与美满，多一些舒心与和谐，那时我们各自的理想和奋斗目标，就会来得更快些。

欧阳正是以这样的胸怀在铸造自己的人生理念。然而生活又极其复杂，“皇朝”留下的债务的复杂性远比他想象的要严重得多。当他正准备全身心投入整治集团公司的几宗业务时，一个欲置他于死地的大债主正在他每天上班的必经之路上等候着他……

第二十二章　起死回生，妙计摆平巨债……

如果欧阳早先能预知“皇朝”有如此复杂的债务背景，他是无论如何也不会插足其中的，这是欧阳的为人处世之道所决定的。但现在他既然进来了，也就不会轻易撤退，这也是出于他的性格和为人，军人的素质和特性决定了他会这样做。

可是欧阳这回对“皇朝”的复杂性估计太低了。

在摆平近200家大大小小的债主后，欧阳总算松了一口气。之后的任务即全面开启“皇朝”集团遗留下来的那些半拉子工程项目，因为只有这样，“皇朝”方能复活，欧阳入主这个企业的目的才能实现。

“明天就动工！”欧阳的作风向来雷厉风行，在送走最后一个债主后，欧阳当夜9点多指示属下准备同时开工“皇朝”原有的几个工程项目，这些项目有“皇朝”拖了多年的烂尾楼、有一条干了一半的市政道路、有停停开开总赔钱的石料场，还有9个物业公司的整治工作。

“好的。保证三天内全面动工！”副总经理祝曙光、王树祥及销售经理莫凡、开发部经理龚明林、采石场总经理张创业等下属们个个早已摩拳擦掌，急不可待了，他们虽然还很怀念原来的老总，但更盼着欧总带着他们使公司重整旗鼓，以报答去世的老总。前些年，因债务问题弄得这些想干事的年轻人心灰意冷。现在新来的老总如此干劲冲天，令他们深受鼓舞，于是个个生龙活虎起来。

欧阳见此情此景，心头很是感到高兴和安慰。眼下，终于可以放开手脚大干一场了！这时欧阳拿起电话，拨通“皇朝”集团继承人即现在的董事长的电话，将公司出现的新景象及时一一作了汇报。“辛苦了！好好，可以，就这么干！”他得到了对方强有力的支持。

“丁零零……”欧阳办公桌上的电话骤然响起。

“喂，你是‘皇朝’现在的老总吗？”对方问。

欧阳习惯地反问一句：“你是哪里？有什么事吗？”

“你是欧阳老总吗？”对方同样反问了一句。

“我是，我是欧阳。”

“那好，我们正找你……”对方停顿了一下，清清嗓子说，“你知道你们‘皇朝’欠我们的债吗？”

欧阳一听，心想又是一个什么债主。当时他想得不多，以为又是一个什么地方冒出来的小债主，于是便问：“你是哪里呀？是什么单位？”

“我们是蓬州的（请谅解、允许我用这个代用地名）……你这个当老总的知道你们公司欠我们多少钱吗？”对方的口气很有些深奥莫测。

欧阳想不出来，但一股阴云却笼罩在他的心头：“你能告诉我有多少钱吗？”

“我们见面再说吧！”对方口气变得很硬，并且告诉欧阳，“我们人已经到深圳了！”

“噢噢，那——我们什么时候见个面？”钱虽然是原来的老板欠的，可因为现在的“皇朝”与欧阳的个人命运连在了一起，他心头也有些虚——他不知“皇朝”到底欠了人家多少钱！

“要不现在我们就过去到你那儿？”对方毫不客气。

“现在太晚了，几位今天先休息一下。明天我们安排一下也好接待你们远道而来的贵客嘛！”欧阳心里已经估计到又是一场恶战，为能让自己在被动中争取一分主动，他要先来个缓兵之计。

"那好，你定个地方吧！"

欧阳一想，无论如何不能让要债的人到自己公司这儿来，否则有些事情就更难办和被动。到了这般境地，他欧阳对外采取的战术是要让外面人都知道"皇朝"已经破落不堪——其实本来就是这样，只是欧阳以为通过前面一些日子的拳打脚踢，把外面的债务已经处理得差不多了，正准备大干一场，公司的一些面貌已经开始出现重振旗鼓的态势。如果让要债的人一看，啊，你们"皇朝"原来"死马"又活了，这还不狠狠多咬几口？于是欧阳脑子飞速一转，心想无论如何不能让债务扰乱了他重振"皇朝"的步伐，便想了想说："我们公司现在连个办公的地方都没有。这样吧，我们明天在布吉的凯利宾馆见面，我们在那里接待你们行吗？"

"布吉？那好吧！"对方说完就把电话挂了。欧阳的心却又悬在半空。不过欠人的债多了，就像小品里演的那样，"黄世仁"现在反而求"杨白劳"了，该怎么对付就怎么对付吧！

第二天，欧阳如约赶到凯利宾馆。蓬州方面共来了三个人，其中领头的是一位姓林的老总。

欧阳和祝副总经理上前热情地跟他们握手，那个姓林的冷冷地说："我们先找个包房好吧！"

"包房？"欧阳和祝副总经理一时没反应过来。

"包房好说话呀，这儿乱哄哄的！"那林总指指宾馆大厅内来来去去的人说道。

欧阳推了下祝曙光，他便赶紧应诺："好好，我马上去开一间包房。"在服务台开房的时候，欧阳心头着实开始发紧：来者不善，必定是个不小的债主。可到底大到多少欧阳不得而知。

等待上帝审判吧！

"连本带利，8412万！"包房内几个人刚列位坐定，那姓林的代表蓬州方从一只皮箱内取出一沓又一沓材料，多到什么程度，欧阳看后如同喜马拉雅山压在自己心头：我的天，足足有一尺多高！

“这、这么多钱，我、我怎么不知道呀？”欧阳顿感后背直发凉。换谁都一样，这莫名其妙冒出的8000多万债务，换谁不被吓倒？

“这不能怪你呀！你欧总才来几天？”对方带着几分讥讽冲欧阳冷笑道，然后拍拍那沓高高堆起的材料，说：“这里有你们公司与我们几家单位签订的借款合同，还有公安、法院、银行等单位的证明材料……”

老天爷！欧阳的心头又像压了一座山。可在这节骨眼上，他尽力保持镇定，“来来来，我先敬几位远来的贵客”。欧阳没等上菜就先叫上了酒，为了缓和紧张的气氛，举起酒杯先干为敬。几杯酒下肚后，林总等人满面红光，讲话的语气也缓和了些。然而当欧阳看到那一份份盖满红章的红头文件在眼前晃动时，他眼前一片茫然。“我能看看合同吗？”欧阳是个精细人，在到“皇朝”集团后的这些日子里，他翻阅过公司留下的所有文件，但从未见过这么一份巨额借款的原始文本。而如此一桩巨额债务，他连合同都看不到，不等于任人宰割吗？欧阳想看看合同，这是他现在唯一可以准备应付对方的行动了。但他失算了——

“合同？合同你们也有呀！你回去找自己的那份看吧！”对方的林总警惕地抽回一堆材料中的几份合同复印件，一双眼睛眨巴着死死盯着对手。

欧阳立即意识到不能让对方知道自己手里没有合同，于是赶忙改口道：“噢，我回去找找吧！因为我刚来不久，还有几个地方的文件我还没来得及处理和翻阅……”

“我们现在说正事，你什么时候还钱吧？”对方不让欧阳有喘息机会。“欠债还钱是天经地义的事。可各位老总你们也知道，

‘皇朝’现在的情况一塌糊涂，几乎是一无所有……”

“不对啊！你欧总是带资来‘皇朝’的，你有钱呀！”来者显然对欧阳的情况有所了解，他们击中了欧阳的要害。

欧阳暗暗叫苦，心想：我是带资来的，可那是我辛辛苦苦用性命和汗水换来的钱呀，本来是想带资来“皇朝”展一番宏图的，现在看来只能是来帮人家填窟窿了……要填满也算办了一件好事，可这个“皇朝”实在是个无底洞！

欧阳心头在流血。流血又有什么用？听人家怎么说吧！

“欧总，如果不还，那我们马上就向省高院起诉了！要求法院立即查封你们“皇朝”的全部资产！喏，这是我们早已起草好的起诉书……”蓬州的林总又从皮包里拿出另一份打印好的材料向欧阳抖了抖。

欧阳的头在“嗡嗡”作响！厉害，对方太厉害了！这些年来欧阳在生意场上摸爬滚打，深知打官司的程序，像目前“皇朝”与蓬州方的债务问题，蓬州方一旦向省高院起诉，申请查封“皇朝”集团的资产将十分简单，而一旦走了这一步，欧阳知道“皇朝”集团将彻底垮掉是毫无疑问的了！关键是，这样一来他欧阳的命运也等于完蛋了！他带着辛苦挣得的几千万入主“皇朝”，本想借这个已经创造了品牌效应的著名企业（尽管它已经败落，但毕竟尚有些价值）一展宏图，哪知生意场竟如此险恶莫测！

叫苦已不足以形容欧阳此时此刻的心情。亡者求一拼，欧阳面对如此情况，只得做最后一丝努力。他以自己最诚恳的态度恳求对方：“大家都在生意场上混，谁都不容易是吧！我呢到“皇朝”来，也是受人之托，你们呢更不容易，别人欠你们那么多钱，你们对单位干部职工也不好交代。所以我说，我们还是本着友好处理为妥，你们说是不是？再说，你们的目的不就是为了把钱要回去吗？打官司是下策这谁都知道……”

“那你就还钱吧！这打官司的下策我们也不想干，可你欧阳先生除了还我们钱外，还有什么好办法吗？”对方并不买账，他们再次极为蛮横地打断欧阳的话。这能怪人家吗？几千万元的钱呀！而且那个林总告诉欧阳，由于当时他单位借给“皇朝”集团的这笔钱也是他们蓬州方面从银行那儿借贷过来的款，因为“皇朝”最后不能还款，致使银行查封和冻结了他们单位的财产，直接导致了蓬州借贷方部分企业的倒闭，职工整天围着他们这些领导闹事。“要不赶紧还我们钱，否则我们就法庭上见！”

话不投机，欧阳只得暂时告辞。“快点答复我们啊！要不我们马上起诉了！”欧阳走出包房的那一刻，身后有人连声这样对他说。

急啊！欧阳着急的倒不是人家催钱还债，这债务的事能拖就拖，谁不知道现在牛的不是债主而是借款人！可人家要是起诉申请查封你的资产，那就真的惨了！当初欧阳之所以带资舍命来到“皇朝”，其中有一个十分重要的原因是他看中了这只快“病死的骆驼”，它毕竟比马大。“皇朝”有好几处固定资产只要一盘活，绝对是可以产生利润的企业。然而现在蓬州方一旦向法院申请查封成功，欧阳带资来“皇朝”当“老总”的唯一的利益支撑点将垮掉，这不等于要了欧阳的命吗？

无论如何也不能让对方上法院起诉。可你不还钱，对方能心甘情愿就此罢休？毫无疑问，绝对不会。还有什么办法来处理和平息此事呢？

欧阳急得真如一只无头的苍蝇……

他找律师，律师说你得看看当时的那份合同上怎么写的嘛！

欧阳说：“我们这边根本就没有什么合同！”

律师说：“你连合同都没有了，那就等着法院该怎么判就怎么判吧！”

荒唐！律师走出欧阳的办公室时连连摇头。

可不荒唐嘛！这么大一笔借款，“皇朝”集团公司竟然连份合同的纸片儿都没留！欧阳实在哭笑不得。

“找！就是把“皇朝”集团公司的地给我翻100遍，咱们也得把合同找出来！”欧阳从未发过这么狠的命令。

当天晚上开始，欧阳叫办公室主任詹明玉、财务部长蔡志伦发动公司办公室的全体工作人员开始将“皇朝”集团所有可以想到能放合同的地方全部翻箱倒柜地找了个底朝天，而且电话通知“皇朝”在香港的总部也一起找……“我记得十分清楚，已经是冬季了，天很冷，可是我们个个找得满头大汗。”欧阳回忆当时情景时这样说。

没有找到合同，欧阳赶紧返回宾馆包房想去稳住债主，谁知人家早已回了蓬州。不用解释，人家牛呗！

怎么办？欧阳又急又恼，可急恼又能解决什么问题？稳住对方不起诉，再另想办法解决债务问题，这是现在唯一可行的办法，也是当务之急。除此之外别无生路。

想到这儿，欧阳没有半点犹豫，急着下楼上车，挥手对马司机说：“走，到蓬洲！”

“是。”

汽车顿时四轮飞旋。从深圳到蓬州并不近，4小时后欧阳他们到达目的地，此时已近黄昏。欧阳摸摸空空的口袋，对司机说：“我们就找家最便宜的小旅店住下吧！”住在几十元一晚的小旅店，欧阳望着透风的房顶，仿佛又回到了自己几年前在小山顶上开铸造厂的蹉跎岁月……往事不堪回首，可才几天的事，怎么可悲的命运又重新落到我欧阳身上了呢？

这一夜欧阳没有合眼。

第二天一早，欧阳叫上王树祥副总和马司机，说：“我们先上法院。”聪明的欧阳没有直接去找债主，而是先到法院了解情况。因为从昨天对方的口中得知，蓬州方曾多次到法院起诉过要求“皇朝”还款。法院那儿肯定了解整个债务的详细情况，掌握了详情，方可向对方还击。欧阳想的是这一步棋。

因为没有合适的身份去法院翻阅原始材料，从经济庭和执行庭出来时，欧阳并没有了解到多少东西，人家蓬州方面的法院不傻不聋，你一个深圳人跑过来冷不丁地要了解某某案情，这无论如何会引起当地相关人士的敏感关注。但欧阳在了解有限的“细节”中获得了一个最有价值的情况：蓬州方当时与“皇朝”集团公司签的借款合同的利息是月息 3 分，即每借 100 万元钱，每月必须还 3 万元，一年光还利息就是 36 万元！

天下就有这么一桩奇事：“皇朝”集团在 1992 ～ 1993 年因投资一个石料场而向蓬州方借得一笔 3156 万元的款项。后因种种原因，“皇朝”集团所投资的石料场经营不善，还款拖了近 10 年。而按合同，“皇朝”除还本金外，还需要向蓬州方支付月 3%的利息，也就是说，到欧阳上任的 2001 年 10 月，“皇朝”集团公司应向蓬州方付利息共计 5300 万元。而按这样的一份合同，“皇朝”集团公司如果不能及时还款，其利息仍在以每天几十万的数额递增！

这是一份绝对的高利贷合同！可按照《合同法》条款，借贷双方出于自愿的行为，你能怎么着嘛！欧阳把从法院获得的唯一的信息转达给几位深圳法律界的朋友向他们咨询，他们在没有看合同的情况下回答基本上一致——合同是受国家《合同法》保护的。既然当时借贷双方都同意的合同条款，那么该到还账付息的时候，你就不能喊冤了。

“不冤才怪！我不知道当初原老板是怎么想的，但有一点我想傻子都不可能这么轻易答应，借一笔 3000 多万元的投资款，竟然要在还款时还上比本金高出近两倍的利息！原老板生前尽管在生意上不怎么顺当，可也不至于糊涂到这种程度。他是个很精明大气的人，一定是用这笔款办了比这利息更大的事。现在政策变了，这笔款我们不能还！我们“皇朝”就是砸锅卖铁也还不起这样大一笔钱啊！”欧阳人在蓬州，嗓子喊得让深圳的人都听得见。

无奈，欧阳知道能够挽救他命运的还是蓬州方的几位债主。他们现在是爷，爷不给出路，你欧阳只能等死。

从法院出来，欧阳即去见了蓬州的几位债主。为了表示诚意，同时又不能显得自己口袋里还鼓着，想来想去，欧阳掏出几十元钱，买了些水果。塑料袋里装了那么点东西，欧阳自己都觉得好笑：欠人家几千万元钱，拿这么些东西去见面，实在太寒酸。欧阳觉得自己真正成了人家的孙子了！孙子也没有什么关系，只要人家能接待，不翻白眼，就阿弥陀佛了！

“来啦——是还钱来的吧！”蓬州方的几位债主见了欧阳，带着几分轻蔑的目光盯了一眼那个水果袋，然后不冷不热地说。

“我、我今天是来见见各位老总，希望我们能够坐下来友好地谈谈……”欧阳万分谦和。

“没什么可谈的，合同上写得明明白白，而且你们“皇朝”拖延还款的时间也太长了。我们现在可以告诉你欧阳先生的只有一句话：要么赶紧连本带息还钱，要么等我们起诉后在法庭上见面……”蓬州方面的几位老总盛气凌人，他们早已认为胜券在握。

“我还是一句老话，咱们都是生意场上的人，说不定啥时候我们在生意上还会有再次合作和联系。所以还是坐下来一起商量商量以前的事。‘皇朝’欠你们钱那么长时间不还，道理上、法律上都是过不去的。可‘皇朝’确实现在问题很多，董事长一走，整个公司垮了，我虽然是带资来替人家顶这一摊子，哪知它的窟窿太大了。所以今天来我没有其他目的，就是代表‘皇朝’想跟各位老总求个情。以前‘皇朝’跟你们也是友好的合作伙伴，现在

'皇朝'有难，你们多少得看在以前'皇朝'跟你们合作和原来老板的分上，给我们点余地……"欧阳好言恳求。

"没什么余地。欠那么多钱，又那么长时间，除非你再跟我们签一份新的还款协议，否则只能是法庭上见。"蓬州人毫不客气，也决不退步。

"过去为什么你们就没有到法院那儿申请查封'皇朝'集团呢？"在不对等的对话中，欧阳想了半天找出个似乎有利于自己的一句话，哪知人家更把他噎得不轻。

"对呀，过去我们知道'皇朝'完了，拿不出钱来。现在不是你来了嘛！你有钱呀！"

"这……"欧阳气得直想骂人，最后还是把气吞到了肚里，再问："只能这样？"

"这还是客气的话。"蓬州人的目光里没有丝毫退让的意思。

欧阳只得起身，这样说话不会有什么结果。他也看得出，对方是铁了心让他掏钱，不掏钱就得上法院。但欧阳想的仍然是和为贵。这也是他的人生信条：一切以和为贵。

然而在金钱和利益面前，多数人并不认得"和为贵"三个字。他们认为，强者就是王，弱者只能落败为寇。

欧阳从蓬州债主处出来一直在想：此役太险恶，不胜则全盘皆败。蓬州公司是国有单位，无论官司是赢是输都可以拖得起，而"皇朝"现在是百病缠身，根本经不起任何风吹雨打。对方正是抓住了这个要害步步紧逼。那时他和"皇朝"的命运将一起被人埋葬将是不可避免的现实。现在唯一的可能是，抓住当时对方与"皇朝"签订的每月 3 分的高利贷利息这一条合同条款是否违反国家相关政策而进行回击。如果成功，则可以推倒合同的合法性。合同的合法性不成立，整个还款事实就可以不存在。

然而在咨询法律界人士和银行的专家后，欧阳对此十分失望。

人家告诉他，以此理由推倒合同的合法性，其胜算几乎为零。就“皇朝”目前的情况来说，即便凭借这一条打赢官司，那至少也得一年半载。这一年半载中，被惹急的蓬州方不把你推上法庭才怪！欧阳其实最担心的就是眼下蓬州方已经连文书都起草好准备向法院申请查封“皇朝”资产这一招。此招一旦成为事实，欧阳必死无疑。

面对生意场上的生死命运，欧阳感到从未有过的压力！这比他告别军营，走向从商之路所面临的压力要大得多。那时的压力无非是心里没底，以后的日子怎么过的问题。那一次“钢材风波”说白了也就是丢一半老本而已。可这一回不一样，他欧阳是在走过艰辛创业，漂漂亮亮打完“银湖山庄”，又创下“美丽家园”如此辉煌业绩的时候，却走了回让他说不出道不明的“麦城”。生意场上的胜与败本来并不为奇，让欧阳感到窒息的是，一向做事小心谨慎、行一步先三思的他，竟然“傻乎乎”地带着自己的几千万血汗钱，跑到“皇朝”集团为人家填无底洞来了！你说冤不冤？

晚了，现在喊冤没人听。商场上无人听你喊冤！当初你欧阳跟人家签约上“皇朝”来当“老总”时，是怎么在合同上签下自己的名字的？你那时除了要回报“皇朝”集团优惠转让给你的那块后来被你改叫作“美丽365”的地外，你不就是觉得“皇朝”的老底蛮丰厚嘛！你不是有信心通过自己的整合再把这头“病马”治好，让它成为再展雄风的“商界骏马”吗？你不是想当集团公司的老总过过瘾吗？对嘛，既然是为了这份“贪心”，现在你吞下这颗“巨额欠款”的苦果也是合情合理。

死去吧！没人同情你！生意场上就是如此残酷。你欧阳成功时英名威震深圳，你失败和死去时，没人再为你惋惜。生生死死，商场上就这么简单和平凡。认了吧！面对空旷的夜空，欧阳听到一个无情的声音在嘲讽他、在揭露他……

不！我不能就这样简单地宣告失败。即便跌下去粉身碎骨，也得求个挣扎的机会。欧阳暗暗下定决心。

从债主那儿出来，欧阳感觉自己的肚子饿得有些心慌，跟着一起来的王树祥副总、马司机也饿坏了。大老远来到蓬州，人债主家根本不请他吃饭，于是他只好叫上司机在汽车站边的一个小店吃了碗面条。回到住处，欧阳左思右想这事实在窝囊：欠人家的钱暂不说，咱“皇朝”也够差劲的，连个合同都没有！这事假如换了别人，欧阳也会骂一句“活该”！可现在只因为自己的一笔几千万元钱的“带资”任职，把这本属他人的“活该”转嫁成了欧阳自家的倒霉事。如此的“活该”如同大山一般压在他的脊梁上，让他喘不过气，直至感到越来越沉重的窒息……

怎么办？

怎么办才能死而复生？

人在生死关头常常会展现出巨大的潜能，那种求生的欲望会令人产生空前的智慧与奋争的本能。欧阳毫不例外，他是一个草民出身的人，他的创业和奋斗之路本身就带有传奇色彩。而现在命运又一次需要他调动所有的才能和智慧做出抉择，转败为胜。

欠债还钱，自古天经地义。欧阳能有什么办法在死境中求得活路？

下面的这一场博弈实在精彩，诸君往下看，必定会心一笑——

地点：蓬州某饭店。

人物之一：欧阳。只见他操起电话：“喂，是老总吗？我是欧阳啊，我现在回到住的饭店了。是这样，我想我们还是再好好谈谈。‘皇朝’跟咱们蓬州几家单位以前是很好的合作伙伴，所以我们应该本着彼此友好的态度把事情解决你说是不是？对对。我呢这次来得十分仓促，没有带合同和相关材料来。请你把我们‘皇朝'与你们之间过去的合同和相关材料再带过来，我也好和你们一起拟个还款计划……”

人物之二：蓬州债主之一的老总，在电话那边说：“可以可以，我看你欧总是个挺实在的人。我一会儿带着材料过来，你稍等。”

不多时，老总提着满满一包材料赶到欧阳临时住的饭店。欧阳见此情景心头暗喜，今天他的目的是要把那份合同拿到手，没有合同就像瞎眼打仗，输了都不知道是被谁杀死的。

蓬州的老总在房间的沙发上坐下后，拍拍包里的材料，对欧阳说：“我把合同和材料都带来了，你好好看吧！”

欧阳按捺不住内心的激动，嘴上却若无其事地应着“好好”。随手他把厚厚的一大沓材料从对方的手中接到自己手里。房间里的一对沙发是并放的，床上床下乱七八糟，连洗手间的浴巾也搭在来人就座的座位上，中间有茶几隔着，半条被子也掉在了地上，满屋烟味冲天——这是欧阳提前精心设计的——他在看材料时，对方有个视觉上的死角无法监视。而欧阳为了预防自己的“阴谋”被发现，他在搬过材料往自己身边放的同时，招呼司机给对方倒茶。

“别客气，我自己来……”对方起身接茶。

合同！这边的欧阳双手在发抖：他看到了合同，那份让他找遍全世界都没有见到的“皇朝”集团与蓬州方11年前签订的借款合同。有合同就可以研究回击对方的基本方向和策略。

因为在请对方的老总到房间来“再谈谈”之前，欧阳早就想好了如何窃得这份合同的所有细节。所以此刻当欧阳真的见到合同时，他还是激动得心如小兔扑通扑通直跳……谁也没有注意到欧阳双手的动作，只见他以闪电般的速度将那份合同复印件往坐着的沙发后面一塞，然后又若无其事地翻起另外一些材料……

材料太多，欧阳看得有些粗枝大叶，其实后面的材料他连一个字都没有看清——他现在心里想的是怎样在对方不经意的过程中赶紧拿走那份合同。聪明的欧阳装出一副很烦闷的样子敞一敞自己的衣领，嘴里喃喃道："这房间里也没收拾，太闷了！"然后很关心地问对方的老总："要不我们到楼下的咖啡厅里坐坐？"

这是个好建议！下面空气好。"好呀，那我们下去坐坐！"老总说着就起身，随手过来帮着欧阳把那沓材料装进包里，俩人一起出了房间往楼底下走。

就在此时，欧阳朝马司机使使眼色。马司机并不知道欧阳是怎么回事，呆在那儿不知所措。笨！欧阳心里骂了一句，可又不好当着对方老总的面告诉他真相，着急啊！

好，机会来了！欧阳乘对方老总在走入楼底大厅张望他处时，立即轻声告诉马司机："赶紧上房间把沙发后面的一份合同书拿到我们的车上！"

马司机一脸惊喜，随即重重地点点头，飞身冲上楼梯……

也许整个过程只有几分钟时间，可对欧阳和马司机来说，那就是一场惊心动魄的战斗。等马司机再回到欧阳身边时，俩人交换了眼色后，欧阳一边若无其事地飞速浏览着材料，一边冲着蓬州的老总念叨着："哎，你这里没有合同呀！"

蓬州老总不信，说："不会吧！我一起带过来的嘛！"说着过来与欧阳一起翻着那堆材料，没找到。

"是原件吗？"欧阳故作镇静地问。

"不是，是复印件……"

"那你肯定没有拿过来。"欧阳说。

蓬州老总有些迷惑地说："不会的，我明明让他们给我把所有的材料放在一起的嘛！"

欧阳窃喜，但脸上仍一副不满的样子："要不，你派人找找再帮着送来？"

蓬州老总有些歉意地起身："那我回去找一找给你送来。"说着就要走，而眼睛却盯着放在欧阳身边的材料。

欧阳立即明白对方的意思，便说："没关系，你先把这些材料也一起带回去。我等你把合同拿过来后再一起看。"

"不好意思！不好意思了！"蓬州老总觉得欧阳此人很君子，便匆匆装起材料，赶着回单位去了。

欧阳一见那老总没了影子，立即冲马司机、王副总一挥手："走！回深圳！"

三人出门就发动汽车……待蓬州老总再给欧阳打电话时，欧阳已快过了蓬州市，正朝向深圳大本营飞奔。

这一仗打得真漂亮！欧阳回到自己的公司，命令办公室主任："给我马上把合同复印三份，然后分别放入三个档案柜中，没有我的话，任何人不得动一动！"

好家伙，从那一刻起，他欧阳要开始全面反击了！

商界险恶，就看谁用计和出招能赢得胜算了。身为被动方的欧阳采取"窃术"，其实也属无奈之举。再者，天下哪有这等高利贷！100万的借款，一年就要36万元的利息！而且对方是通过向国家银行先贷款再高息借给第三方，这种投机行为理当受到一定的惩罚。但在经济活动中，这样的事太多太多，所以也不足为奇。蓬州方面想通过借款赚进点收益，通常情况下也并非不可。坏就坏在当初借款不知道今天的后果，整个"皇朝"集团又处在无主的纷乱状态，所有的肥肉和骨头全被人割净啃完，剩下的残余汤汁也差不多被品光舔尽。

与"皇朝"非亲非故的欧阳，因为生意上的利益和面子上的那份情义，现在他要承担"皇朝"的所有责任并出面收拾残局。

祝副总和蔡部长告诉欧阳，已查完公司关于蓬州方面的全部账册，本金已支付3156万元，只欠对方5300多万的高额利息。

欧阳得知后连说："太好了！你们在家辛苦了！"

现在合同有了。显而易见，这样的借还款合同失去了双方最基本的平等权利，也不符合中国现有的金融法规。欧阳仍然不甘心就此罢休，他到银行、到法院找相关人员咨询有无可能从对方的高利贷上作为突破口去争取反败为胜的依据。

"不行。仅凭相关的规定或者金融管理条例，要想推翻合法的合同效力怕不那么容易，但也有可能取胜，两种结果都可能存在。"银行和法院的人明确告诉欧阳。

"难道我们真的就只有等待别人起诉和查封吗？"欧阳有些声嘶力竭地询问专家们。

"这倒也不一定。但你想起诉对方高利贷并以此完全推翻原有借款造成的巨额利息怕不一定能成功，但正常的利息你是一定要付的。"人家这样告诉欧阳。

"这等于没说嘛！"欧阳着急的是如果这边拿不出扼制对方的"撒手锏"，人家一纸起诉，进行诉讼保全，让法院先查封"皇朝"，便彻底完蛋！说来说去欧阳最担心的还是一句话，赢和输没关系，就怕查封一来，"皇朝"一分钟也拖不起。

又一个"怎么办"。

等？不行，等的结果就是束手待毙。主动出击？靠什么？还钱？你有钱吗？没有。那几天里，欧阳坐立不安，他想不理会人家，可又担心蓬州方直奔广州上了省高院递起诉书去了。如果搭讪，你拿什么来搪塞人家？真是苦了欧阳。

钱是还不出的。不还钱人家怎么会感兴趣？对啊，既然人家对还钱感兴趣，我何不顺水推舟就说要还钱了！看他们还来不来。欧阳冥思苦想，突然心生一计……哈哈，就这么着！

"对对，是我请你们来。自然是要还钱我才请你们一起过来嘛！"电话里，欧阳冲蓬州人说得那么爽快，那么豪气。

“我看你来我们蓬州最好。”对方毕竟经验老到，说出的话让欧阳暗暗吃惊。

“你们不来也行。明天是最后一天，再不来，怕你们连向谁要债都找不着了……”欧阳急中生智道。

“什么意思？”这回蓬州方急了。

“没什么意思。”欧阳不紧不慢地告诉他们，“明天是我在‘皇朝’的最后一天任职时间，你们自己看着办！”

“那——那我们明天就到深圳……”蓬州方吓蒙了，连忙改口。

“行，明天就来。不过你们得派管事的人来，而且还要拿上各家的法人章。如果不是法人代表亲自来，那也得带上他的委托授权书，我等你们……”欧阳放下电话，心头又一阵暗笑，他的第二个“计谋”又将开始实施——

好家伙！当晚，欧阳来到预先给客人订好的饭店。他一见蓬州方的阵势，又惊又喜。惊的是想不到对方来的5个人中，除一名律师外，全是当时跟“皇朝”签订合同的4个相关单位的一把手。这还不喜？一把手来就要了结此事，欧阳能不高兴吗？事态的发展超出了他的想象。

“诸位一路辛苦，先进屋歇歇，然后我们再吃点东西。”欧阳一边吩咐，一边张罗着给4位老总和律师找住的地方，一边敲定最后的反击方案……

“你欧总别忙乎了，我们吃住在什么地方都不重要，重要的是我们想知道你什么时候还钱？还多少钱？”蓬州人早已对生猛海鲜不感兴趣了，他们与欧阳见面的第一时间就这么直截了当。

欧阳心想，今天我让你们来，压根儿就没有钱还你们，你们狠什么？值得狠吗？“实话告诉你们，我们‘皇朝’集团公司现在完全瘫痪，整个公司的业务全部停止，现在就只剩下公司几年前留下的9个商铺，就看你们要不要了。如果不要，也许你们什么都拿不到……

“此话怎讲，欧阳老总？”蓬州人一听这话着急了：“皇朝”集团宣布破产，意味着过去欠他们的钱一下全泡汤了！

“没那么复杂。”欧阳见计策已经奏效，便来了个“乘胜追击”：“你们不是已经看到了，我这眼下的‘皇朝’集团还有什么值钱的东西和投资远景？没有。什么都没有！前阵子近200家要债的来了，该拿走的他们都基本拿得差不多了。现在全公司唯一值钱的就我刚才说的那9个商铺。本来这几个商铺是留给董事长的，念在我们见过几次面的情谊上，我想趁我走之前跟董事长说说给你们算了，你们确实也不容易，‘皇朝’欠你们那么多钱，害得你们单位跟着倒闭，职工家属整日哭天喊地骂你们几个当领导的……”欧阳一番慷慨激昂的仗义之言，将蓬州人哄得不知东西南北。

“欧总你、你慢点说……”蓬州人万分着急地询问道，“刚才你说你什么来着？你要走？要离开‘皇朝’？”

“对呀！这烂摊子，我再不想干了！谁愿意就让谁来干。老子到这儿白白扔了几千万，算倒个大霉。要是今天你们不来，说不准明天我就不在这儿了！”欧阳一副马上要离开“皇朝”的样儿让蓬州人慌了神。

“欧总你可不能走！你一走我们找谁去？”

“是啊是啊，我们就认你欧总。咱们坐下来好好谈，再怎么着我们也是冲你欧总而来的……”

蓬州人彻彻底底跳进了欧阳设下的“伏击圈”。他们左一个欧总不能走，右一个欧总是好人，仿佛现在欧阳是他们蓬州要债方唯一可以抓到的一根“救命稻草”——舍掉欧阳，等于舍掉了几千万元永远得不到的债权。

欧阳内心好不得意，而表面文章他做得惟妙惟肖：“既然你们看得起我欧阳，那好，你们的事我管到底了！这样吧，我已经给各位老总把房间开好了，你们先休息一下。然后我带你们去看看刚才我说的那9个商铺，你们说怎么样？”

能怎么样呢？4名蓬州老总和那个律师只得顺其自然地听从欧阳的安排，他们在欧阳公司的工作人员引领下进入了各自的房间——如果稍稍留意，你会发现这5个人所住的房间没有一个是紧挨着的，中间都隔着房间。要问为什么？只有欧阳内心知道，他不想让这5人有走动串通的机会。

真是用心良苦！又似乎是诡计多端！对此我问过欧阳，他不好意思地红着脸对我说：“那是实在没法子，我得站在‘皇朝’集团的立场上把事情办妥，这是目标，其余的都是手段。在生意场上，为了达到一个目的，难免使点手腕。人在江湖，身不由己，当时确实也把我逼急了！”

妙就妙在精明一世的蓬州人却在此时大意了或者说是糊涂了一点。欧阳在哪儿设套，他们就往那儿钻，而且钻得不亦乐乎。

那天，老天也特别帮衬欧阳，雨水不停地直往人身上灌。欧阳派车吩咐公司销售部经理莫凡连唬带哄地把4名老总和一名律师一起带上车，并按欧阳设计的线路驶向“皇朝”一处工地和紧挨那个工地的9个商铺……

大雨下，“皇朝”的工地一片狼藉，到处是乱堆乱放的材料，一眼看去就知是个“垮掉”的工地，蓬州人看了也知道这是没有交清地价款的结果，其实这都是欧阳特意安排的，他意在让蓬州人相信“皇朝”集团现在已千真万确地处在破产的最后时刻。再看看那所谓的9个商铺，门前冷落，连门口的杂草也是刚刚铲除的，道路也不通，谁也看不出它到底有多少价值。

“就这么多家当。你们假如不想要，我明天就准备把它们卖掉了！”蓬州人听了欧阳这话，再傻的人也会感觉他是在唬人。可谁有办法不接受这残酷的现实呢?

“不要!绝对不能要这么几个破商铺!”一起来的律师坚决反对,“几千万元债务,他用这么点破玩意儿就把咱们对付了?”

“唉,有啥法子!要真是‘皇朝’破产了,怕到时咱们连这几个破玩意儿都捡不着。”

“就是。管它什么东西,现在趁还没有被别人拿走,我们赶紧能拿回多少是多少,也算是个交代嘛……

“呸!谁接受这样的交易谁就是孙子!”

“这算什么话呀老子也不管了!爱怎么着就怎么着!”

“砰!”这边房门一关。

“砰!”那边房门紧闭。

同来的蓬州5人出现了严重分歧,谁也不想理谁。欧阳看在眼里,表面上比谁都着急地左劝右劝,心头却早已乐开了花:我要的就是这结果!

“时机已到,现在我们分头进攻!”在见蓬州5人各自进了自己的房间后,欧阳挥手将守候在走廊一边的本公司几位大将叫到身边,如此这般地吩咐了一番……OK!众部下听后满脸笑意,悄然齐声道:“就这么着!”

按照“战斗部署”,欧阳把事先早已拟定的一份“以物抵押还款协议”装在口袋里。此刻时机已到,他轻轻敲开蓬州5人中年龄最大的一位老总的房门。

“老总辛苦了!”欧阳是个对年长者特别尊重的后生,待人处事十分讲究礼数。现在他在半夜间推开这位长者的门除了必需的尊重外,更主要的是想打开时下的困局。中国历来有个传统,做什么事,年长者如果断然坚持,其他人就不太好说话了。欧阳出的招就是抓住这一点。

以9个商铺抵“皇朝”欠蓬州各家的债务,欧阳的目的非常清楚。但如此大的不对等——几千万元债务仅换9个没人要的商铺，蓬州人感到无法接受。欧阳的战术是：逼你们就范，否则什么都得不到！当然他还有必要时摊牌的另一个底线……

“不行，这我们太亏了！”长者听了欧阳重复白天“以商铺抵欠债”的意见后，表示强烈地反对。

欧阳耐着性子对他讲，“皇朝”与蓬州方当时订的合同，从现行的法律讲是很有问题的。其实欧阳也并不十分清楚“很有问题”在什么地方，只是他揪住高利贷这一点痛击对方的要害。“从法理和情理上讲，蓬州方从银行那边低息贷款，再以高出一倍的利息转借给另一方，其本身行为就有违我国相关的金融政策。”这一点欧阳心里有数，对方也有数。利用国家银行的信贷政策，进行不劳而获的转借贷，这本身就有问题。现在欧阳不断强调这一点，让蓬州方不能不感到心虚。

“合同是双方自愿签订的，你们以前的老板可从来没有说过这方面的事，而且你们借我们的钱是为了开采石场获得更多的利益。再说，你们以前也还过一些款了。在生意场上，没有任何一点不合理不合法的买卖只怕找不出来。将银行的贷款转借他方的事也不会是我们一家，这个你欧阳不会没耳闻吧！”长者的话不轻不重，合情合理。

“这个我理解，但在整个借贷过程中你能保证你们那些人就没有一点猫腻？假如一旦把问题全部摊开了，说不准还会牵出你们好几个人的问题呢！到那时可就难收场了，这些老总你考虑过没有？”欧阳递过一句能刺透对方心防的话。

“这个……这个我可以保证没有！”长者的脸马上涨红了，站起身以示自己的清白。

“我相信你德高望重不会干这样的事，但你的前任和手下具体办事的人，还有其他几个单位的头头儿们，包括银行方面就敢保证没有人在这件事中有问题？”欧阳的话里仿佛含着正义的力量。

“那是他们的事。”长者虎着脸。

“是啊，问题是他们的，可这件事是你们几个单位共同的事，我相信你们几个单位都是不错的关系，为这事闹出点矛盾对大家都没啥好处你说是不是？真出了问题也害了大家，你也没面子啊。”欧阳很关切地说。

长者的头微微点点。

“可你拿这么几个商铺抵我们的债，实在距离我们的期望太远了。”长者转换话题。

欧阳心头一喜：好嘛，这口气有戏。

“老总你也在商场上干了很长时间，有些事情你比我清楚。这做买卖顺当的时候啥事都好，不顺当的时候净是倒霉事。就说咱‘皇朝’集团，以前多辉煌！谁知才几天的事，现在落到这个地步？”

“唉，人生如梦，生意场上更是风云莫测啊！”长者一声叹息。

欧阳心头觉得时机已到，便继续出击道：“说实话，我心里也清楚，用几个商铺充抵欠债，距离确实太大，可老总你想过没有，这‘皇朝’说不准明天连块砖都找不见了，那时你们就是想拿到几个亿、几十个亿又有什么用呢？你找谁哭去？还不如趁现在我们这儿还有点东西可以拿回去，这样你也好向职工有个交代不是？”

长者板着脸沉默。

欧阳怀着一腔同情之心，直起腰板道：“这事我也不能让你老总太没面子，我决定自己从口袋里掏几十万给你们！权作对你们的一点补偿，同时也算我欧阳的一份诚意！”

长者听后一脸感动，连声说：“欧总你、你这人值得交！”

“而且我还要告诉你，你们一起来的其他几个人我已经跟他们谈了……”欧阳趁热打铁。

“他们什么意见？”长者十分在意，眼睛直盯欧阳。

“他们都同意了，现在就看你的了。”欧阳一本正经地说着假话。

可长者信以为真，于是接下去是他连连的叹息声……

欧阳见势，将身子往长者那边挪动了一下，言语中透着几分真切悄声说：“反正我现在是一个民营企业经营者，谁也不会管我的钱袋。这样，等事情办完了，我也给你老个人点补偿……”

“不不！你别……”长者警惕中带着几分激动。

欧阳感激道：“那好，等你退休后我再来看你……”

“那——老总你看是不是就可以在这份协议上签字了？”欧阳递过“协议书”。

长者接过“协议书”，久久凝视着，看得出他的双手有些颤抖……房间里异常寂静，欧阳和长者彼此可以听见对方的心跳和呼吸声。其实此刻最紧张的并不是长者，而是欧阳，他在期待决定他命运的那一刻！

那一刻是什么样，欧阳没想过无数种情形，但现在就在眼前，他反而显得没有多少把握。事实也是这样，无论你欧阳再精细、精明，设下的“套”再迷惑人，然而手长在人家身上，你无法强求他人在“协议书”上签上他的大名。

在长者双手战抖着，双眼盯着“协议书”的那几分钟时间里，欧阳坚挺的后背直冒汗，但表面上还必须十分镇静……这是一场你死我活的博弈——对方签下字，欧阳就是生者；对方甩手撤退，欧阳就是死者。

这就是生意场上的残酷！

“唉，都到这份上了，签吧！”长者长叹一声，抓起笔，在自己单位的名下“唰唰唰”地签下了名，然后将头仰在沙发上，闭目长叹……

天！欧阳的心头一阵狂喜，差点叫出声来。“老总时间不早了，你先歇一会儿。”说着，他像幽灵似的一转眼就离开了房间。

走廊里，欧阳按捺不住激动的心情，立即招来一直等在那儿的属下，悄然吩咐下一步行动：以老者已签字为由，做通其他各位的工作，让他们也在协议书上签字。

OK！战斗进行到白热化阶段，每一个细节都将可能影响整个战役的发展方向。欧阳告诫自己必须谨慎行事，步步为营。

他开始敲开第二个蓬州人的房门……此时手表上的时针已指向凌晨两点。

“× 的，他老同志都签了，我有什么不同意的！”第二位老总一看欧阳手中那份已经有年长者签名的协议书，生气地骂了一句，提起笔就“唰唰唰”地也在自己单位的名下签上了大名，然后送走欧阳，就跳到床上蒙头呼呼大睡去了。

痛快！欧阳直想乐，他选择这个时候、这种方式进行各个击破，其结果显然都在按照他的计划一步步顺利地进行着。

第三位老总的情况会怎样呢？欧阳不敢断定。他仍然轻轻敲门，仍然一片诚意地进行耐心解释……

“我不听你的花言巧语！他们签是他们的事，我不签！”欧阳碰到了刺儿头！人家死活不听他的花言巧语。“同志哥，几千万元的债款，你就用那么几个破商铺来抵？老实说，我宁可什么都不要，也不能亏成这个样！”欧阳被对方说得一时无语可应。怎么办？磨，只要有一个人不签字，等于前功尽弃。欧阳着急，可心急吃不得热豆腐。于是他拿出常人做不到的耐心，一遍又一遍地再次解释，再次推心置腹地论理。“再怎么说也没有用，你走吧！我困着呢！”房间的主人要赶欧阳走，甚至毫不客气地跳到床上，掀起被子只管睡……

“老总啊，你就是躺下了我也不会走的。你再想想，事情总得有个解决的办法，要是都像你，我们就没办法取得共识。你不谈，那不等于我们就根本没了交换意见的可能嘛！不能交流，我们又何谈解决问题呢？”欧阳一边抽烟，一边只管滔滔不绝地讲他的，直说得那位躺着的老总烦得重新坐起。

“你说你的，我不想再听，总之我不会签字的！”

“签不签咱们暂且不说，但作为朋友，我想谈谈我的看法……”

“你的看法十分简单，不就是要我们放弃几千万元的债权，捡你那几个破商铺吗？”

“如果老总你这么简单地理解，那可就大错特错了……”

对话是如此针锋相对，又充满火药味。时间在一小时、一小时地过去……从凌晨3点左右，一直到霞光火红的清晨6点。

房门突然打开，欧阳疲倦地从里面走出。躲在走廊一边的几位助手紧张地朝他聚拢过来，焦虑地悄声询问：“怎么样，这家伙不签吧？”

欧阳打开“协议书”，说：“是，这人不好对付。不过，这上面已经有他的亲笔签名了。”

“哇！太棒了欧总！”众人悄声欢呼。

“现在就剩最后一位了！”

“可这一位最主要，他不签字不盖章，我们仍然无法算赢。”欧阳说。

“对，去敲他的门！”

“不用敲了，你们早就把我吵得一夜不得安宁了。”欧阳等人回首时，只见那位蓬州老总揉着惺忪的双眼，有些生气地冲他们道。

“对不起，对起！把老总吵醒了……”欧阳连声赔不是。

“有什么事，进屋说吧！”

欧阳心想真是巴不得了！

进屋，欧阳就直截了当地亮出那份已经有三人签名的协议书放在桌子上。“他们，他们都签了啊？”这位老板很是吃惊。

“老总，你别上当！千万不能在上面签字！”突然有人闯进房间，喊道。

欧阳回头一看，是蓬州来的律师。他的心不由“咯噔”一下，这小子来得真不是时候。可人家是吃这碗饭的，你能拿他怎么着？

“我不签又能怎么着？他们都签了……”老总有些不满自己的律师。

“你们要签，我就再不管这破事了！”律师感到自己夹在中间两头不讨好。

欧阳趁机向那老板如此这般地狂吹“热风”。“好了，我就签吧，反正这事烂到底了！”老板带着一肚子气，抓起笔就在那份协议书上又一通“唰唰唰”地签上了自己的名字。

“快快，拿我们的章来。”欧阳急忙命令办公室主任詹明玉。詹明玉赶紧从走廊外进屋，因为蓬州四方已经在协议书上签名并盖了章，现在只需要盖上“皇朝”集团和下属公司的章了。

“啪！啪！”最后两个红印重重地落在纸上的那一瞬，欧阳抓过应该留给自己公司的三份协议书，迅速走出房间，冲着詹主任响亮地说：“马上回公司，给我把这三份协议书锁在铁柜里！锁死！谁也不准动！”

“是！”詹主任带着协议书飞奔下楼梯。

欧阳转身望着紧闭着的5位蓬州人住的房门，心头涌起从未有过的激动和轻松……

哈哈哈……欧阳真想大笑一通，几千万元的债务现在仅用几个根本不值什么钱的商铺来折换，并圆满了结了一桩纠纷长达十几年的巨额债务官司，这种结果，作为胜利者的一方，换谁都会欣喜若狂。

新的一天来临，阳光洒满大地。一夜未眠的5位蓬州人还在呼呼酣睡时，欧阳命令自己公司的全体员工立即进入施工现场。“开工——！”一声令下，久闲的“皇朝”工地顿时机器轰鸣，人欢马喧。

与蓬州人交手的整个过程就像一部惊心动魄的电影，而主角欧阳无疑是大赢家。可是当我采访他在谈起此事时，欧阳长叹一声后感慨道：“其实在商战中没有真正的赢家和输家。就与蓬州人这一‘战役’而言，表面看来我是赢了，但事实上后来我越想越感到自己这个‘赢家’并非就比别人高明。恰恰相反，也许正是由于对方在处理此事时表现出的大度，或者因他们有某些难以启齿的压力才导致出现了后来的这种结果。”欧阳一再向我表达，他认为那几位蓬州“老总”，都是为单位着想的好人、好官，他们在为人和处事上一点不逊色于自己，甚至有许多地方值得他敬佩和尊重。

然而，商战就是如此无情。欧阳为了“皇朝”的利益和自己的命运，他在无路可走时同样选择了无情。而这无情中却蕴含了他对事业与财富的无限激情与热情。生意场上，失败者毫无价值，人们歌颂的通常是起死回生的成功者。

此时的欧阳，已经变得老到而成熟，精明而睿智。

第二十三章　以牙还牙，有时也是一种善良

蓬州人走后的那一天，欧阳的心情格外好。他感觉天也晴，地也亮，气也爽。沉默和衰落了多时的“皇朝”集团重新热闹起来，几个久拖和闲置的工地全部开工，好一派重整山河之势。此刻的欧阳一脸春风得意，从他神采奕奕的脸上就能感觉到他的轻松。是的，压得人快要窒息的“蓬州债务”最终以极小的代价获得解脱，欧阳因此在“皇朝”集团上上下下获得了空前高的威信。

大将风度，欧阳乾坤。

与蓬州人的交手过后，欧阳自己的感觉比任何人都好。如果不是从商场上摸爬滚打过来的人，是无法体会仅仅通过几次谈判就摆平了几千万元债务的那种快感的。几千万元，对于比尔·盖茨和李嘉诚式的大亨来说可能不足为奇，但对一般经营者而言，谁都不会小视。欧阳走出军营大门经历了几年艰苦创业，流的汗、受的委屈可以车载船装，但他赚进口袋里的钱也就是几万、几百万而已。如今不等于仅几天口舌之劳就为自己赚进了这么多钱吗？

“哈哈，干杯！开工的工地上，欧阳以水代酒与员工们频频举杯庆贺。

离开工地，欧阳顺道拐到“美丽家园”，这里的后期销售仍在进行。工作人员一见自己的老总，便笑盈盈地向他汇报：“所余房铺，全部售出。”

“好好！感谢你们！”欧阳喜上加喜，眉宇间皆是掩不住的开心之色。见一对年轻夫妇携着可爱的孩子从身边走过，欧阳忽然有了回家看看妻子和孩子的想法……“嘟嘟！嘟嘟——”手机响起。

“喂，我是欧阳，你是谁？”

“我们是东莞的，我们找你！”

“找我有什么事吗？”欧阳这一天和人交流的语气特别亲切。

“当然有事。你们‘皇朝’欠我们的款是不是该还了？”

欧阳的神经一下绷了起来：“什么款？你们是东莞的哪个单位呀？”

“东莞下属镇上的一个房地产公司……‘皇朝’欠我们一笔税款、挂靠、办证、水电等费用！”

“有凭证吗？”

“当然有。”

“多少欠款？”

“3270 万元！”

我的天！欧阳的头“嗡”地一下又晕了！刚刚摆平几千万，又来个 3000 多万！咋整嘛？

合同！赶紧把合同找出来！

“皇朝”上下又一次在欧阳的命令下，掘地三尺翻遍了所有可以想到的地方……这回运气不错，在公司所属的一个工厂四楼的一堆废纸里终于找到了那份与东莞某房地产公司签订的房屋开发协议。协议书上说得很清楚，“皇朝”当时在东莞开发项目时是挂靠其镇属的房地产公司，开发完成后尚余 3270 万元的税款、挂靠费、办证费、开发费等各项费用未交。

3270 万，这对一个镇级地方政府单位，可是一笔大钱，所以对方紧盯着起死回生的“皇朝”集团公司。身在明处的欧阳哪知此事？

我们且看他这回还有什么奇招应对——

寂静的办公小楼里，灯光彻夜长明。欧阳像一头再度遭受重击的狮子，一边不停地抽着烟卷，一边在屋子里徘徊……

“合同上说得很清楚，确实是我们‘皇朝’集团应该交人家一笔办证费、土地开发费、挂靠费。可我们现在哪儿有钱嘛！再说，有一点钱也得用在几个刚刚动工的项目上，否则我们自己别活了。”欧阳一边翻动着那份合同，一边向围坐在四周的助手们提出要求，“你们都开动脑筋看看这事到底怎么个了法？”

“对方的房地产公司实际上是当地政府的，听他们的口气很强硬。”

“是这样，据说他们非要我们把这笔钱交齐不可。”

“这个对手要比蓬州人厉害得多。”

欧阳听着助手们的议论，心头已有几分打算，便说：“既然对手不一般，那我们也就采取不一般的办法应对。”

什么办法？

大家面面相觑，一时没有主意。再像对付蓬州人那样玩一把“苦肉计”？

欧阳摇头说，兵法上讲“兵不厌诈”，你来回用同一计，必定失效。

“可正面应对我们又没那实力。”有人一针见血地指出。

是嘛！“苦肉计”肯定还要唱，但怎么唱就有讲究了。

时间一小时一小时地过去，结论仍然没有。“这样吧，”欧阳起身道，“莫经理你明天先去一下，摸摸底，然后我们再做下步打算。”

“好的。”莫经理领命。

第二天莫经理赴东莞。晚上他黑着脸向欧总汇报说：“这事我办不成，你还是另派高手吧！”

“怎么回事？”欧阳问。

“那边太厉害了！我一去没说什么话，那老板指着我鼻子朝我拍桌子瞪眼，像我欠他几辈子债似的！”

欧阳没好气："本来我们就是欠人家的钱嘛！他要给你好脸看我还怀疑你是不是背叛了公司呢！"

正好公司的副总祝曙光过来。欧阳拉过他的胳膊，说："现在该你出场了！"

祝副总苦笑道："行啊，反正这一仗我们得准备牺牲一批壮士。"

欧阳平时与助手们关系融洽，说重说轻一点谁都不在乎。

晚上祝副总又回来向欧阳报告，脸色比莫经理回来时更黑："那家伙简直是个凶煞神！我还没有开口，就把我骂得狗血淋头！什么难听话他都敢骂！"

"他骂什么呢？"欧阳真的有些生气了。

"他骂我们孙子都不如，欠了那么多债还来求什么'情'。我说希望他理解一下我们眼前的难处，他破口大骂说哪个孙子关心过他们这几年的难处呀？"

欧阳想笑，又没笑出来。只见他手指敲了下脑门，然后说："对付这样的主儿，还得耐心地跟他磨。"

于是王副总作为第三个代表又来到东莞。依然没什么进展，还是被骂得灰溜溜地空手而归。

"再去！"欧阳有些恼了。

又被骂回！

这家伙不一般啊！欧阳听完四位助手的汇报，心里不由掂量起来：看来对方有点恶！"恶人"靠什么治他？软的肯定不成，只有以毒攻毒呗！

这回我们集体行动，我倒要领教领教他能把我们骂到哪儿去。

一行五人！欧阳动用了全公司最强的阵容：他、办公室主任、两位副总加董事长。

"你们来啦！来了好啊！还钱！如果不是来还钱，其他的话最好你们留在自己的肚子里！不要嫌我话不好听，我这话还是好听的呢！你们这几个人一次次空着手来干什么？你，不是副总经理吗？连屁事都定不了的还当什么副总经理？你也一样，狗屁不顶的副总！还有你，办公室主任是吧？就你能说会道，可顶什么用？还不了钱，嘴上擦再多油也没用！真是的，还不了钱你们到我这儿浪费什么时间？害得我们挨骂不断，给人罚款，上下不是人。还有……你是谁？”东莞老板见了欧阳一行，便开始一个个数落起来。当他的目光落到欧阳身上时，发现这是个他第一次见面的新人。

欧阳有备而来，他并没有暴露自己的身份，而是特意印了一个“顾问”的名片来作为此行的角色。

“顾问？顾什么问？”东莞老板实属政府小官员，但口气之大、架子之大，实属罕见。他根本没有把欧阳放在眼里，所以出言不逊。

欧阳认为该到自己说话的时候了，“我说老板，你能容我说几句话吗？”

东莞老板瞪着眼珠子，瞥了一眼欧阳轻蔑地说：“有屁放吧！你当顾问的还得了钱吗？说话算数吗？”

欧阳强压心中怒气，以平和的口气说：“老总，我们一行远道而来，是专门来解决问题的。老实说，我们这几个人对以前的事都不清楚，我们也是无辜者嘛，我们来是你们的客人是不是？‘皇朝’过去在你们这儿开发，是欠了你们一些费用。可现在我们来了，是来同你们商量怎样解决以前的事，这样主动地来找你们，你和你们政府是不是应该热情一点？”

“你……”东莞老板一愣，不由语塞道：“你想说什么？说！”

“刚才我讲的是一。二……”欧阳有板有眼地道来，“我们‘皇朝’为什么跟你们单位有债务关系？是因为我们以前的老板在这儿跟你们有合作项目，他是来投资的！是对你们镇的经济做过贡献的人是不是？”

“这……”东莞老板一时没答上。

“三，我们双方过去应算是友好的合作。如果不是，双方为什么在当时的合同上有那么一段热情洋溢的作为前提条件的文字表述？而且‘皇朝’原来老板生前的最后几年中你们一直把他视为上宾，双方彼此你来我往十分友好，这种合作持续了许多年。在我们老板活着的时候，你们也从来没有像现在这样逼着我们一定要在什么时候还钱。这是不是事实？”

“这个……”东莞老板的脖子有些红了。

“好，这个我们暂且不谈。”欧阳话锋一转说：“‘皇朝’与你们之间产生债务拖欠的问题，这也不是我们单方面故意造成的。你们政府在进行经济开发建设中，老在改变一些基本的政策与做法，造成‘皇朝’集团在开发这里的项目中一再出现被动局面，所以也就有了欠债的情况。”欧阳的口气渐变强硬，直逼对方。

“第四点我想讲的是……”欧阳突然又话锋一转，语气中充满了愤慨，声音一下高了几分贝，“我们的账务有记录显示，在整个项目开发中，为什么我们的钱汇到了你们账上，又从你们的账上回到了香港呢？这里面到底是怎么回事？现在你们说我们拖欠你们的钱，可那时你们谁同意把钱打到香港？对于类似这种违反国家法律法规的行为，我想你和你们的政府领导应该懂得其中的利害关系！现在我要明确告诉你：我要请求公安、纪律检查部门的人一起协助我们查清这中间到底有没有什么问题！现在我们走！回深圳！”

“啪！”欧阳说到这儿，手掌猛击桌子，然后起身就要走！

东莞老板惊呆了：“你、你到底是什么人？”

欧阳轻蔑地一笑，一副大义凛然的样子道：“官，我不比你小；见识，也不比你少；钱，更不比你少！”然后他转身朝几位同行者一挥手：“我们走！”说着，几个人当即离开了东莞老板的办公室。

“慢、慢，你们……”东莞老板看着欧阳一行登上车子，目瞪口呆，不知所措地瘫坐在椅子上，全然没了往日那股神气劲儿。

“司机，开慢点，比平时放慢一半速度……”“皇朝”集团一行人上车，欧阳稳坐钓鱼台似的对司机说。

众助手不明白，办公室詹主任瞅着老板的脸色，惊诧地问：“老板看样子你还不是真想离开这儿啊？”

欧阳笑笑：“我们来的任务还没有完成怎么好离开呀？”

“那你刚才为何气呼呼地催着我们上车往回走？”

欧阳得意地拍拍口袋里的手机：“你等着，不出几分钟我的手机保证响，而且肯定是他们政府领导打来的……”

“真的啊？”

“所以让车子开慢点，省得多费我们的油。”欧阳幽默地说。

众人都乐。

“嘟嘟——”欧阳口袋里的手机猛响。

“来了来了！快接！”众人好不兴奋。

只见欧阳漫不经心地将手机从口袋里取出，然后悠闲地说：“喂，是哪位？”

“你是欧阳先生吧？我是这里的党委书记呀……”手机里传出了这样的声音。

欧阳捂着手机，跟助手们做了个鬼脸，然后对着手机道：“是我呀，有什么事？”

“是这样，我们请你上镇政府这儿来一趟，我们一起好好聊聊……”

有戏！欧阳放下手机，满脸阳光。

“太神了欧总！这回我们要平起平坐地跟他们对话了！”

“是啊，欧总又要重导与蓬州人的那一幕传奇大戏了！”

“走，到那儿再说吧！”欧阳命令司机掉转车头，蛮有把握地迎向前方。

来到镇党委书记的会客厅时，气氛完全变了：书记和其他镇政府领导一个个笑脸相迎，水果、茶水应有尽有。

“我们是友好合作单位，是一家人！”书记出口第一句就表明了友好态度。然后他坐到欧阳身边，十分友善和真诚地询问：“你们公司现在到底有没有钱？”

脸色始终一本正经的欧阳立即摇头道：“没有钱。有钱早还你们了！”

书记的脸色有些阴沉。欧阳赶紧补充：“但我们公司在这儿还有些固定资产和物业管理处，这些可也是钱呀！”

“能值多少？”书记的脸色开始缓和。

“十几个商铺怎么着也值几百万吧！我们的一个物业管理处可是有固定收入的，一年赚它 80 万左右没问题。假如我把它给了你们镇上，二十年、三十年你算算不是也有几千万了？这可是长流不断的财源啊，书记同志！”欧阳心里清楚，他所说的那些商铺和一个物业管理处目前根本不值几个钱，但从他嘴里说出来的话却让对方书记感到蜜一样甜的诱惑。

果不其然，只听那书记冲其他几位镇领导说道：“我看欧总也是个痛快之人，要不就这样吧？”

众干部无言。书记是一把手，你说行就行呗！

“好，就这么定了！”书记先把手伸向欧阳。

欧阳一笑，说：“我有个小小的要求……”

“你说。”

“现在中央一直在强调关心群众生活，特别是关心职工的工资。所以我想我们在把物业管理处交给你们镇政府后，几十个物业人员的待遇不能变，工资不能降低，并且要按利润的上升而上涨。”

“可以。欧阳先生作为民营企业的老板对下属这么关心，我们政府更应该做好嘛！这一条不成问题。”

“OK！‘皇朝’集团与贵镇政府将继续友好合作下去！”这回欧阳主动把手伸向了对方。

“诚挚感谢你们对我们政府改革开放和经济建设的帮助和支持！”书记、镇长一一过来与欧阳握手，那情景全然没了冤家对头的气氛，好一个“哥俩好”的场景。

“太棒了！”

“这一仗打得真漂亮！”

从东莞回深圳的途中，欧阳与众助手伴着飞驰的车轮节奏，高唱着凯旋之歌，那种轻松愉悦的感觉洒在一路之上。谁能相信，3270万巨额债务，竟又以几个商铺和一个其实刚刚能自负盈亏的物业管理处抵销了，天下间这么划算的事，只有欧阳能做成！

欧阳和谐平稳地了结了这一桩桩惊心动魄的经济纠纷，将自己的命运由误入险境、绝境的败者，转变为春风得意、一路凯歌的胜利者！这就是欧阳，一个遇险出奇、有难不惊，崎岖之路上阔步飞奔的商界勇士和智者！

数日后，“皇朝”集团与东莞方正式重新签约时，欧阳为表达谢意，带了公司本部的20余位同仁，驾着十余辆车，浩浩荡荡地来到东莞。这回人称“舞台老板”的欧阳展显风采，他在精心设计的签约仪式会场，率领公司在东莞的物业管理处的几十名保安人员组成迎宾队伍，以“八”字形的队形在现场整齐排列。当地政府领导出现时，乐队齐奏，鼓声雷动，那阵势仿佛是迎接外国元首，让那些从未见过如此阵势的镇领导们心旌荡漾，露脸又提气……

“哈哈，欧总太破费了！欧总是个可交之人！我们的合作来日方长，地久天长！”各位领导一次又一次紧握欧阳的手，如同见了亲兄弟。

“我非常能理解作为一个政府单位下属公司的总经理，各方面的压力都很大。当初他在迫不得已的情况下对我们有些情绪是很正常的，其实大家都处于不同的角度、不同的位置，人都是好人，直到现在我们关系都不错。”欧阳用这话圆满地总结了他与东莞的这桩充满恩恩怨怨的债务纠纷，从此他的商途呈现出青云直上的势头……

力挽狂澜者必创伟业。欧阳祥山注定将成为中国商界中一颗熠熠闪光的明星。

第二十四章　英雄殉情者

“皇朝”是什么？“皇朝”在欧阳面前曾是座倒塌的山，曾是一片湮没了人气的废墟。欧阳在刚开始时也很难扭转公司亏损的局面，他时刻在思索着怎样才能重新唤起员工们的信心。

在那一年中秋，欧阳再三思索，写了一封情深意切的信，给每一位员工。这是他亲笔书写的“家书”，语言朴实感人，让大家感受到了从未有过的温暖。仿佛这时候，欧总就是他们的亲人，是相依相偎的亲人。大家感动得流下了眼泪。

欧阳曾到各个采石场“蹲点”，发现员工们一个比一个干得晚，而且相互紧咬着不放，都在跟时间“过不去”，因此工作效率出奇的高。欧阳看在眼里，虽然欣喜，但也为员工们心疼。这么辛苦，这么争分夺秒，一个个不肯下班，而且夜间开采矿石危险相对较大，员工们确实不容易啊。在那一年的春节，欧阳叫了十几辆大巴，把员工们一一送上车，前往全国各地的老家。送行时，欧阳含着眼泪，向公司的部门领导一起，向他们挥手道别。车窗内，员工们留恋和感动的目光久久不愿离开。

就这样，公司渐渐走上了良性循环和获得盈利的高速轨道。

在处理一宗宗、一桩桩有头无尾、有尾无头的债务的同时，欧阳把所有的精力和智慧全都集中在整治和收拾烂摊子上。“皇朝”烂到什么程度，上面几宗大债务就已经让我们见识了。欧阳现在需要做的事，就是让一座倒塌的山重新崛起，让这片没了人气的废墟再度生机勃勃。

也许原老板活着的时候还看不到这样一幕：由“皇朝”负责

物业管理的某居民住宅小区大门口，保安人员歪戴着帽子，嘴里吹着口哨，态度极其蛮横地对进进出出的业主指手画脚……几辆车子出入门口，在交完停车费后索要票据时，却被保安粗暴拒绝，并且出言不逊。更令居民无法忍受的是，身为代表小区形象的门岗，一些保安人员竟然在岗亭内旁若无人地与女友搂搂抱抱……

“伤风败俗！我们不要这样的保安！”

“小区本来是我们的，可让这些人把着门口，这儿成了监狱。”

“他们不走，我们不得安宁！”

“皇朝”管辖的几个小区的保安情况之差，欧阳早有耳闻。那天晚上 12 点他骑着摩托巡视了一圈后所见到的实情，还是让他感到吃惊。

“这还了得！”欧阳在极度不满时总会叉着腰、一脸愤慨地来回走动着，并且把“这”字语音拉得长长的。

“保安保安，为保一方平安。他们必须像军队战士一样，具有严明的组织纪律性，松松垮垮，怎么能让小区居民放心生活？小区居民得不到舒心、放心的生活环境，将直接影响开发商和物业管理公司的声誉。我们要像抓工程和样板房一样认真细致地抓好保安队伍建设，从他们的点点滴滴抓起，否则业绩再大的公司、再了不得的集团企业，早晚也会垮掉！”只有当过兵的人才能理解欧阳这些话语中的深意，就像他在军营操场上列队训斥他的官兵一样，这些话翻译为军队语言就是：当兵的就该有当兵的样！平时没有铁的纪律，战时怎能打赢战斗？人民军队负有保家卫国的责任，如果我们不从立正、稍息、军容风纪的点点滴滴做起，何谈成为祖国的钢铁长城？

听说公司欧总要来整顿保安队伍，有人偷偷地笑了起来：“他可能很会赚钱，但要收拾这些已经养成坏毛病的散兵游勇，那他一定会笑话百出。”

哈，这些人实在太不了解“皇朝”新来的老总是何等人也！欧总曾身为武警部队教导大队大队长，又是多次把调皮捣蛋的落后连队带成全军先进连队的模范标兵，玩这些名堂简直就是小菜一碟。

不日，欧阳向所属的物业管理处下达了全体保安、保洁人员第一周的训练计划，并根据所组成的四个训练队，以总经理的名义宣布训练制度：采取分队“主任淘汰制”——凡在训练中成绩排最后一名的队，其领队的主任将被清除出公司；获训练成绩第一名的队奖励主任500元；获训练成绩第二名的队奖励主任300元；获训练成绩第三名的不奖。

欧阳在宣布上述纪律时，另加了一条：在四个训练队中发流动红旗。看看，百分之百采用的部队那一套！

好家伙，从这之后“皇朝”的这几个物业保安队俨然成为军队，每天从早到晚，除了上班、吃饭和睡觉之外，所有的时间都用在了“一二一”“立正稍息”“齐步走、跑步”上……那口令和脚步声交汇在一起，仿佛把小区内的空地和周围的人行道一起变成了训练场。社区的居民们一开始不知咋回事，等他们反应过来时，那一天临近傍晚，小区的人该下班的下班了，该回来的都回来了，此时广场上已经彩旗招展，高音喇叭里播放着雄壮的进行曲……

“什么？保安人员搞训练比赛？！有意思，去看看！”

当小区居民三三两两拥向小区广场时，这儿的比赛已经开始——

只见平时那些让人看了就想骂的保安人员，此刻正在各自的主任带领下，迈着整齐有力的步伐，踏着雄壮威武的旋律，“一二一”地在接受主席台上那个腰里扎着皮带的老总的检阅——有人在偷笑，说这老总不是精神病，也起码是“精神不太正常”。

但不一会儿，这些居民们开始恍然大悟起来：原来这老总是个标准的军人出身啊！

连那些正接受检阅的保安人员都感到惊愕："瞧，咱欧总一招一式有棱有角，像经常在电视里看到的天安门广场上的仪仗队员那么威武、标准！"

"我们的队伍向太阳，脚踏着祖国的大地……"检阅的队伍继续在广场上行进，来观看的小区居民越来越多，把比赛的广场围得水泄不通，大家在看得起劲时还为精彩的表演鼓掌欢呼。

最激动人心和紧张的时刻到了。欧阳老总马上要宣布比赛的名次，这将关系到谁是第一、第二名，而最重要的是此次比赛的最后一名将被淘汰出局——领队的主任要下岗啊！可不是开玩笑的，饭碗要砸了！

参赛的保安人员在紧张地等候着，小区居民的心也悬在嗓子眼……欧阳神情严肃地大声宣布道："现在我宣布，第一名 ×× 队，第二名 ×× 队……第三名 ×× 队和 ×× 队！"

最后一名是谁呀？是啊，谁是最后一名？

"哈哈哈……四支队伍参赛，第三名是两支队伍并列名次，不就是没有最后一名了嘛！"

"对呀！没有淘汰呀！"

全场顿时欢呼声和掌声震耳欲聋……欧阳笑得更欢，没有淘汰谁，是他刚才在检阅四支队伍时就已经做出的决定——"他们都这么刻苦，我怎么忍心淘汰谁嘛！"在我采访时欧阳这么说。

欧阳没有就此罢休，他在部队当排长、连长时就深知，要想把一个队伍锻炼成铁军，靠一两次训练，出那么一点成绩是绝对不成的，非长期教育和训练不可。于是他在现场再次宣布了第二个"训练计划"——这次是 15 天的训练大纲内容。流动红旗照发，但奖惩力度增加：第一名奖励 500 元，第二名奖励 300 元，第三名罚300元，最后一名罚500元。

哈哈，这个欧阳老板，太狡猾和精明了！

“绝对不是。”欧阳收起脸上狡黠的笑容，对我说：“你在部队里待过，知道想要训练出一支队伍过硬的作风，靠的是自我养成。我用这招，就是想通过他们的自我教育和自我训练，达到自我养成的目的。”

欧阳的一套训练方法和措施，在短短的一段时间内便获得了超乎预期的效果。“皇朝”集团所属的几个物业管理处的保安人员的职业素质迅速提升，一改在小区居民心目中的恶劣形象，而且这支队伍的良好职业素质与良好服务质量堪称深圳全市几千支保安队伍中的佼佼者，深得社区居民赞赏。

“咱当兵的人就是不一样……”在与欧阳待在一起时，我经常听他在车子里放一些节奏强烈、又充满诗情的军歌。听这样的歌，你会情不自禁地想到军人的形象、军人的作风，而对我们这些曾经是军人的人来说，听唱军歌就会诱发我们对往日军旅生涯的怀念和回忆。那份情只有我们自己知道，即便是男女之间的情爱也无法替代。

军人是什么？军人不仅仅是紧握钢枪，他们身上有着常人所没有的执着和顽强、勇敢和果断、坚定和无畏，并且总是力求最好、最完美、最彻底。有着17年军旅生涯的欧阳，一直是基层连队的先进军官，所以在他身上几乎包含了上述全部素质。在我开始采访时，欧阳已经和“皇朝”集团“分手”数年，而“皇朝”今天已在深圳、香港等地重整旗鼓，如果没有欧阳，这一切显然不可能出现。欧阳给“皇朝”带去的不仅仅是起死回生的经济的复活，更多的是企业精神与企业文化的重铸。

那一天我随欧阳来到深圳布吉镇的一个社区。这里现在车水马龙十分繁华，来往于深圳中心市区和这个卫星镇的公交汽车线路极其繁忙。欧阳颇为得意地指着那个汇聚了5条公交线路的公共汽车站向我介绍，当年在他接手“皇朝”的这片社区住宅楼建设时，谁也不相信这么偏僻的地方会有人来居住。但欧阳竟然把它整合成如今深圳市民十分喜爱的一个理想的居住地。

在深圳，欧阳建的房子有个独特之处，就是他每次把房子盖到哪个地方时，总会把公交线路接到哪个地方。这也是欧阳在经营房地产生意时为什么每一次做的项目总那么红火的原因之一。

“皇朝”集团的项目有不少在深圳的布吉镇。这里曾是欧阳当年参军入伍后的第一个驻地，他对这儿似乎怀有特别深厚的感情。所以当他了解到“皇朝”集团的许多项目在布吉时，他的情绪也一下高涨了不少。欧阳仿佛意识到布吉便是成就他伟业的练兵好战场，而这一点从后来的结果看完全得到了证实。

欧阳的大气和非凡也是从这儿开始的。

“皇朝”在布吉有个烂尾楼项目，一拖几年，那些已经付款的业主们经常到现场闹事，让当地政府极其头疼。欧阳上任后，经过一番调查摸底，他提出要在4个月之内把“烂尾楼”变成“热销楼”的工作目标。他的一位当镇委书记的战友李文龙，把欧阳的这一决心转告了主抓经济的一位区领导。那位区领导曾多次参与处理过这一烂尾楼群众闹事的“烂事”，深知其难度，听镇委书记介绍欧阳说出“4个月改变烂尾楼局面”的话后，立即回答说：“你这个战友可能是个吹牛皮大王。”

战友觉得很没面子，悄悄给欧阳打电话，告诉他区领导说的话。欧阳在心里暗笑，那咱们看结果吧。

4个月还不到，欧阳就通知战友，说“烂尾楼”马上就要开盘销售了，请那位说他“吹牛皮大王”的区领导来参加他的开盘仪式。

第二天，当那位区领导亲临开盘现场，看到那么火爆的热销场面，很是激动、很是意外地一把将欧阳拉到那片碧绿如洗的草地上，悄悄问道："你变的啥魔术嘛？"

欧阳笑笑，想告诉这位区领导很多话，可当时他只给这位称他为"吹牛皮大王"的领导讲了一件事："你看这块草地漂亮吧？可今天凌晨3点，它还在100多公里外的中山市……"

"天，你就这么干的啊？"区领导大为惊叹。

欧阳笑笑，说："我们每天都是这样干的。"

"我明白了。"区领导十分抱歉并非常感激地握住欧阳的手说："我们经常在说深圳速度和深圳精神，而你才是真正的深圳速度和深圳精神。我代表区委、区政府感谢你！希望你永远留在我们布吉，留在龙岗区！"欧阳非常深情地点点头。

这一天欧阳正在蛇口办事，"皇朝"新开工的几个项目有千头万绪的事要处理，其中原材料的选购是当务之急。当晚9时，欧阳仍在与供应商洽谈相关事宜，他的手机突然响起——

"欧总吗？我是布吉镇委李书记呀！"

"哟，什么事啊书记？"欧阳觉得奇怪。

"你那儿不是有三个正在开工的采石场吗？那儿的现场情不太好啊，明天于市长要亲自到那儿检查……"

"于市长？！"欧阳吓了一跳，怎么会有这样的事！

"对，所以我想可能麻烦大了。采石场那边的情况我是知道一些的，前几天的《南方都市报》还刊登文章，说那里水土流失严重。采石场开采几年了，现场的环境保护比较差。这次市长亲自出面，就是要整治这些群众反映强烈的不利于环境保护的项目。

欧阳忙说："书记你放心，明天我们一定让市长满意而归……"后面的话他没有多说。欧阳在接到镇委书记的这个电话后，感到事态极其严重：采石场是"皇朝"集团重新投入生产和经营的重要项目，一则它本身可以产生巨大经济效益，二则"皇朝”自身的几个建筑项目大量需要石材。如果三个采石场被强行关闭，这等于给刚刚重新点燃希望之火的“皇朝”浇了一盆会导致灭顶之灾的冷水！

无论如何必须保住采石场！然而这谈何容易。

三个连成片的采石场已经开采多年，其现场和对周边环境的破坏毫无疑问是“惨不忍睹”。这样的情况放在特区深圳的全市经济发展大环境中考量，不被关闭的可能性几乎是零。欧阳不着急才怪！

火已经烧至眉毛。从镇委书记给他打电话的晚9点开始算起，到第二天9点，总共也才十多个小时。要把通向采石场的那条横七竖八的乱石沟谷平整好，把那漫山遍野裸露的石山地面绿化好，并能让领导们满意，谁都觉得这是天王老子也解决不了的事。

但欧阳决不放弃。

“立即通知全公司所有人员加上所有的施工队到办公室前面的广场上集合。同时分别安排买铁铲、扫帚、标语牌等五路人马火速到全市可能买得到这些工具和材料的商店去突击购置……”欧阳在从蛇口返程的路上一边掌控着汽车方向盘，一边指挥公司的人。

10点半，欧阳的车子在公司办公楼前戛然而止。当他跳下车的那一刻，被眼前的一幕感动了：300多名公司员工和施工队不分男女，正在广场上列队待命……

“同志们，今天夜里我们要打一场硬仗！而且这一仗必须打赢，否则我们的饭碗就会被砸掉！大家听清楚了没有？”欧阳站在所有员工面前高声问。

“听清楚了！”

“那我们该怎么办？”欧阳又高声问。

“完成任务，保住饭碗！”员工的口号声震荡着整个夜空。

“好。出发——”欧阳一声令下，全公司的员工扛铁铲的、举扫帚的、开推土机的、驾压路机的，浩浩荡荡地开向夜幕中的三个采石场……

啊，那是一场真正的战斗：总经理欧阳把西装和领带甩在一边，两只袖子卷得高高的，双脚踩在乱石中，肩头是担子，手中是铁铲……

“加油干哪！天亮完工！”

“市长笑容！“皇朝”光荣！”

这是支什么队伍？星空在询问。星空没有找到答案，因为这样干劲冲天、挥汗夜战的队伍，只有在国家重点工程建设工地中才能看到。

可这是一个昨天仍处在倒闭、瘫痪边缘的企业的工地上，一支自发行动起来的队伍。

如果它是支军队，我们可以理解。

如果它是支生产突击队，我们也可以理解。

但他们不是，他们仅是几百名聚集在一起挑灯夜战，为保住自己饭碗，要抢在天明时完工的“皇朝”集团的普通员工！

用“抢时间”这一概念，来形容这一夜“皇朝”员工的精神面貌未免太平庸。他们是在拼命！拼每一分每一秒！为的是还深圳特区一片恢复生机的绿色天地！

黎明来临，霞光普照大地。满身泥土和尘埃的欧阳踩着坚实而平整的道路，举目眺望采石场周围一片盎然的绿意和生机时，他的热泪禁不住洒落下来……

“这、这怎么可能？欧总，你是在变戏法啊！”第二天早晨7时，当忧心忡忡一夜的镇委书记看到彩旗招展、无处不绿意盎然的采石场时，竟然如同进入了世外桃源，他拉着已是西装革履的欧阳的双手，有些语无伦次。

欧阳笑得很开心，他指指路边几块标语牌问镇长："我们的这个奋斗目标行不行？"

"'让天更蓝，让水更清，让山更绿'——太行了！谢谢你，欧阳，你真是我的好兄弟、好战友！"曾在部队当过团职干部的镇委书记真的被感动了，他再次握着欧阳的手，感慨万千又意味深长地说了句："到底是军人出身的人！"

后面的故事并不复杂。于市长来此检查巡视后十分满意地对随行人员说："这里保护得还不错，但还需要加强植被与绿地的保护，深圳的所有采石场都应该像这样子行动起来。"

欧阳在"皇朝"虽仅有一年多，但他通过这次历练，已从过去的一个纯粹想获得财富的经商者，成长为一个懂得运用法律、熟知管理的重要与奥妙、在处理事件的过程中讲求技巧与诚信等各方面能力超凡的成熟经营者。

经商者和经营者之间仅一字之差，但两者在素质层面的要求则可能是两重天地。欧阳认为，一个经商者只需要干劲和拼劲、能吃苦耐劳、能精明算计或许就能成功了。但对一个成功的经营者来说，要根据所处的时代背景与社会环境，在政策层面、法律层面、管理层面及处事层面具备基本能力，这远比赚钱本身重要得多。在之前的奋斗岁月里，欧阳基本处在单枪匹马、一人定夺所有事的"个体能力"实践阶段。而"皇朝"的经历，则使他从"个体能力"过渡到指挥和调动"集体能力"的综合管理与实践阶段。

欧阳在离开"皇朝"时，一位电白县67岁的老工程师依依不舍地写了一首诗，亲手送给欧阳，诗中这样写道：

祥云兆翠枫，旺气满豪园，
山泉润"皇朝"，美景添新秀。

欧阳在“皇朝”有太多惊心动魄的经历，有太多辛酸与悲怆，也有太多收获与感悟。辛酸与悲怆，能练就一个男人的成熟、稳健和坚忍，更会激发成熟男人更高的斗志与追求。欧阳眷恋他在“皇朝”亲手打造的一个又一个死而复生的项目，怀念他亲自缔造的一个又一个在管理层面的创举。他就像一位身经百战的将帅爱惜自己的光荣历史一样，每每抚摸自己为“皇朝”集团而变白的每一缕银丝时，总有感慨，总会叹息，总会心潮澎湃……尽管后来欧阳离开了“皇朝”集团，整天忙着为自己的美丽集团和创造“美丽”事业难有片刻消停，但欧阳内心依然时常想念那一年多里与他荣辱与共的“皇朝”集团的兄弟姐妹们，留恋和怀念他自己用赤诚与心血换取的“皇朝”集团重新焕发生机和希望的一草一木。

欧阳是个太重情感的人。有时因为重情感，他总爱把事情想得太好，尤其是把别人想得太好，甚至连长期打压、打击与诋毁他的人，他都能容忍再容忍，直至对方彻底醒悟的那一天。“那一天”或许一辈子都等不来，但他居然还能笑呵呵地面对，并说：“世上总是好人多坏人少。”或者说：“一个人做了好事，即便委屈一生，但你临死时也会内心安详坦然。”

瞧这商界的英雄殉情者。

欧阳的名字为“祥山”。写至此处，我想“祥山”二字，是否就是他骨子里的道德情怀和人生价值的注解？

第二十五章　男人的美驻存在梦幻的世界里

欧阳走出“皇朝”之后，他的事业越发光彩夺目。

自从“美丽家园”运作成功，加之欧阳在“皇朝”集团执掌大业期间，成功驾驭一个又一个惊险并重大的项目的开发与整治，欧阳开始大踏步地迈向财富积聚的巅峰。这期间他特别钟爱两个字——美丽。

人们往往把美丽与女子联系在一起，但倘若美丽真正放在一个男人的事业拼搏上，我想那会是一种“大美”。正是一个一个曲折艰辛之后绽放出来的“大美”，构成了一个男人的一段人生诗章。而且，美丽对欧阳来说是一种运气，一种人生信仰，一种价值取向，甚至是一种灵魂的追求和一种心灵的境界。

这样的美丽一旦渗入一个男人的精神世界时，它所具备的能量将是巨大而激越的。当初，欧阳之所以接受“皇朝”的带资出任邀请，其中有一个感情原因是他收购了“皇朝”所属的一家公司的股权。这家公司有一块地，地的本身并没有什么特别，从某种意义上讲这块地还是块非常不被人看重的“蹩脚货”，然而它到了欧阳手里则完全变了样。

这块地现在的名字就叫“美丽 365”，它在深圳的知名度极高，谁能住进那儿，显示的将是一种身份、一种品位，甚至是一种财富境界。

欧阳离开“皇朝”后，虽自身能力得到前所未有的锻炼、提升，但拥有这块地并未减轻他对前景的困惑。那时这块地一点也不兴旺，相反给人的感觉是既荒凉又偏远，好像它不该与深圳特区有本质上的任何联系。但当欧阳第一次接触它时，就感觉眼前猛地一亮：这块地太有开发价值！其依据是这儿有“亮点”——现在欧阳对有没有“亮点”特别敏感，一眼就可以判定。

“这块地与世界级著名企业华为和富士康在深圳的两大基地毗邻，在这里工作的四五万人便是未来购房的主要潜在客户。这是其一。”

“其二，深圳中心市区的发展空间已趋饱和，龙华是整个特区未来发展中最具潜力的地区之一，而这一块地正是在深圳龙华的腹地，其前景不言而喻。”

“其三，龙华本身的开发正在向东移，这一块地正是龙华开发东移过程中最先、最全面惠及的地段。”

好地占一个优势，算是“上签”；占两个优势，该是“上上签”。现在这块地占了三个优势，那前景必定非常远大。然而就像我们通常对人的认识一样，千里马随处有，伯乐却不常有。对土地价值的认识同样如此。满世界好地，认识到的人却寥寥无几。

欧阳是土地价值的赏识者和主宰者。

关于这一点我想作些解释。在今天的中国，每一座城市可能都有几百、几千，甚至几万个地产开发商，他们或许有的已经干了几十年，积蓄的财富也上了财富榜，但他们未必是土地的真正赏识者，更谈不上是土地的主宰者。赏识土地的价值，是衡量一个地产商是否拥有最大化开发这块土地资源的能力与水平的标准。赏识必须首先有认识的能力，认识到位了才能产生一种愉悦的赏识感。有了赏识，就会产生感情。一块土地其实并非一件死物，它是有生命的先天之造物。土地的生命是有眼光的战略家和务实的开发者给予的。它的生命辉煌与否，取决于这样的战略家和开发者从认识转化到赏识、再从赏识转化为倾注激情、实施蓝图的过程，直至最终以理想的设计和圆满的施工来实现。

毫不夸张地讲，欧阳对某一块土地的理解和认识，具有超乎寻常的敏感与悟性，其判断和把握的准确，总令人敬佩。

接手龙华这块地后，欧阳便开始将赏识转变成如何完美地主宰它的前途与使命之上。

有谁研究过土地与房产之间具有什么样的商品价值因素方面的必然联系？它们的联系又是如何产生价值并为大众所接受与钟爱的？这些问题恐怕在大学专业课本中也找不到，几千年的建筑史学中也不会有专项论述。欧阳对此则颇有研究且认识深刻。他认为，土地与房产之间的商品价值因素，直接和必然相联系的可能并不是巨额的投资效应，恰恰更可能是一个概念、一种理念。

欧阳又一次陷入了深深的思索之中……

理念如同人的一种信仰，它坚定而执着，具有不可动摇性。可理念并不是虚幻的，它通常必须在实在的概念表达下形成和体现出来。

现在手中的这块地应赋予它什么样的实在概念呢？概念虚幻会让坚定而执着的理念最终丢失，可概念过于实在则会被后浪推前浪的时代更新风暴所吞没。他该怎么办？

欧阳静静地坐在那片待开发的土地上冥思苦想着——他从清晨到现在已经静坐了十几个小时了……没有答案便永不罢休，这已是欧阳的一种作风和习惯。这一天他的工作时间表里限定他要完成对这块地产名称概念的确定，可到此时他头脑中还一片茫然，他不得不仰首叩问苍天……

苍穹中一片星光闪烁的银河，那月亮、那北斗星、那牛郎织女星……初看如一幅画，再细看，渐渐变成了流动的、奔涌的、呼啸的、号叫的、歌唱的、呻吟的和悲怆的，又时而变成了壮美的、混沌的、清澈的……最后欧阳发现天体不动了，而滚动和旋转的是他自己的内心！啊，那风、那雨、那云、那霞、那光，还有电闪、雷鸣与纷纷飘下的洁白雪花……

哈哈哈……欧阳大笑，就是它了！

365！一个时空岁月。

365！一个光阴年轮。

想到这儿，欧阳收起身边的酒瓶与那包吃了一半的花生米，快步回到自己的办公室，挥笔在一张空白的纸上写下“美丽365”几个字。

“请看看这个名字怎么样？”第二天，欧阳又以一个咨询者的身份出现在街头的早茶店和公交汽车站台前的人群中。

“这个名字干啥用？”有人奇怪地问他。

“我想给盖房子的小区用。”

于是有人开始动脑，最后摇摇头说：“不好！”

有人则拿起这名字翻来覆去地看着，然后朝欧阳笑笑：“你这创意蛮新奇。”

“那你觉得它新奇在什么地方？”欧阳似乎找到了知己。

那人想了想，认真地告诉他：“你像在搞游戏！”

欧阳大失所望，然后又拉住另一个人问。

“用这样的名字？神经病吧？”

哈哈！就要这“神经病”的创意！一个没有任何争议的概念就是一个没有任何价值的概念。争议本身就是价值的体现。对，就用它！

“我要做大版面广告！”欧阳来到报社，大手一挥买下对开两个整版的广告版面，然后亲自动手设计……当他让广告人员将“美丽365”这几个字铺满对开两个版面时，报社的工作人员都惊讶万分地瞅着他直发愣：“欧总，这名字行吗？”

“你们说呢？”欧阳笑着询问编辑和广告专业人员。

他们都在摇头，吃不准。

那好，还是让读者和市民来评判吧。欧阳在定稿签名处“唰唰唰”地写下自己的名字，不多时，印刷车间的输送带上飞旋出如长城般浩然的“美丽 365”巨幅彩图……

“喂喂，你们给解释解释，这‘美丽 365’是什么意思呀？”

“没有听说过，花园还能用数字来代替？”

“‘美丽 365’？是指一年 365 天，天天美丽幸福？要是这样，我买这房。”“我不喜欢，如果数字也能代替小区的话，那明天再出来‘幸福 888’，我到底挑谁好？”

第二天，报社和欧阳公司的电话被读者打爆了。报社编辑和公司的员工不断给欧阳打电话报告此事。“这一天我高兴死了！你想呢，我就坐在办公室，等着全市人骂我、议论我，我这块过去根本没人知道的荒地，竟然一夜之间名声响彻全深圳！试问，还有比这样的广告效果更好的吗？”

“什么？亏你们想得出来！回去，重新起名去！”真是和尚好见庙难进，欧阳公司的人到当地政府的国土局办公室注册，人家说什么也不给他办理注册手续。

“美丽 365”花园的申请，一连三天都被拒之门外。

欧阳急了，亲自上国土局理论：“用什么样的名字，这本身并没有什么可以与不可以，无论是人名还是物名，它只是一种符号而已。如果脱开符号的意义，我们有时考虑某一物质的名字是想表达它的一种内容的话，那么我们‘美丽 365’就是想告诉人们，我们正用自己的努力来为大家创造一个‘天天都幸福美丽的家园’。难道这有什么不可思议的吗？”

国土局的官员先是一愣，继而乐着说道：“行，欧总你的创意新颖，符合深圳精神！”

于是，在深圳、在中国，有了第一个以数字命名的楼盘和花园的名字。

“美丽 365”名称正式确定，欧阳终于能实现心中期待多年的在建筑实践和美学理论方面的梦想与追求。这个名称还开创了建筑名称用数字命名的先河。这么一个具有里程碑意义的产物，注定要为这个男人人生的壮美画卷添上浓重的一笔！

有人说女人爱做梦，其实有抱负的男人也爱做梦。男人的梦，总穿梭于梦想与现实之间，男人的梦大多与事业有关，这样的梦多半涌动着一种内在的联系。

自从走出军营后，欧阳整天在公司里忙碌着，一睁开眼睛就开始做挣钱的梦，晚上当他拖着疲倦的身子回到自己家的时候，倒在枕头上就会做起另一个梦——期待再有个儿子，凑成一个“好”子。虽然中国有计划生育政策，不过按照欧阳老家湖北云梦的农村政策，他可以生两个孩子。但欧阳此前并没有想那么多，他和妻子一直勤俭操持着这个小家，爱女尽管在青春初期有点调皮，可经历一些事情之后十分听话好学。有一天我正好在采访欧阳，他女儿从加拿大打电话回来，父女俩那股亲热劲让我好不羡慕。

父亲对远在异国的女儿说：“春节到了，爸爸本来可以给我宝贝带几万块钱的。可爸爸想我女儿要的不是钱，要的是爸爸一颗爱她的心，所以爸爸只托朋友给你带了 666 元人民币。宝贝你知道爸爸给你这 666 元钱是什么意思吗？”

女儿在那头说：“爸爸我知道，我爸爸最懂我的心，你是让女儿在外面干什么事都顺当。爸爸好心细，这 666 元钱都是连号的，是让我顺了再顺。我一定听爸爸的话，好好学习，争取将来帮爸爸做点事，让爸爸少辛苦些……”这时我看到欧阳的眼里已经噙满了泪水。这个小家非常温馨美满，令人羡慕。

好运真的降临了，妻子在帮助丈夫打理公司财务等繁重工作的同时，又为他怀上了一个孩子。

可是很怪，预产期到了，宝贝却不肯出世，这让欧阳夫妇着急得不知该如何是好。

妻子每天躺在家里焦虑地等待，欧阳身在工地，心却早就飞回了家，那些日子两口子眼对着眼，一天又一天地期待孩子的出世……

20天过去了，孩子终于出世了，欧阳心想事成果真是个男孩。奇怪的是小家伙来到世上，睁着一双明净净的眼睛看着这个世界，一声啼哭都没有。

这孩子怎么啦？连一句哭声都没有啊！欧阳搞不明白，医生也搞不明白。儿子睁着眼睛看着他，仿佛在问：为啥一定要啼哭嘛！我感觉来到这美丽的世界那么美好，开心还来不及呢！哭什么？

与情感特别外溢的父亲欧阳不一样，小家伙从出世那天起就从不轻易啼哭。

在“美丽365”工程全面启动时，欧阳的儿子已经三四岁了。小家伙在一天天地茁壮成长，而欧阳此时的家庭、事业，样样进入最佳状态。

欧阳的企业文化里有一种求稳、求安全的强烈意识。这种意识我想它首先应该来自于欧阳是个干什么都必须确保有把握的人。他曾经对我说过，作为一个独闯天下的民营企业家，事业小的时候赚点钱不容易，怕辛辛苦苦挣来的钱白白损失了心疼；等到家大业大后，这种“怕出事”的意识就变得更加强烈，这会儿再“出事”就可能是毁灭性的打击。

“所以，只有在任何时候都保持头脑清醒，做事小心谨慎，才能一步一个脚印地朝前走。我们搞民营企业的，你成功了，有人给你喝彩。你赔了、失败了、跳楼了，谁会同情你？没有人。因此你只有每时每刻把各种风险、各种坏事想得多一些，防范意识强一点，你才可能不吃亏、不吃大亏。”欧阳说。

欧阳最吸引我的一点，就是他的脑海中永远充满梦想。梦想几乎是他永无止境的追求的全部动力源泉，以及他处事、做人的行为准则指导。有位哲学家说过，一个没有梦想的人，其思想如同一潭死水，是不可能创造奇迹的。

许多人以为从商的人都是些整天见钱眼开、除了讲究实惠再也没有任何思想的金钱制造者。其实不然，一个杰出的经营家，他的意识里可能充满着诗人的浪漫和天文学家的幻想。欧阳大概就属于这样的人。

从确定“美丽365”花园的项目名称后，他的思想每一秒都不曾停止过畅游……他可以在处理完工作上的事后，独自驾着车在深圳大街上一条街一条街地游荡，到一个又一个小区去参观。他在观察每一幢好看的和不好看的楼宇与小区建筑。在那些光彩夺目、独创新颖的建筑面前，他可以痴迷地看上几个小时，甚至一天、两天。那些不好看的房子他也要看上几回，旨在找出其中问题所在。欧阳的建筑学知识就在这种日积月累的观摩中渐渐加深，并掌握得越发娴熟。他曾指着深南大道两边的楼房对我说：“深圳最值得一看的楼，我都能叫得出它们的名字。而且我还可以告诉你，所有这些所谓最具标志性的建筑群，我都可以指出它们身上的几处缺憾。”

别人的缺憾，就是自己的优势。欧阳现在要做的是既不能让别人看出自己的缺憾，更不能让自己觉得有问题。

欧阳发誓要把“美丽365”打造成深圳唯一、中国顶级的旅游与花园式的优秀生活小区。

“美丽365”是个什么概念？一年365天，天天生活在幸福和美丽的世界？！这是老百姓的一般理解，但其本身却包含着无限丰富的内容。谁能解释什么才是天天幸福与天天美丽呢？幸福到底是个什么样？美丽又该是什么景象？这样的题目，一百个人有一百种答案。欧阳现在要以自己的理解来诠释这一理念并争取获得众人的认可，这无疑是个超级难题。

公司的人都走了，工地上拉土的车子也停机歇着了，静静的夜空只有繁星在闪烁……疲倦的欧阳干脆往地上一躺。啊，夜空这么人啊！这一刻，欧阳感到特别惬意，像小时候躺在父亲的怀里，倾听他讲述牛郎织女星的故事。现在这个故事已经很陈旧了，连他儿子都不感兴趣。可欧阳在仰望星空时，总觉得父亲过去给他讲的故事似乎根本就没有讲完，你瞧那牛郎织女在他们“七七相会”之前，还有许多行程中所发生的美妙之事呢！欧阳感到人类对天体的认识太少，眼光总是那么局限。比如造建筑盖楼房一想到要好看，不是想到仿古，就是追求欧式。一想到花园公寓，便是山水花草、亭台楼阁。做来做去，千篇一律，你仿我效，最后谁也没有特色。难道大千世界、奥妙无穷的宇宙，就这么枯燥乏味、单一死板？不是的。地球在转动，每一次转动都会产生五光十色。但地球在太阳系中仅为九大行星之一，太阳系的九大行星之循环往复，不知要比地球的自转精彩奇妙多少倍！可太阳系在整个宇宙世界里又算得了什么！

对！“美丽365”就应该在时空中寻找它的美丽！

365天是个时间概念，但365天又不是一个简单的时间概念，它由春夏秋冬四个季节、12个月份、24个节气所组成。如果把我们的花园建筑按照四个季节进行分期开发，并营造每一个季节的不同建筑风格：春者，让其绿意盎然；夏者，让其清爽惬意；秋者，让其金果丰硕；冬者，让其温暖宜人。再按12个月份将小区划分为不同的区域，同时把24个节气体现在花园的道路、围墙、楼与楼的衔接等处，那该是个多么大胆而奇妙的设想啊！

不不，这还不够！365天的概念还应该包含时空概念的其他内容，比如光线、色彩、动感、节奏、无限性、永恒性、畅想和梦幻……

哈哈，这才是我的“美丽365”！欧阳想到这里，“噌”地从地上站起，他打开手机，找到自己的总工、销售部部长和设计师，他想和他们一起分享这份畅想的喜悦——当然前提是这样的思路必须精彩并获得他们的认同。

“美丽365”后来就是这么打造的。

我第一次到深圳采访，欧阳就把我领到这个曾获“最佳园林奖”“深圳首个旅游园林社区”“深圳龙华标志性建筑奖”等几大奖项的花园参观。我漫步在这个花园，仿佛置身于一年365天的“季节花园”之中，又如在苍穹间信步漫游，更似迷失在光色幻影的迪士尼乐园……单说花园的大门口那个巨大的九星天体图，就足以让我流连忘返了！我抚摸着转动的巨球——“太阳”，有一种想要飞翔的感觉；我推了推小小的“地球”，更觉自己伟大无比！欧阳啊欧阳，亏你想得出！你把我们生活在拥挤的地球上的人搬到广阔的太空去了，于是一切狭隘的心胸和短浅的眼光一下变得开阔无限了！

这才是美！一种空间与时间的美。

这才是诗！一种心境与视觉的诗。

这诗，属于男人，也属于女人，属于梦想，也属于现实。

“你可以用尺丈量一下，这花园的大门距离正好是36.5米！”欧阳一本正经地指着那壮丽雄伟、精妙绝伦的大门对我说。

我拍拍他的肩膀，笑言：“你什么都不用介绍了，所有走到这里的人，都会说出三个字……”

欧阳狡黠地问我：“哪三个字？”

“还能有什么？‘太美了’呗！”我说。

于是欧阳满意地一笑。

第二十六章　还有多少情……

现在，欧阳已经离开农村近 30 年了，但他始终没有忘记家乡那养育他的一方水土。所以许多年来，尽管他四处漂泊，却一直牵挂着家乡。当他有了一定的资本后，首先想到的就是如何用自己挣来的血汗钱回报家乡。在他只有 200 万元资产时，他就曾捐资 50 万元给隔蒲村修建了水泥道路和几千米长的柏油马路，同时在家乡为残疾人举行义捐。他浓浓的乡情深深感动着家乡人民，每当乡亲们谈起他时，都会伸出大拇指说："我们云梦在深圳有个好人，叫欧阳祥山！" 2005 年 8 月，欧阳为家乡云梦捐献巨资修建公园和博物馆，更成为父老乡亲们口中的一段佳话。

欧阳在为自己家乡建的博物馆上花了很多心力，他说已经开工的博物馆建筑所用的材料都是一流的。而最让他感到欣慰的是，整个博物馆建筑的设计是他花了很大心血亲自参与的。他告诉我，光为寻找到合适的设计单位和搞出一份合他心意的设计方案，他前后花了近两年时间、设计出了几十个备选方案。

博物馆长宽都为 80 米，共有 99 根柱子……他要求每一处都要体现出中华民族深厚的文化底蕴，必须做到集传统与当今的建筑精华于一体。

也许因为欧阳是从贫穷的农村走出来的缘故，所以多年来他对农村青年的出路和前途特别关心。当他回乡时面对那些至今还在农村中苦苦挣扎的青年农民，他心里总有一种说不出的痛，期望他们也能像当年的他一样，敢于出去闯荡世界，去寻找出路，去追求属于自己的明天和未来。

作为一个过来人，他很想以自己的成功经历提醒年轻人：一要对父母有孝心，疼爱父母，让父母在生前享受到儿女的体贴和关心；二要勇于、善于参与城市和乡村的各种经济活动；三要敢于走出家门；四要靠人品、诚实、信誉取胜，弥补文化水平低的短板，只有靠人品和信誉才是你超越别人的唯一资本。

随着事业的不断发展和企业社会地位的提升，欧阳如今已把从事公益事业作为自己人生奋斗的一个方向。为给偏远山区的孩子带去更多的知识，欧阳先后为内蒙古、西藏等地区的 72 所小学捐建了“育才图书室”。同时欧阳不断地参加国内、国外的各种论坛和培训充实自己，他对沿海经济建设提出的一些看法和建议得到了专业人士高度评价，他在北京参加中国经济论坛时曾与经济学家成思危进行交流，我发现他的综合素质和资源又上了一个台阶。

在欧阳在血管里有份情感最炽热，那就是他对部队和部队战友们的情意。虽然离开部队已经 11 年了，可每逢春节和“八一”，欧阳都要回老部队看望战友们。10 年来，他为老部队捐资、捐物及改善部队文化体育设施慷慨解囊，累计捐献金额已达数百万元。

2006 年，他给参与武警边防七支队战友座谈会的所有人写过一封信，信中他这样写道：

追忆激情岁月，珍惜友情时光

各位老首长、亲爱的战友们：

“八一”快到了！此时此刻，我的人虽在异地心却在部队。战友聚会体现了我们对军营的一种眷恋，是对友情的一种审视，是凝聚力的一种升华。只有在这个时候，我们才可以揽肩搭背不由自主地放肆，举起酒杯暂时抛开一切烦忧，倾吐战友情怀。

“八一”是我们军人的节日，是我们老兵难以忘却的日子。

“八一”到来的时候，尽管我们如今已在最高级的大酒店聚会，相信战友们仍会情不自禁地想起初建支队时那住茅草棚、开荒地、挖电缆的艰苦岁月；想起在那烈日骤雨下的练兵场上，口号声、刺杀声、铿锵脚步声响彻云霄；想起全副武装集合、看电影、连队拉歌时的情景，那凯歌、赞歌雄壮威武、回荡空谷；更会想起那吃大盆菜的酣畅淋漓，猪大肠炒咸菜的香味让人口舌生津、回味无穷。20 多年前的情景历历在目，20 多年前的号声犹在耳畔。今天我们战友相聚在这豪华恒温的大酒店，欣喜地看到我们参与建设的一个与时俱进、充满现代和谐氛围的国际化大都市——深圳。

抚今追昔，感慨万千。我作为一名老兵代表，脱下戎装搏击商海已 15 年有余。在离开部队的日子里，我成立了集团公司，从事多元化的高速运营，我依然会提醒自己在平时尽可能保持军人常态；我如今有机会作为政协的一员参政议政，我依然会在各个场合想起首长对我的教诲和肩上承担的社会责任；我曾跟随科考团登上了南极，在面临生死关头时，我依然会想起风雨并肩的战友们那一张张熟悉的面孔。部队给了我们坚忍不拔的毅力和勤奋学习的精神，给了我们终身受益的求知能力和发展机遇；部队也留下了我们的青春和热血，留下了我们的梦想和欢乐，留下了我们的情怀和壮志。今天虽然我们早已告别了军营，但战友座谈会又把我们凝聚到一起，圆了我们回“家”探亲的梦，抚慰了我们眷恋军营的心、升华了我们对战友的情。战友会是我们感情沟通的桥梁；是战友心灵栖息的港湾。我个人认为部队既教会我们最大限度地顺应社会的规则，积极面对社会的现实责任，又教会我们一个人要有对生命的执守，有我之为我、永远不轻易更改的那一点禀赋，还要有九死未悔坚定不移的军人信念。我还认为战友座谈会顺应了战友们的心声，承载了七支队老兵的愿望与未来，体现了七支队老一辈的前瞻与务实。它是给我们无限温暖和真心呵护的“娘家”，我真心希望我们的老兵们都能常回“家”看看，常在一起聚聚……

各位战友，现在我们的生活发生了质的改变，很多人在不同的地域、不同的工作岗位踏上了创业征程。也有更多的老兵退休开始颐养天年，难免会感到有些失意和困惑。今天，我们有足够的理由自豪地追忆深圳的“八五大爆炸”等抢险救灾工作，是我们一马当先冲在最前，我们可以挺起胸膛大声地说“深圳的今天我们七支队老兵是流了大汗、出了大力的……”

“人生在世，草木一秋”，从部队到地方，我们经历的不仅有辉煌也有苍凉；不仅有荣光也有失意；不仅有坦荡也有困惑。只要我们拥有一颗包容的心，学会放弃、学会珍惜，就仍能在纷繁复杂中保持一份从容和淡定；只要我们回首在部队经历的那段激情燃烧的岁月，保持乐观、保持担当，就仍能在信仰缺失的年代保持一份清醒和坚强；只要我们时常相互关爱、相互倾诉，就仍然能在困顿时保持生活的常态和身心健康。

最后，祝战友们在事业上有声有色，在生活上有滋有味，在感情上有情有义！请允许我向各位老兵们敬一个军礼！

老战友：欧阳祥山
2006年7月24日凌晨

欧阳就是这样一个饱含深情的人。他对家乡有着浓浓的眷恋之情，对父母有着拳拳的孝顺之情，对一起生活过的战友有着切切的怀念之情，对社会各界帮助过他的人有着深深的感激之情。尤其是对跟了他这么多年的同事们，这些年来离散聚合、进进出出，他非常感激他们，是他们和他一起经历了艰辛的并肩奋斗的岁月。一切的一切，都是无比珍贵的缘分。

“知道我为什么同意你把我漫长的经历写出来吗？”欧阳最后问我。我笑笑，没有回答他。

“责任。当一个人创造的财富越多，越应该感到肩上重重的责任！而且这种责任已经超越了家庭、超越了自我，是对社会的、对时代的……”

欧阳告诉我：人生的选择有时比努力更重要！他希望他的朋友们今后的路走得更直、更顺。

我想，或许人到了一定的境界，更多考虑的已不再是自己能做多少事情，而是能给社会多少回馈，要有所取舍地再做些对社会有益的事。

我突然想起欧阳从南极回来后跟我说过的一番话，他在做任何事情的时候，都不曾忘记对大自然的深爱。

“从大自然的情怀中，我们一定要学会进取，学会包容，学会放弃。”他说。

第二十七章　风过留香

海浪拍打着礁石，潮涌潮回，声音低沉铿锵。

此时，我仿佛听到了欧阳的呼吸声，他正双手叉腰面朝大海，呼吸声伴着深深的思索往复不息。他一定在想，自己还能够做些什么？

这个不同寻常的中国男人，到什么时候才会停止对十全十美的追求呢？

有时候我在想，他这样一个农村出来的穷孩子，自己摸爬滚打，历经酸甜苦辣，到现在最终算成为一个什么样的人物呢？是儒商，是武将，还是精英？

其实，按照欧阳的心态来看，他觉得自己什么都不是，他就是一个平凡的人——孝顺的儿子、重情的丈夫、温情的父亲、辛勤工作的企业家。一个与“祥山”这个名字相匹配的男人。

他是从百般疾苦、艰辛奋斗中走过来的人，这注定了他哪怕成功，也会继续铿锵地走下去。而之后的不求享乐、不求安逸的二度奋斗，其实是他自己强压给自己的人生命题。越是攀登过高山的人，越能看得高、看得远，因此，他希望继续跋涉，看得更高更远。

是啊，所以欧阳总是很忙。他舍不得让自己停下来，仿佛休息就是浪费时间。这是很多人都无法理解的。他一个身家过亿的人，经常穿着雨靴在工地里东查西找，经常埋着头和员工吃盒饭，经常在飞机上才能抽空合一会儿眼，经常对人态度谦逊地道谢……

他在他人生的曲折诗章中，明白了什么是“苦”。他在他事业的艰难成功中，明白了什么叫“乐”。苦与乐，原本就是相辅相成，并肩行进的。经历过苦与乐之后，人才会发现自己人生的意义，也就会一直不放弃跋涉，并且朝更广阔的天地去跋涉。

他不懂得享受吗?

不，他懂得。他不断积淀自身的学识，乐于结交形形色色的朋友，能够把控生活现实，热爱把玩琴棋书画，懂得生意，懂得情谊。他甚至也去南极，去开阔的境地，探求自然赋予人类的无限情怀和寓意。他考虑自己的命运，考虑家族的命运，考虑部队的命运，考虑青年的命运，考虑行业的命运，考虑社会的命运。他的享受，在无限的思考中得到延展和升华，定位在更高更远的世界。

来时的路，风尘仆仆，如琼浆醇酒般浓郁，注定被中国历史所见证。

欧阳祥山说在后面

朋友，长谈结束了！

我要感谢你们看到这里，我万分珍惜与你们字字句句相对而语的长谈，我们有这样真真切切的缘分。这种缘分不光是你们分享了我走过的路，阅读了我所经历的故事，更重要的是，希望你们能从这一次长谈中感受到我的愿望——愿所有求生谋业的平凡旅人都能找到坚定清晰的路。

我要感谢完成这些文字的作者，没有他的再三要求，我毫无勇气。是他帮助我，让这漫长的倾诉变得顺理成章，让更多的人在阅读中能与我产生思想共鸣。作者将这些经历定名为《男人的美丽男人的梦》，我想是高抬我了。男人的美丽和魅力在于它的超凡脱俗，而我平凡得不能再平凡了。倘若真要说我不平凡，我想是因为我跨过了太多常人无法想象的磨难，在平凡的自我历史中，刻下了深重的印痕。

我要感谢自已，在这样的时刻能够静静地与自已再重走一遍来时的路，让自已牢记曾经在贫困中看到的曙光，在艰辛中看到的强韧，在勇猛中看到的冷静，在辉煌中看到的谦逊，在富足中看到的节俭，在平凡中看到的不平凡。想来这该是一件多么需要心存感恩的事。

长谈结束了。

所有看到这一切的人，会与我有一份难得的彼此珍重，亦会与我共勉，给予我一份关怀和鼓励。

我很清楚，自已已经不惑之年，走在了人生旅途的后半程。

这些积淀下来的所谓的财富，不过也就是云烟般轻浅的东西。而我知道，还有另一种东西，我必须一直珍藏和惦念，那就是自己一路走来的精神所得。我感谢苦难、坎坷、挫败、勇气、奋斗、坚持，感谢汗水和泪水的交融，感谢谦卑与自尊的并存，感谢一路上千变万化的人与事构成的繁复风景，感谢点点滴滴、踏踏实实如诗的岁月。

长谈没有结束。

看上去，我的一切似乎都已经完美安逸、尘埃落定，无须再困顿，无须再忧虑，无须再追求。其实，在我的内心，潜藏着多少痛苦，自己也难以名状。

这一连串的生存艰辛、发展瓶颈、开拓困境、富强难题，同时又困扰着多少人。我常常想，我们在碰到这些问题时，是不是也更应该理解我们的社会，理解我们的国家，社会和国家也是在一步一步成长的。

从个人到集体，再到一个国家，只有理解，才能滋生爱，才有和谐，然后才能在共患难中实现共繁荣。

许多人在阐释"成功"的概念，在我看来很简单，用"力"地"工"作，这个"功"自然就成了。但它又很复杂，这个所用的"力"需要善良、智慧、谦逊、拼搏、责任、志向兼具。一个人需要这样，一个企业需要这样，一个强大的团体也需要这样。

许多人说我成功了，我要谢谢你们这么鼓励我。其实，我依旧还是一个走在路上的拓荒者、求索者。有时别人把我比喻成一只雄鹰，翱翔在商界的天空。我想，我只是一只平凡的鸟，把自己假想成没有双脚。如此，唯有往前飞，再往前飞。

不停止。

欧阳祥山

于 2006 年 7 月 27 日

出版说明

何建明先生是中国文坛著名作家，长年坚守在报告文学一线。“非典”、汶川地震、天津大爆炸、利比亚撤侨等重大事件发生时，何建明先生都尽可能出现在第一时间、第一现场，将第一手材料及时地呈现给读者，将中国故事讲深、讲透、讲生动、讲精彩。他强烈的责任感和使命感让人感动，其直面真相、忠于现实的精神令人钦佩，是中国当代报告文学界极有影响力的领军人物。

有感于斯，我社特收录何建明先生近40年创作的报告文学作品，结集为《何建明文集》三十卷出版。这些作品是对时代、社会、自然和人文的记录、呈现与见证，是作者响应时代的召唤，置小我于大我之中，循着时代背景和社会需求而创作的，完整、真实地表现了社会各个层面人物的喜怒哀乐，代表了当代中国纪实文学、非虚构创作的高峰水平，大气磅礴、激情豪迈，极具胸怀和气量。其中多部作品获得鲁迅文学奖、国家图书奖、“五个一工程”奖、徐迟报告文学奖等。

每个时代都有自己的特征，每部作品都有自己的特点。为了全面展示何建明先生历时40年创作内容、使用语言和文学风格的变化，本文集对何先生已发表的所有作品原则上不做修饰和润色，除特殊情况外也不做大的删节和修改，以保证今天的结集出版，仍不失当年作品的激情和味道。